叛乱を解放する

体験と普遍史

長崎浩

月曜社

目次

II　追悼

III　私事を語る

Ⅳ　党派性のかたち

叛乱を解放する　体験と普遍史

はじめに

日本の新左翼とは何だったか、そんなものが日本にあったのか。過去形で問うてみる。日本にも1968があった。当事者世代ならなおのこと覚えがあろう。一九六〇年代末から七〇年代にかけて、世界同時多発的に経験された政治運動である。一九六八年の若者たちの叛乱とも呼ばれている。運動渦中にいたか圏外にあったかを問わず、今日でも1968に触れて発言する年輩の人たちは多い。叛乱が全世界的な事件であったから、だけではない。1968はそれを取り巻く社会に断絶をもたらし、同時に、新奇の精神の広範な高揚を生み出していた。対抗文化運動という文化革命である。叛乱の時代とはそういうものであろう。つづめて「1968年の世界革命」と呼ぶ者もいる（ウォーラースティン）。われわれは今もこの世界革命の「後の」時代にいる。

あの時代から半世紀が過ぎた。日本でもこの十年ほど、ようやく1968の当事者の手記や回顧録、あるいは歴史的研究が目に付くようになっている。私はこれらを強いて点検しようと努めてきたものであるが、過去を歴史物語に共同制作する試みはようやく始まったばかりと評することもできよう。日本の1968は総じて新左翼の運動と呼ばれてきたが、今では対抗すべき旧左翼と共に、新左翼もその定義をすっかり使い果たしてしまっている。その現れとして当事者たちの手記も読まれているだろう。日本の新左翼とは何だったのか、というわけである。
本書で私は「体験と普遍史」という対比を使っている。普遍史とはもともと世界創造から終末と救済にいたるユダヤ・キリスト教による世界史の物語のことだ。ヘーゲルの歴史哲学、とりわけマルクス主義の革命もまた、同じく世界史の物語として信じられてきただろう。ただここでは、もう少し一般的に普遍史なる用語を使っている。世界史に人類の何らかの方向性や目的を仮託する歴史物語のことだ。これを1968に当てはめるとすれば、あらわに「わたしと世界史」という関心になるだろう。「私が語り始めた最初の革命」と評されることがあるように、1968の叛乱では世界中でこの私が発言していた。私がただの世界史を普遍史として経験したのである。だとすれば、1968の歴史の語りはたんに体験でも普遍史でもなく、両者を結んでは葛藤させる「と」の物語であるほかない。本書の第I部に収録した論考は、この「と」をめぐる過去制作の試みとして読んでいただけると思う。

日本の1968の過去物語は、まだぼちぼちとはいえ、新左翼政治党派(セクト)に属していた者たちからも出始めている。欧米などとは違って、日本の新左翼は新理論だけでなく以前から独自の運動を作り出してきた。日米安保条約改定反対運動(一九六〇年)における全学連の学生運動である。赤いカミナリ族などと非難され、また共産党からはトロツキスト妄動分子と指弾された過激派である。過激派はその後にもあとを絶つことなく、1968には新左翼の多数のセクトにばらけて互いに覇を競うことになる。日本の1968は大学を占拠した全共闘運動と共に、これらセクトの主導による街頭政治闘争から成り立っていた。セクトをおいて日本の１９６８は語れない。それなのに、これまで日本の１９６８は全共闘運動だとされて、その内でセクトはいたずらに戯画化されるかセクト（主義）の一語で片付けられがちであった。今ようやく、当時のセクト当事者がその過去物語を一般読者に語り始めたのだとすれば、日本の１９６８もやっと歴史になろうとしている現れかもしれない。この世代もすでに七〇歳、ぜひそうしてもらわなければならない。

本書はこんなわけで１９６８の新左翼セクトの経験について、いくらかあからさまに主題にするようにしている。セクトを論じるには内ゲバを避けては通れないし、逆もまた然りだ。本書では共産党民青まで含めて党派活動家の現在を垣間見るとともに、革マル派と中核派の革共同戦争を取り上げている。その上で、内ゲバ論の共同制作を提案する。また、インタビューに答える形で、私自身のかつてのセクト活動にも触れている（第Ⅲ部）。

それにしても、この半世紀の世代間の断絶は著しい。今日でも社会的政治的な運動に携わっている若者たちは少なくないだろう。私などがその一端に触れて感じるのは、スタイルの世代的な断絶である。もう新左翼のどんな痕跡も認められない。良し悪しは別として、とあえて言おう。日本の新左翼はその文体や規範や風土を今日の世代にまで残すことに失敗している。古い世代が直視すべき事実だと思う。日本の新左翼の歴史に関する問いはまた、新世代に向けての過去物語の語りでなくてはならない。

新左翼と言えば、その綱領的理論の新奇さを論じるべきだ。マルクスの、またレーニンの理論と実践を、新たにかつ正しく継承していたかどうか。とりわけ新左翼セクトにとっては、既成左翼から自ら割って出た根拠が理論にある。それだけではない。複数の党派の競合としてあるほかない1968のセクトにとっては、同じく新左翼の他党派にたいする理論的覇権がその存立根拠だ。唯一の正しい前衛党たらんとしているわが党である。ひどい場合には他党派を組織的に殲滅する内ゲバの正当化にもなる。だが、おのれの唯一優位性を根拠づけるまさにそのことが、直ちにその絶対性を相対化してしまう。同じ新左翼の隣の党派が同じく自己主張をぶつけてくるからだ。「イデ闘」と呼ばれるイデオロギーの競争が党派闘争を生み、これがときに内ゲバに高じる。ローザかレーニンか、沖縄「解放」か「奪還」か、「内乱・内戦‐蜂起」か「前衛‐党‐大衆」か。こんなことを、日本の新左翼はさんざんやってきたのである。

日本の新左翼は何だったたか。本書に限ったことではないが、私はセクトの綱領や理論そしてマルクス・レーニンの唯一正しい把握などの比べっこで、新左翼の歴史を腑分けするやり方を棄てている。そうではない。路線論争と呼ばれるこんな理論の覇権主義を続けてきたそのことが、新左翼とは何かの問いでは今や吟味されなければならない。言い換えれば、新左翼という自分たちの歴史的経験の内にこそ、新左翼とは何だったのかという問いを根付かせたい。良くも悪しくもとまた言うが、日本の新左翼はそれだけのことをやってきたのである。

ところで、長い空白を経てこの一〇年間は、大衆の街頭蜂起やポピュリズムが世界各国で頻発するようになっている。ただ、この事態を中断するようにして新型コロナウイルス感染症のパンデミックだ。隙間もなく地球上に蔓延している。１９６８の世界革命ならぬ見えない敵との世界戦争である。そしてパンデミックの終息とともに、これに先駆けていた世界の大衆蜂起が再度頭をもたげずにはすまないだろう。１９６８の世界革命の後の世界はその過去物語を想起し、また必要とするはずである。

以上のように、本書は私の新左翼観のサマリーのような構成になっている。この手の著作を公刊できたのもひとえに元・河出書房新社の阿部晴政氏、および月曜社の神林豊氏のおかげである。

心からお礼を申し上げたい。

I 体験と普遍史

日本の1968

叛乱の時代

一　一九六八年

世界同時多発

第二次世界大戦の終結から二十年ほど、一九六〇年代の末、世界で同時多発的に若者たちが政治運動に立ち上がった。米国、欧州、日本など資本主義国から旧第三世界（メキシコ）、そしてチェコスロバキアなど社会主義国にまで広がった。世界同時的というのも、一九六八年がこれらの運動の始まりを象徴する年となったからである。また、プラハの春、パリの五月、日本の全共闘運動もこの年に始まった。世界同時多発というだけではない。運動のきっかけや目標はもとより国によって様々であったが、それでも運動の在り方には無視しえない同質性がうかがえるのだった。そのため今では、これらの運動はたんに「一九六八年」、あるいは「若者たちの叛乱」と呼ばれることが多い。しかし、運動の何が同質なのか、若者たちとは誰であったのか、そして叛乱は通常の政治運動あるいは革命とどう違うのか。こうした点は本章がこれから考えていくことなるだろう。なお、運動の世界的広がりについては、カーランスキー（二〇〇八年）やノルベルト・フライ（二〇一二年）が詳しい。また、日本に関しては、何といっても小熊英二の大作『1968　若者たちの叛乱とその背景』（二〇〇九年）が網羅的に扱っている。

歴史としての1968

ところで、現在の関心から一九六八年の叛乱を歴史として振り返ることに、どんな意味があるのだろうか。あらかじめ、次の二点に注意しておきたい。第一に、この運動が戦後世界の大きな曲がり角を画したという事実である。全共闘の活動家だった小阪修平の感慨を引けばこうなる。

「文化や風俗という点では六〇年代末から七〇年代初頭にかけての変化はすさまじかった。テレビで六六年頃の映像と七三、四年頃の映像を見比べると、別の国のようだ」（小阪、二〇〇六年、一四〇頁）。日本だけのことではない。一九五五年生まれのドイツの歴史家、先に上げたノルベルト・フライが次のように指摘している。「一九六八年はすべてを変えてしまった年ではなかった。それまでにあまりにも多くのことがすでに進行しつつあった。だが「六八年」以後はほとんどなにひとつ、もとのままではなくなった。そしてこの意味で「六八年」は、いたるところにあったのだ」（フライ、二〇一二年、二三二頁）。

もし以上の通りだとしたら、六八年は今日にまで続く社会の始まりを画する事件だということになる。振り返れば、戦後世界とポスト戦後社会とがこの運動のうちでせめぎ合い、そこからあたかも運動をすり抜けるようにして、現代社会が溢れ出て来るのを見ることができるだろう。この運動を機にして、近代とは区別すべき「現代」の歴史が始まると見る研究者もいる（大嶽秀夫、二〇〇七年、森政稔、二〇〇八年）。そればかりではない。ウォーラースティンに言わせれば、これは「一九六八年の世界革命」である。歴史上初めて成功した世界革命であり、何ら新しい体制を残さなかったとはいえ革命の衝撃は現在にまで継続している。それというのも、一九六八年の世界革命は近代自由主義二百年の歴史の分水嶺となる事件であり、歴史的意味からすれば一九九〇年の社会主義体制の終焉以上に重要だということになる（ウォーラースティン、一九九七年）。

今ではこんなにまで重い意味を背負わされている一九六八年とは、では、実際どんな運動であったのだろうか。各国の運動実態を調べてみれば、ひとはそこに政治運動としてのある種の貧しさを見出して驚くかもしれない。歴史とはそういうものだろう。

叛乱の時代、ふたたび?

さて、現在の問題関心に照らしてあらかじめ指摘しておきたい第二の点は次のことだ。今世紀も一〇年代に入ると、同じように「若者たちの叛乱」と総称される運動が世界各地で頻発するようになった。二〇一一年のウォール街の占拠、チュニジアに始まるアラブの春、スペインの怒れる者たちの蜂起、それに反原発の日本のデモ行進もこれに含めてよいかもしれない。トルコ、台湾、香港などの運動がこれに続いた。一九六八年から長い空白期を挟んで、歴史はもう一度叛乱の時代を迎えようとしているのだろうか。若者たちという運動主体、叛乱という運動性格、占拠という運動形態など、二つの「若者たちの叛乱」は一見似たものに見える。

このため、二〇一一年以降の叛乱についての関心から、若い人びとが一九六八年を振り返ることがあるだろう。だが、あれは半世紀も前の出来事である。時代と社会がまるで違ってしまった、というだけではない。同じ「若者たち」でも両者は存在性格が違う。占拠という運動形態は似ているかもしれない。だが、かつては学生や労働者は自分たち自身の学校や工場、学習と生産の拠点を占拠したのである。今は違う。街路と公園の占拠である。この一事を取っても二つの叛乱は別の性格のものだと推察できるだろう。今日になって一九六八年の叛乱を振り返れば、彼我の同一性と差異性の両方を省みるよすがになることだろう。

二　全共闘運動

全共闘という組織

日本の一九六八年は全共闘運動と呼ばれる。この年、全国の大学の八割に当たる一六五校にまで運動が拡大し、内七〇校で全共闘による大学の占拠とバリケード封鎖が行われた。翌年には紛争大学はさらに拡大した。もちろん、これには前史があった。学費値上げに反対する慶応大学（一九六五年）と早稲田大学（一九六六年）の学生運動は、全共闘運動のはしりという性格を持っていた。さらに日本の特異性として、全共闘運動には一九六〇年の日米安保条約改定反対闘争からの継続性が認められる。米国によるベトナム戦争への介入が激化するのが六〇年代である。ベトナム戦争反対が日本でも全共闘運動に先駆した。そして、六八年以降は全共闘運動と新左翼政治党派（セクト）中心の反戦街頭闘争が並行して行われ、相互に高揚していった。とはいえ、その規模と運動の性格からして、日本の一九六八年は全共闘運動に代表されるとしていいだろう。次に東大全共闘に話を絞って、日本の「一九六八年　若者たちの叛乱」をやや具体的に想起しておきたい。

東大闘争全学共闘会議（東大全共闘）は一九六八年七月五日に結成された。大学院生たちの全学闘争連合（全闘連）と助手共闘も広義の東大全共闘に含まれる。東大の全十学部にはそれぞれに学生自治会があるが、当時はそのほとんどを日本共産党系の民青（民主主義青年同盟）が握っていた。東大全共闘はこれとは独立に、各学部の闘争委員会の全学的機関として結成された。従来は自治会規約にのっとって自治会の多数派となることが、学生運動の主導権を握ることだった。戦後民主主義のいわゆるポツダム自治会のルールである。意識的にこれに反して、闘う者たちが闘いの都合からいわば勝手に（直接民主主義的に）、ルール外（学校当局非公認）の組織として結成したのが全共闘である。全共闘に規約はない。メンバーシップもリーダーシップも規約によるのでなくいわば各人の自主性に委ねられる。このような組織が六八年に結成され、一挙に全国の大学に波及したこと。これはやはり日本の戦後民主主義期には考えられない一九六八年の特徴というべきだろう。他方で、民主主義制度という政治の積年の知恵を捨てたことで、全共闘という組織は直接民主主義特有の政治的困難を背負い込むことになるのだが、この問題はやがて顕在化することになる。

全学ストライキと校舎占拠

東大全共闘は運動の獲得目標として大学当局にたいする七項目要求を掲げた。「医学部不当処分白紙撤回」から始まり、最後に「以上（六項目）を大衆団交の場において文書をもって確約し、責任者は責任を取って辞職せよ」で結ばれる七項目である。非公認の全共闘が、当局との直接交渉の場（大衆団交）で要求を確約させるという姿勢がここにうかがわれる。また、東大では医学部学生の処分反対闘争がこの年の三月から始まっており、これが全共闘運動の引き金になった。

七項目要求という全共闘運動の目標を見る限り、これは個別具体的な闘争課題である。全国政治闘争に対比して従来「学園闘争」と呼ばれてきた運動であり、大学が独自に解決すべき、またそれが可能な課題である。民青にいわせれば「学園民主化」運動である。闘争の最高形態が授業ボイコット、つまりストライキとされてきた。また、全共闘による東大闘争でも、ストライキ決行は（その解除も）最後まで学生大会の決議によるものとされた。この点で特徴的だったのは、ストライキが医学部から始まったこと、そしてこれに最も敏感に反応したのが工学部の学生・大学院生だったことである。つまりは、東大でも教育体系がなおギルド（同業組合）の性格を残していた（民主化の遅れた）学部で、闘争が始まった。医学部教授会が処分問題をこじらせてしまった要因の一つをここに見ることができる。

ところが、以上のような戦後民主主義的な形式のもとから、学生叛乱ともいうべき全共闘運動が急速に台頭して、個別学園闘争の枠をはみ出していく。早くも六月には東大本郷キャンパスの象徴である時計台（安田講堂）が全共闘に占拠され、占拠は翌年の一月の機動隊導入まで維持される。先行して六月一一日に日大全共闘が校舎のバリケード封鎖を始めていた。そしてもちろん、パリ五月の叛乱の日々がわが国にも伝えられていたのである。大学の封鎖や占拠は自治会と学生大会決議に拘束されない全共闘独自の行動である。通常なら校舎のバリケード封鎖のような過激な闘争は、機動隊に頼らずとも一般学生に包囲されて孤立し解除されてしまう。民青はこれを当て込んだのだが、案に相違して、時計台＝全共闘を核にして無期限のストライキ決議が全学に広がっていった。ことに、全学生の半数を占める教養学部（駒場キャンパス）の無期限スト開始（七月三日）が全体の大きな弾みになった。学生数の多い駒場では学生大会は代表による構成だが、スト決議は五日に全学投票にかけられた。その結果は投票総数四千八百七十、賛成二千六百三十二、反対一千九百四、保留三百三十三票だった（島、二〇〇五年、六五頁）。当時の在籍数は七千百十九人、その七割近くの学生が投票に参加した結果である。この無期限ストは翌年まで維持された。無期限ストは十月十二日の法学部の参加をもって全十学部そろい踏みとなった。戦後学生運動の歴史でも稀有なことであった。どうしてこんなことが起こったのか。処分された医学部学生への同情ストライキ、大学教授会への権利要求だけの理由でこんなことが起こるはずはない。

自己否定

大学当局に異議を申し立てる全学ストライキの中で、七項目要求とは別の合言葉が全共闘運動に広がっていった。「主体性の確立」、「自己の生き方を問う」、「学問・研究とは何か」などであり、これらを「自己否定」という掛け声が代表するようになった。大学当局への抗議と要求は、同時に運動主体自身に内攻していく。「自己否定」はもともと闘争に参加した研究者の卵、大学院生や助手たちが言い出したものだが、それが「自己の生き方を問う」のように倫理的に一般化されてハイティーンの学生たちにも浸透していった。大学の管理方針の是非ではなく、先生自身はどうするのかと教員は追及される。仲間内でも自分はどう生きるか、君自身はどう決断するのかと、相互の告発と決断要求が執拗に行われた。

こうした言葉の氾濫の記録に接して、後には、過度に倫理的な全共闘運動への評価が定着することになる。小熊英二が先の書物でこう結論付けている。「結果として、全共闘運動は、「政治運動」といえるような性格のものではなくなり、体制にたいする「ノン」の「気分」の表現や、「青春の自己確認」で終わってしまった。政治運動というものが、政治的目的を獲得するための行為であるとするなら、東大闘争中期以降の全共闘運動は、「政治運動」といえるものではなかった」(小熊、二〇〇九年、下巻七九八頁)。小熊のこの評価は七項目要求とその決着が「政治運動」であり、中期以降の東大全共闘運動はこれからの逸脱だという認識にもとづいている。だが、その中期以降にこそ、全共闘運動はよくも悪しくもその名にふさわしいものになったのだから、「政治運動」からの逸脱が「若者たちの叛乱」だということになる。

そして、東大の内部で全共闘運動が誰の目にも明らかな政治関係を作りだしたのも、この中期以降の叛乱のせいだったのである。六八年が政治の文体を変えたことを見落としてはならない(西川、二〇一一年)。全共闘運動について、従来の政治運動の観念にとらわれない視点での政治的評価が必要である。

全共闘運動は「自分探し」だった、あるいは、その後の新自由主義的価値観の起点となったという評価も定着している（鈴木英生、二〇〇九年、鈴木謙介、二〇〇八年）。わが国だけのことではない。例えばフランスでは六八年から十年ごとに特集が組まれるが、年を追うごとに六八年五月は青春の自己確認だったといった評価が強くなる（ロス、二〇一四年）。また、六八年を文化革命と見る見解も強い（ウォーリン、二〇一四年）。こうした評価には次の事情も関係している。どの国でも短い叛乱に続く時期に、六八年は「新しい社会運動」と呼ばれる運動に引き継がれていった。アイデンティティの政治、差別反対闘争、フェミニズム、カウンター・カルチャー運動などである（安藤、二〇一三年）。こうした運動から逆に六八年の叛乱を振り返るならば、そこに著しく倫理的で文化的なバイアスがかかることにもなるのである。

三　学生叛乱へ

知識生産の在り方を問う

けれども、運動主体の自己否定は本来叛乱というものの定義に属することだ。ひとはそれまでの自己の社会的規定性（例えばエリート大学の学生身分）を清算して叛乱に立ちあがる。自己否定が過度に倫理的に内攻したとしても、二十歳前後の学生の運動の特異性と見る視点が必要である。

とはいえ、全共闘の学生たちは教育研究の在り方とお互いの生き方を追求しながら、運動つまり集団としては本当のところ何を求めていたのだろうか。もうたんに七項目要求の実現でないとしたら、ユートピアでもいい、それ以上の何を望んでいたのか。学園という場を離れて、社会主義や共産主義の理念を掲げたのではない。「生きている　バリケードという腹の中で生きている」という感慨が聞かれた（島、二〇〇五年、七一頁）。けれど、占拠した校舎の中で生きていても、革命のコミューン一般が展望されていたわけでもない。「今や青春の中に生きている」のだった。それゆえ、全共闘運動を性急に倫理主義、あるいは反政治的な叛乱と決めつける前に、やはりこれがこの時期の学園闘争だったことを軽視してはなるまい。教育の場における闘争として、彼らはいかなる学生と大学の姿を追い求めていたのだろうか。このように視点を「狭く」絞るならば、見えてくるのはやはり（教育と研究に関わる）民主主義と政治の問題だというほかない。

とはいえ、民主主義という言葉は悩ましい。デモクラシーとこれを言い換えてみても同じことだ。「学園民主化」はまさしく反全共闘派のスローガンであり、全共闘は逆に「戦後民主主義」の全否定に傾いていった。しかし悩ましいのはこれだけではない。昨今では誰もが民主主義を掲げて相手を批判し、民主主義の名によって自分の立場を擁護する。そうすればするほど、民主主義は各人各様その定義の数が爆発して、結局何も言っていないに等しい結果になる。そしてそれでいて、民主主義の主張は執拗に登壇することを止めない。加えて、社会主義体制が瓦解しマルクス・レーニン主義の革命論が失墜した今日では、便利なスローガンが失われており、どんな過激な運動でも皆が民主主義者のごとくに振舞っている。このような民主主義のインフレーションの中で、全共闘運動の無意識を教育における民主主義に見定めるとき、それはどんな民主主義だったのか。それはあれこれの制度的な「民主化」ではなく、およそ民主制度の発生の基盤にある自由と平等の理念だというほかないだろう。

教育における平等と不平等

英文学者で東大教授だった中野好夫がかつてこんなふうに言っていた。大学で教えていて常に警戒し自戒していたことは、この生徒のうちには誰か一人必ず俺より偉い奴がいるということだ、と。教育は先生と生徒の体制だが、この不平等（非対称性）はまさしく不平等を解消するための不平等のはずである。生徒を先生のレベルにまで引き上げる。先生の専門的能力とは生徒のうちで自己が否定される能力であり、だからこそ逆に、自分のプロフェッショナリティにたいして自覚的に厳しくなければならない。これは教育ということの本来の自己矛盾だろうが、往々にして先生と生徒の矛盾は形骸化する。東大教授はそれだけで権威者、第一人者である。形骸化した不平等こそが、戦後民主主義の成れの果てとしての現在の大学の姿ではないか。全共闘の学生たちは「教育という矛盾」の原点にまで先生と大学が降り立つことを求めた。過度に倫理的と見えた自他への追及とは、このための執拗な試みだったと解釈できる。ハイティーンの学生風情に自分の学問研究の姿勢など分かってたまるかと、先生方は内心で苦り切ったかもしれないが、分かってたまるかと公言することが憚られるほどに、先生と生徒の非対称が固着し制度として形骸化しているとしたらどうか。全共闘による大学の教育・研究への批判追及の背後にこの事態を見ないとしたら、やはり全共闘運動の評価は的を外す。大学が急増しマスプロ教育が常態になっている現状が批判された。だが、これもたんに制度改革や学生の権利要求などでなく、だから「学園民主化」はピントを外している。「教育カリキュラムの改訂」などではもはや収拾できない所にまで、全共闘運動は我知らず逸脱していったのである。逸脱した地点がたんに自分探しや青春の自己確認であったはずがない。では、どんな民主主義ならいいのか。

不合意としてのデモクラシー

トマ・ピケティの『21世紀の資本』(二〇一四年)は、現代世界で経済的不平等が拡大していることを示したうえで、「資本の民主的な統制」が必要だと繰り返して強調した。ここでもまた民主主義であるが、この大著の数ある註の最後にピケティが共感をこめて引いているのが、ジャック・ランシエールの『民主主義への憎悪』(二〇〇八年)である。ランシエールによれば、学校教育では教師と生徒とは本来的に平等のはずである。でなければ、そもそも教師の話は理解されない。だが、学校という制度では格差は当然のごとく固定されており、平等は生徒が先生になることによって初めて到達できるような平等に姿を変えている。不平等を無くそうとすることがますます不平等を強める仕組みだ。だが、生徒は教師に到達しようとするのでなく、両者の平等という前提から出発しなければならない。前提としての平等の有効な特性は不合意、つまり二つの論理の対決を通じてしか存在しえない。ところが、教育のみならず今や国家そのものが不合意の逆、「コンセンサス国家」となっている。そこでは「国家はますます、学校の教師として、専門家の知を一般に普及させ、国家の提示する解決だけが、現実のデータにもとづいているという理由から、唯一可能なものであると説明する国家になりつつある」（ランシエール、二〇〇八年、一三二頁）。思えばわが国でもいつのころからか、民主主義とはコンセンサスのこととされ、専門家（教師）への過度の依存が常態の社会になっている。

そもそも、ランシエールの考えるデモクラシーとは政治制度でも理念でもない。社会形態でも統治形態でもない。多数派住民の権力でも労働者階級の権力でも、また、それらを目指すことでもないという。そうではなく、そもそもが統治する資格もされる資格もない人びとに固有のアナーキーな資格をもって、この人びとが参加する権力、この取るに足りない人びとの権力がデモクラシーだとするのである。そしてさらに、「この権力を厄介払いすることは、政治自体を厄介払いすること」になる（同、六六頁）。ランシエールのデモクラシーを教育の場に、そして一九六八年に引きつけていえば、生徒、この取るに足りない者たちの大学統治への不合意こそがデモクラシーの出現だということになるだろう。そして、この不合意を厄介払いしてしまえば、そもそも政治ということが見失われる。

ランシエールのデモクラシー論には六八年の経験が明らかにうかがえる。かくてこの人は、その後一貫して「全共闘派」であり続けているのだろう（ランシエール、二〇一三年）。実際、わが国でも全共闘運動が教師との不合意をあらわに表明し、かつは自らの資格を執拗に問い直したとき、そこに賭けられていたのはランシエールの意味でデモクラシーであったろう。同じ意味で運動が七項目要求をはみ出していくとき、これは政治というもののデモクラシーによる再設定の運動だった。全共闘はこの意味で政治権力の機関のはずであった。ランシエールなら、これ以外のところで民主主義を呼号するのを拒否するだろう。そして実際、全共闘運動が敗走した後の大学は学園民主化に逆行したというより、遥かに知識生産の権力性に無自覚の場所に変わっていった。

しかしそれにしても、民主主義と政治のこの定義は今では幽かな、遠くからの呼び声のように聞こえる。ランシエールのいう民主主義への「憎悪」とは、現状批判をすべて民主主義の行き過ぎのせいにする世論を指していた。だが、事態は今や逆だ。昨今の民主主義論のインフレーションを腑分けして、少なくとも思想的に、そこに遠い呼び声を聞きとる作業が必要である。でなければ、全共闘運動はこれからも「青春のノンの気分の表明だった」のままであり続けるだろう。

叛乱という言葉

さて、東大の全共闘運動に戻る。無期限ストライキが全学部に拡大した。運動が七項目要求をはみ出し、しかもこれと全然違う次元の「自己否定」などの合言葉が浸透するようになる。日本共産党がここを学生運動の天王山と見て、組織された暴力部隊を東大に導入し、全共闘との暴力的抗争も常態化する。この時期、六八年の秋口に、全共闘運動はまさしく学生叛乱というべき様相を呈していった。追及を受ける教員たち、もともと無関心な一般学生の困惑も深まっていった。「君たちはこれ以上一体何を求めているのか」。同じ推移は、性格の切れ目がこれほどはっきりしない形で、同時期の日大全共闘でも急激に進行した。以降の全国の全共闘運動になれば、もう初めから全共闘の結成すなわち校舎のバリケード封鎖という形をとる。

全共闘運動は学生叛乱の様相を呈する。ところで、本章はすでにこれまでに定義抜きで叛乱という言葉を用いてきた。今日では「若者たちの叛乱」という名称が定着しているから、それに従ってきた。けれども、日本の全共闘運動渦中では、自称でも他称としても「叛乱」という規定はなおポピュラーではなかった。叛乱といえば軍隊用語であり、二・二六事件は右翼国家主義者の叛乱、クロンシュタット水兵の叛乱はレーニンとトロツキーの革命にたいする反革命なのだった。それゆえ、これまでのところ本章で叛乱という言葉は、従来の大衆運動の枠組みとは別のタイプの騒擾を名指していたにすぎない。学園闘争、あるいは一般に戦後政治の大衆動員様式の枠を外して、その外に氾濫した大衆蜂起である。東大闘争でもある時点から、お互いに見も知らぬ学生たちが勝手に文字通り「湧いて出てきた」のである。言論の洪水がそこに氾濫した。こんな事態を政治的に何と名づけるか。

政治思想へのインパクト

そればかりではない。マルクス・レーニン主義革命論の慣例に従えば革命とは国家権力の問題であり、革命以外は大衆闘争にすぎない。なるほど、パリコミューンやソヴィエトなどの評議会運動が評価されてはきたが、労働者階級の前衛党と革命権力から離れてこれを独自に、自立した闘争形態として論じることは許されない。これまでの革命観では叛乱は独自の位置を持たず、たんに大衆の一揆という意味付けだった。全共闘という闘争組織を観察して歴史上の評議会運動を想起するのは自然なことだった。しかし、社会主義と前衛党への従属的位置づけを取り払ったうえで、評議会単独の意義を把握しようとすれば視点は宙に舞ってしまう。少なくとも資本主義国を見る限り、六八年は戦争と革命の時代ではなかった（米国にとってもベトナムは国外の戦争である）。そればかりか、戦後の経済高度成長がどの国でもピークに達する時期のことだった。マルクス・レーニン主義の革命史から見て、六八年は評議会とも、まして革命とはおよそ似て非なる突発事件のごとくだった。

このような見方に慣れた古い世代から見れば、パリの五月あるいは全共闘運動の出現に直面して、これは一体何なんだと一驚を喫せざるをえない。この現象に背を向けるのでなければ、目の前の事態を従来の革命観に照らして吟味しないわけにはいかない。日本ではそこに大衆叛乱という言葉が登場し、徐々に定着していった。全共闘自身の主張というより、これを少しは対象的に見ることができた（見るべきはずの）世代からの言葉だったといってもいい（長崎、一九六八年）。全共闘のような運動が世界同時多発、しかも同質的な性格のものだとしたら、これは一体何かという驚きが世界的に新たに政治的思考を促さないはずがない。いわゆる現代思想、とりわけその政治思想とは、叛乱へのかような呼応という性格のものであったろう（市田、二〇一二年、市田・王寺、二〇一五年）。六〇年代のフランスに発し、米国でフレンチセオリーとしてアカデミーに定着し、八〇年代にわが国に渡来したところの、ポストモダンの思潮などではなかった。

四　叛乱という政治

政治空間の出現

では、六八年以降このようにして吟味にかけられてきた叛乱とは何か。戦後史の一断面を振り返る本章では深入りはできない（長崎、一九七七年）。ただ、先に指摘したような戦後教育への「不合意」の大衆的噴出を、戦後社会にたいする叛乱のまぎれもない指標と受け取ることができるだろう。こんな不合意を表明されても、それは制度や政治のコンセンサスの変更によっては解決することができない、ただの理不尽にほかならなかった。「自己否定」やさらには「大学解体」などと、東大全共闘が訳のわからぬことを叫んで自滅への道を突き進むかに見えた六八年の秋口以降、全共闘を見る世間の眼もまた困惑と嫌悪を深めていく。

先に指摘したが、東大全共闘では学生すべてを（民主主義の約束事として）拘束するはずの決定は、その都度学部ごとの学生大会の決議だった。戦後の自治会制度に全共闘といえども従っていたかに見えるが、実情はそうではない。通常の時期では、学生大会は出席者が定員を満たして成立するかどうかがいつも問題であった。東大闘争ではその逆のことが常態になった。事実上、学生の随時の全員集会に姿を変えたのである。学生大会は開かれればエンドレス、その開催頻度がまた半端でなかった。当時もこれは東大闘争の最も著しい印象の一つであったが、島泰三の書物が克明に記録している。そこからほんの一例だけを拾えば、理学部学生大会が十月一日の午後五時から開かれた。「それまで自治会を完全に牛耳ってきた日本共産党系は、すでに絶対多数者ではなかった。全共闘を支持する学生との勢力が拮抗して、採決は「あいこ、また、あいこ」だった。どちらの提案が通るかは、東大闘争の命運とその主導権をかけた闘いだった。議論は深夜になっても続いた。結局、翌二日午前四時にようやく決着がついた。東大全共闘の主張する、無期限ストライキ方針が通り、私がストライキ実行委員長に選出された」（島、二〇〇五年、一〇三頁）。学生大会は原則暴力抜きの言論戦であり、言論はこの時期キャンパス全体に氾濫していた。

確かに、人生の猶予ともいえる学生時代に特有の時間の濫費ではあったろう。それでも、ハンナ・アレントが書いた古代ギリシャ人の政治観が、ここ学生大会でも遥かに響いている。「人間としての人間は、言論と活動の中で自らの姿を現し、自らを確証する。そして、これらの活動力は、なるほど物質的には空虚であるにしても、それ自身の記憶を残す以上、それにふさわしい耐久性を持っている」（アレント、一九九四年、三三二頁）。耐久力の証左として、アレントがハンガリー叛乱（一九五六年）の評議会を評価したのはよく知られている。「ハンガリー革命の悲劇が世界に示したことは、ただ、あらゆる敗北、あらゆる外観にも関わらず、このような政治的活力はまだ死に絶えていないということだけであった。しかし、そうであったとしても、その犠牲は無益ではなかった」（同、三四四頁）。これもまた、革命でなく叛乱の、「始まりとしての政治」の兆候である。

全共闘運動が一つの叛乱であったのなら、叛乱はあたかも時と所を選ばずに突発する。規模の大小、運動主体の階層、権力への意志の有無、こうしたことにかかわらず叛乱は在る。それでいてひとたび突発するや、自己の小さな世界、「バリケードの腹の中」があたかも全世界であるかのように、叛乱の心性は急速に膨れ上がる。そしてこのことを通じて、およそ政治というあり方をリセットする政治の場を設定するのである。とらわれない目で見れば、かような意味での叛乱は全共闘以前にも生起し続けていた。全共闘運動以降には叛乱は絶滅した、そう決めつける理由は存在しない。

交渉事としての政治

こうして全共闘運動が学生叛乱の様相を呈するとともに、東大当局のこれへの対応も急速に政治的な形を整えていく。教育研究の在り方いかんでなく、学内諸集団の間の交渉事としての政治である。十一月一日に大河内一男総長が辞任した。これに先立つ十月二十六日の学部長会議で、総長と全評議員そして全学部長の辞任と医学部学生の処分撤回が決定された。全共闘の七項目要求はその根本で大学の受諾するところとなったといっていい。こうして加藤一郎法学部長を代表とする新執行部が学生の前に姿を現した。自己否定とか青春の煩悶などはお門違い、諸君の間で済ませてほしい。そういう態度は、大河内執行部と違って小気味がいいほどにはっきりしていた。要は君たちとの交渉事なのだ。七項目要求イエスかノーかと全共闘が追及すれば、加藤の返答が即座に返ってきた。「諸君の要求のなかで、われわれが正当と思うことは取り上げるし、不当と思うことは取り入れることは出来ない」（島、二〇〇五年、一四四頁）。

この年の秋が深まるとともに、東大当局には文部省からの圧力と来年度入学試験実施の問題がのしかかってくる。「東京大学の危機を理性的に解決するため」の交渉事を急がねばならない。学内には全共闘以外に、（後に文部大臣になる）町村信孝などと民青による合作「七学部代表団」が存在する。民青と全共闘の対立はもはや言論レベルを越えて暴力的抗争になっている。結果として、東大当局はこの「代表団」と翌年一月十日に東大闘争解決の確認書を交わすことになる。そのあげくが、一月十八〜十九日の機動隊による時計台封鎖解除である。だが、政府自民党は一月二十日に来年度東大入試の中止を発表した。東大当局は結局東大闘争に「勝利」できなかったのである。

以上のような動向が全共闘にも難しい政治を強制したのは言うまでもない。全共闘運動と政治についても本章は次のことを指摘するにとどめる。運動が叛乱の様相を強める中で、全共闘は大学当局との交渉事という政治に、もはや戻ることはできない。焦点はもう七項目の是非ではなくなってしまっている。学生側の交渉の主導権を民青と七学部代表団から奪うこと、それは可能な政治戦略ではあったが、交渉事という政治と共に放擲された。日本の新左翼の状況では、東大闘争が政治党派と全国の全共闘からの一致した援護を受けるという体制にはない。まして、去る六〇年安保闘争での全学連と違って、全共闘運動は世論と政治過程に直接の影響を与えたことはなく、これを期待もできない。そして何より、全共闘運動という叛乱は先に指摘した意味でのデモクラシー、既成の政治をリセットする政治を追い求めこれに熱中していた。こうして、機動隊の学内導入による全共闘の自滅につながる。全国の全共闘運動についても、「学園民主化要求」から全学ストライキと校舎・研究室の占拠へ、次いで大学当局と警察機動隊による学外への放逐という出来事の推移が、一般に運動のパターンになった。

五 「若者たちの叛乱」、ふたたび?

・集団としての私、その解体

全共闘運動を戦後史のなかで振り返る際に、二〇一一年以降の新しい「若者たちの叛乱」が一つの参照点となる。こう指摘することから本章を始めた。同じく叛乱といっても、六八年は自分たちの大学や工場を占拠したが、昨今の運動は街路と公園の占拠である。「生産拠点の占拠」はまず見られない。この点、闘争戦術の些細な違いとは思えない。そこで気付くのは、「若者たち」なるものの性格の変化ということだ。かつては、労働者はもとより学生もまた一個の階層を形成していた。戦後日本の学生運動が「層としての学生」の闘いと呼ばれたゆえんである。大学生は入学金と一緒に「自治会費」を納めた。戦後の企業別組合と同様、学生自治会は大学ごとのクローズトユニオンなのだった。これをもとに自治会規約が定められ、各大学の自治会の決議によって全学連が組織された。全共闘時代に「ポツダム自治会」と揶揄されたのがこれであったが、しかし六八年にはなお戦後学生層という観念が自他ともに生き残っていた。全共闘運動もこの観念の上に形成され、そして、戦後の社会と教育への叛乱という形態を取ることによってこの観念を自壊させた。六八年の若者たちの叛乱は戦後の学生運動の延長上にあり、かつ学生運動を越えてこれを無効にしたのである。二〇一一年以降の若者たちの叛乱はこの廃墟の上に起こっている。若者たちは闘争の拠点も集団の一員という組織基盤も失っている。ただの怒れる若者たちにすぎない（長崎、二〇一四）。

六八年の叛乱が自分たちの教育拠点の占拠という形を取ったのも、若者たちが大学単位の「組織された階層」だったからにほかならない。この点は労働者サンジカリズムの伝統を想起すれば容易に理解がいくことだろう。そして、彼ら労働者という階層（階級）についても学生層同様の変容が起こる。こちらの方がより重大な社会問題であるのは言うまでもない。問題はたんに組織された労働者階級（労働組合）の力量低下というにとどまらない。

ロベール・カステルの『社会問題の変容』は、一八世紀から現代に至る西欧における労働の在り方を追った浩瀚な書物である。とりわけ、二〇世紀に形成され「労働に基づく体制をその基盤としていた」社会、すなわち「賃労働社会」が、今「根底から揺らいでいる」とカステルは結論付けている（四四八頁）。賃労働社会とは政治的に見れば西欧社会民主主義を育て、社会民主党を政権に近づけたような社会である。そればかりではあるまい。フランス革命のいわゆる「神聖にして不可侵の労働の権利」、さらには勤勉に労働すれば報われるというプロテスタントの倫理が、かくて定着した社会であるだろう。労働の聖別は近代自由主義ブルジョアジーのイデオロギーである。それが今「根底から揺らいでいる」とカステルは言う。雇用状況が根本的に変化し、一〇パーセント台の失業率、無期雇用契約から非典型労働へ。労働者という社会的アイデンティティが失われ、集団闘争は断念される。さもなければ暴動になる。確かに、学生蜂起に呼応して六八年のパリ近郊で工場を占拠した労働者はまだ階級の一員であったかもしれない。だが、カステルも認めるように、フランスでは一九七三年のリップ時計工場争議が古いモデルの最後となった。またイタリアでは、フィアットの工場を占拠した若い労働者たちは「大都会のアパッチ」とか「ラリッている」などと、すでに評されていたのである（ベラルディ、二〇一〇年）。

賃労働社会のゆくえ

賃労働社会の崩壊は何も西欧だけのことではない。日本でも一九九〇年代以降に広く認められている通りである。労働の聖別、ブルジョアとしての階級意識も何のその、資本家諸氏はグローバル化に浮足立って海外へ遁走するばかりである。先にも触れたピケティの『21世紀の資本』は、日本でも経済的格差の拡大という主張にだけ注目が集まっている。これは当然のことだが、一方で見過ごされていることがある。ピケティは様々な経済指標について、一九世紀から現在までの経年変化をグラフに示し、特徴的なU字曲線を指摘している。典型的には労働収益に対する資本ストックの比率であるが、これは一九世紀末までの七倍前後から二〇世紀には急落し、それがまた一九七〇年代以降に増大し始め、今や一九世紀の水準に迫っているという。この指標で資本とはいわゆる資本家の所有物だけでなく、庶民のマイホーム資産までを含む資本ストックのことであり、労働収益もまた米国大銀行CEOのサラリーまでを含んでいる。この両者の比率が二〇世紀は七〇年代まで四倍ほどの低い水準で推移した。言いかえれば、働いて稼ぐということが、寝かせた資産で暮らす身分にたいして、より強く価値を主張できた時期である。働けばなんとかなる。この時期とはつまりはカステルのいう賃労働社会だったに違いない。ピケティのU字曲線が言外に語っているのもこのことだ。政治的には第一次から第二次世界大戦へ、そしてその後の三十年ほどの時代である。いうところの戦争と革命の二〇世紀だった。社会民主主義がまさしくこの時代の荒波を乗り越えて西欧で政権を獲得した時代だったのだ。

繰り返すがこうした社会が根底から揺らいでいる。そして振り返れば、一九六八年の世界同時的な叛乱はこの起点になった出来事に違いない。ピケティがランシエールを引き合いに出したことは先に触れた。だが、形骸化した民主主義をリセットするようなデモクラシーと政治を出来せしめたのは、労働すること、あるいは大学に学ぶことが将来を約束した時期の終わり、若者たちがなお学生層や労働者階級の一員であった六八年のことなのだった。二〇世紀の民主主義は賃労働社会の社会民主主義として初めてゆるぎない社会基盤を得ていたのである。その基盤、つまりは労働の聖別と社会民主主義の存在価値とが、今や根底から揺らいでいる。それが逆説的にも、かえって民主主義のインフレーションを作りだしている。奇怪というほかない。

その一方で、「若者たち」はただの個人の集合としてしか名指すことができない。若者たちのかなりの部分が（高齢者の一部とともに）プロレタリア化している。彼らは「搾取すらされていない」（カステル、二〇一二年、まえがき）。ルンペンプロレタリアだとして、マルクスならこの現象に苦情を言うだろうが、ルンプロが組織された労働者階級（プロレタリアート）に再形成される展望はない。近年の世界各地の「若者たちの叛乱」が、六八年の若者たちの経験を幾分なりと再発見することになるかどうか、これも定かではない。
なお二〇一六年以降になると、欧米では「ポピュリズム」という形をとった若者たちの蜂起が頻発する。これについては長崎（二〇一七年、本書収録）を参照されたい。

参考文献

ハンナ・アレント『人間の条件』志水速雄訳、ちくま学芸文庫、一九九四年
安藤丈将『ニューレフト運動と市民社会』世界思想社、二〇一三年
市田良彦『革命論』平凡新書、二〇一二年
市田良彦・王寺賢太（編）『現代思想と政治』平凡社、二〇一五年
エマニュエル・ウォーラースティン『アフター・リベラリズム』松岡利道訳、藤原書店、一九九七年
リチャード・ウォーリン『１９６８　パリに吹いた「東風」』福島愛子訳、岩波書店、二〇一四年
大嶽秀夫『新左翼の遺産』東大出版会、二〇〇七年
小熊英二『１９６８　若者たちの叛乱とその背景』（上下巻）新曜社、二〇〇九年
ロベール・カステル『社会問題の変容』前川真行訳、ナカニシヤ出版、二〇一二年
マーク・カーランスキー『１９６８　世界が揺れた年』（前後篇）越智道雄監修・来住道子訳、ヴィレッジブックス、二〇〇八年
小阪修平『思想としての全共闘世代』ちくま新書、二〇〇六年
島泰三『安田講堂１９６８―１９６９』中公新書、二〇〇五年
鈴木謙介『サブカル・ニッポンの新自由主義』ちくま新書、二〇〇八年
鈴木英生『新左翼とロスジェネ』集英社新書、二〇〇九年

西川長夫『パリ五月革命私論』平凡新書、二〇一一年
長崎浩「叛乱論」、『情況』十一月号、一九六八年（『叛乱論』合同出版、一九六九年に収録）
長崎浩『政治の現象学あるいはアジテーターの遍歴史』田畑書店、一九七七年
長崎浩『リアルの行方』海鳥社、二〇一四年
長崎浩「第三勢力の徘徊」『情況』、二〇一七年秋号（本書収録）
トマ・ピケティ『21世紀の資本』山形浩生・守岡桜・森本正史訳、二〇一四年
ノルベルト・フライ『一九六八年　反乱のグローバリズム』下村由一訳、みすず書房、二〇一二年
フランコ・ベラルディ（ビフォ）『ノー・フューチャー』廣瀬純・北川真也訳、洛北出版、二〇一〇年
森政稔『変貌する民主主義』ちくま新書、二〇〇八年
ジャック・ランシエール『民主主義への憎悪』松葉洋一訳、インスクリプト、二〇〇八年
ジャック・ランシエール『アルチュセールの教え』市田良彦他訳、航思社、二〇一三年
クリスティン・ロス『68年5月とその後』箱田徹訳、航思社、二〇一四年

世界史とわたし

私が語りはじめた革命

一九八〇年代のことになるが、鹿砦社の松岡利康氏には私の本を二冊作っていただいた。『革命の問いとマルクス主義』、それから対談集『七〇年代を過《よぎ》る』である。いずれも六〜七〇年代の経験を対象としたものだった。対談の相手は森崎和江・吉本隆明・廣松渉・柄谷行人・佐々木幹郎・湯浅赳男・池田浩士・三上治・小坂修平の諸氏であり解説が高橋順一氏、この顔ぶれからも雰囲気を推し測ることができるだろう。私はこの対談集を再読する勇気はないが、前者『革命の問い』のほうはその後も時に立ち帰ることがあった。「階級、自然、国家そしてコミューン」と副題にある通り、本書は七〇年代を通じてマルクス主義の革命論に理論的な始末をつける試みであったが、同時に革命論のある種の行き止まりをも示すものとなっている。同じ時期の松岡氏の仕事には第一次・第二次の共産主義者同盟の機関誌の復刻があり、これもその後ときどき利用することになる。

そしてその後、御無沙汰の長い時間が過ぎて、私は松岡利康・柿沼真一『遙かなる一九七〇年代――京都』（二〇一七年）に接することになった。七〇年代初め、同志社大と京大における学生運動を当時のそれぞれの立ち位置から綴ったのが本書である。あの時代から半世紀が過ぎようとしている今日、フランスではパリの主要な駅のキオスクにまで五月革命関連本が並べられたという。これに比べるべくもないが、わが国でも当事者たちの著作がぼちぼち世に出るようになっている。大部分は体験記である。そうした中で、松岡・柿沼のこの本は自身の回想記でありながら個人的なものでありえない、という特異な性格のものであるように私は受け取った。

といっても、体験を歴史として脱個人化することが試みられているのでも、一般的な政治論を体験から抽出するというのでもない。両氏とも自分の行動を記しているのだが、当時は個人であるとともにそれぞれに集団でしかありえなかった。運動の一員だから当然だという意味ではない。叛乱が一般意志を体現した一時期を過ぎて七〇年代になれば、それぞれの集団の隣に他の小集団、つまりは徒党の群れがひしめいてニアミスを繰り返し、これら相互の抗争を離れては自分の行動のことを語ることができないのである。個人の行動は同時にそれぞれの党派性なのである。新左翼の諸セクトがこれに加わる。だから、個人の体験の語り口は、直ちにこれに反発する隣の集団の見解を挑発するだろう。私戦と乱戦の模様になる。

ここは京都盆地なのだと、私はやはり感銘を受けた。両氏とも文中にたくさんの個人名をイニシャルで挙げているが、当時の盆地の住人にはこれが誰だかすぐに分かるのだろう。東国の私には、六〇年ブントの時代この方、京都の党派や人間関係の理解はお手上げだと思ってきた。一九六八年以降になればなおのことだったに違いない。

こんな感想は奇異のことと受け取られるかもしれないが、試みに東大全共闘の回想録を対比してみればいい。大野正道『東大駒場全共闘　エリートたちの回転木馬』、富田武『歴史としての東大闘争』、和田英二『東大闘争　50日のメモランダム』などがあるが、いずれも個人の回想録になっている（高口英茂『東大全共闘と社会主義』は違っているが、ここでは触れない）。秀才ぶりへのこだわりが抜けきらないのも共通の特徴であり、京都のような徒党の混雑ぶりはうかがえない。他の集団との摩擦などなかったかのようであり、そもそも各人はそれぞれの学部の全共闘なのであって、東大全共闘という運動組織が直面していた政治的問題に触れることはない。

ただ思うに、以上は地域差というより、全共闘運動そのものとそれへの関わり方の二つの側面を表現しているのだろう。というのも、京都の集団どうしの抗争もあくまで個的体験がベースになっているのであり、ここから何らか超越的な政治論を抽出する性格のものではない。全共闘運動の全般的特徴として、ここで次のような指摘を想起してもいいだろう、――「「六八年革命」は「私」が語り始めた最初の革命であった。そしてそのことは「革命」の概念を根底から変え、同時に私の概念も変えてしまう」（西川長夫『パリ五月革命私論』）。あるいは、当時東京の定時制高校全共闘だった荒川佳洋の言い方ではこうなる。「全共闘は人生論的だった、あるいは文学的だったというのがそこにどっぷりと身を浸した私の今の感想である。そこではいつも、「お前はどうなるのか」「お前は、なにをするのか」と、個としての「生き方」が問われた」（『「ジュニア」と「官能」の巨匠　富島健夫伝』）。私と革命の両概念がともに相渉りながら、両方が根底的にひっくり返ってしまっていたのである。

全共闘運動から半世紀がたって、各人の体験から今日に伝達可能な「歴史」を抽出する。私はこの類の六八年物がわが国にも現れることを期待しないではなかった。しかし今では、ノンセクトと党派とは問わず体験談がさらにたくさん世に出て、それらが乱立し互いにニアミスを演じるという形でしか、日本の六八年は回顧されないのではないか。それでいくしかないと思うようになっている。とりわけ当時セクトに属していた者たちが、これら乱戦に参戦することが求められているが、今だにほとんど例を見ない。

世代論風に言えば、全共闘世代は一人ひとり多様、ありていに言って雑多である。運動への参加の動機、闘い方、そしてその後の人生に、同一世代という以上にくくれる共通の何かを見出すのは難しい。政治党派の言葉遣いや戦後民主主義のスローガンなど、体験が「普遍化」されることには抜きがたい不信感を懐いてもいるだろう。これに比べれば、六〇年安保闘争世代はまだ単純である。全学連所属の学生自治会の一員として平和と民主の運動に「参加」した。総じて大手企業の会社員、官僚、あるいは大学教授というのがその後の人生の定型であった。そして今では、全学連の幹部だった者も含めて、この世代はおしなべてただの民主主義者として存在している。大学出だけではない。私の疎開先の同級生は多くが中卒で集団就職に出たが、その内の一人らしい男性が豊田市から電話をかけてきて、「いい時代でした」と感慨をもらしている。退職後は孫と同居し、テニスをしているのだという。

「真理は細部に宿る」――こういう言葉がある。「日本の1968」の真実は、今やこうしてミクロな形で散在しているのかもしれない。私自身は時代の真理が細部に宿ると考えたことはないけど、これは思考の癖のようなもので全共闘世代に対して特に言い張るようなことではない。というのも、普遍にたいする各人の嫌悪感がまた、個人的回想や武勇伝となり全共闘体験をその後の世代に伝えることを難しくしている——そうには違いないのだが、これとは少し違う。また、あれは政治闘争と言えるようなものでなく「青春の自己確認」だった（小熊英二）、あるいは逆に、将来のあるべき政治の実験（予示的政治）だった（小杉亮子）と「総括」したいのではない。京都盆地での小集団の絡み合い、多くの「田舎全共闘」の内情（安彦良和『原点』）、あるいは「エリートの回転木馬」から高校全共闘の人生論に至るまで、時代の細部が乱立し相互に抗争し合った状況は、やはり時代に特有の（目に見えない）ストレスに促されていたのだと思う。細部の真理の対極にあるかに見えるこのストレスのことを、体験にたいする普遍史と呼ぼう。すると、普遍史も体験もお互いにぶつかり合いながら、従来の概念をひっくり返してしまったのだと言うことができよう。

体験と普遍史

体験と普遍史とは古くて新しいテーマである。「人間、四捨五入して二十歳になるような年頃になったら、世界史に責任を持たなければならない」。ハイティーンのころ、後に哲学者になる加藤尚武が私に通告してきた。そうかと思えば逆のこともある。エンツェンスベルガーが東欧社会主義の崩壊期に記録しているが（『ヨーロッパ半島』、一九八七年）、ハンガリーで若い女性が言ったという——「世界史とわたしとは、お互い、相手がいなくたってやってゆけるわよ」。

もともと、普遍史とはユダヤ・キリスト教における天地創造から終末の救済に至る歴史であり、この救済史観に世界史を組み込んだものである。終末と救済へ向かうべきこの世界史は、唯物史観に組み替えられれば救済としての革命が展望される。今引用した「世界史とわたし」についての二つの発言でも、向き合い方は逆だが、世界史とは端的に革命の理念の実現を目指す歴史のことを指していただろう。この意味で世界史とは普遍史のことだった。

そうだとすれば、「世界史にたいする責任」そして「世界史との絶縁」という先の二つの証言のコントラストは象徴的である。両者は歴史的に接するとともに両極端がせめぎ合いつつ、世界史の概念が普遍史と乖離してしまった。これは稀有の、由々しい時代経験だった。とすれば、全共闘運動における各人の「わたし」の体験も、見えない普遍史の理念に促され、理念を促し理念に追いまくられていたのだと思う。叛乱の目覚ましい経験とともに、小集団への分裂と抗争とが叛乱のうちに逃れ難く同居していた。普遍史の理念が疑義に晒されるとともに、体験もまた「わたし」化したのである。先の西川長夫の指摘、――六八年革命は「私」が語り始めた最初の革命であり、そのことによって革命と私の概念の両方を根底から変えてしまったという見解は、直接には大革命以降のフランス近代政治史の根本的転換のことを指しているのだが、全共闘運動における私と革命（普遍史）についても言いうることだろう。革命と私の概念がともにひっくり返ってしまった、しかしそれでも革命は在る、――あれはそう言うしかない革命だったと。

振り返れば、日本の六〇年代はこの極東の島国が初めて、大衆的に世界史に接触しこれと相まみえる時代だったというのが私の見方である。思想的には、欧米の後追いを常としてきた状況を脱して、極東の一角で考えることが世界同時かつ同位相でしかありえないと自覚する時期に当たる。いや、そう自覚すべき時代であった。思想をそのように促すはずの契機こそ二つの出来事、六〇年代の安保闘争と全共闘運動だった。この極東における「わたしの人生論」が世界史に遭遇し、同時に世界史が普遍史と抗争する。そうでしかありえない状況だったのだと思う。

一九六八年からの（全共闘）運動が世界同時多発、かつ同質的な学生叛乱として展開されたことは言うまでもない。誰しもが一瞬、叛乱のさなかに世界史が普遍史を演じることを感じ取っていたに違いない。何しろ、六八年は一八四八年に続く「第二の世界革命」であった、そう談じる人もいるのである（ウォーラースティン）。そうであれば、全共闘世代がこの闘争で感じ取ったこと、そして老人になった現在でのその成熟の有様は、言葉に出せばすなわち普遍史と体験の葛藤という歴史であったはずだ。私的な体験を普遍化して若い世代にも伝わるように話せ、というのとは違う。少なくとも、「わたし」と「世界史」との遭遇とそれゆえの軋轢の経験に、時代の画期があったことを示さねばならない。普遍史が同時に普遍史を否認する世界史として経験された。その後の半世紀、救済の普遍史はこれとは全く別の世界史に入れ替わってしまっている。全共闘世代の回想記から後の世代の読者が読み取ろうとするのも、本当は体験でも個人史でもなく、普遍史との闘争としての普遍史だったに違いない。

全共闘運動をきっかけとして、わが国の知識人たちはほぼ例外もなく業界人（専門人）になり果ててしまった。言いかえれば哲学もマルクス（主義）も専門課目と化したこの社会で、かつての全共闘が「わたしと世界史」との軋み声を伝えることは、逆説的にも「世界思想」（吉本隆明）

としてしかありえない。思想の先端、例えばラカンとかフーコーとか、同じく六〇年代に形成されたフランス現代思想もすなわち我がことであり、その限りでは思想はもう彼らの後を追うことであってはならない。「世界思想」とは同時に「思想の土着化」でなければならない。

普遍史の退場

一九六八年の叛乱に対比して、これに先立つ六〇年安保闘争が初めて世界史と遭遇する事件となったこと、この事情には多少の説明が要る。安保闘争自体は五五年からの戦後政治過程の頂点として闘われたのであり、全体として「平和と民主主義を守る」特殊歴史的で日本的な国民運動だった。アメリカにとっては反米闘争（東京暴動）に見えた。そこに世界史はない。また、マルクス・レーニン主義という普遍史の理念を掲げた安保ブントの体験のことは今は省く。むしろ、私の受け取り方では、ここで遭遇した世界史とは戦後の経済高度成長だった。安保闘争は経済復興が高度大衆消費社会を切り開くその分水嶺で闘われた。国民と戦後知識人はこの国民運動に勝利することによって、初めて大衆消費社会へと堰を切ったように傾《なだ》れて行くことができた。日本の近代が初めて経験する「大衆」の登場となった。そして他ならぬ経済高度成長・大衆消費社会という点で、事態は西欧諸国と同位相かつ同質の出来事となった。日本人が初めて世界史を生きた時代だった。フランスでもイタリアでも、経済成長は「まるで魔法にかかったよう」（ロベール・カステル）であった。米国は先行して五〇年代に消費社会を享受している。「今や、われわれは高度大衆消費時代に到達した。そこでは、早晩、主導部門が耐久消費財とサービスに向かって移っていく。この局面から、アメリカは抜け出し始めており、西ヨーロッパ諸国と日本はその局面の持つ喜び――その正体ははっきりしないが――を精力的に探り求めており……」と、ロストウが一九六〇年に診断していた（『経済成長の諸段階――一つの非共産主義宣言』）。要するに、ここで世界史とは近代史二〇〇〇年の到達点のことであった。時代は明治維新百年であり、実際、近代化とアメリカ化（ケネディ―ライシャワー路線）とが安保後の時代の思潮となっていた。

安保闘争の先端を走った過激派青年たちが直後に遭遇したのも、この高度大衆消費社会の到来であった。この社会は一体何なのだ。その喜びの「正体ははっきりしない」どころではない。日本近代初めての出来事であり、しかも安保闘争の同志国民たちは総出で、嬉々としてこれに馳せ参じている。普遍史を掲げて運動の先端を走ったこの世代の過激派が、訳も分からず取り残され翻弄されるのがこの社会の動向であった。安保闘争そのものというより、私にとって高度経済成長こそが「戦後最大の思想的事件」となった。当時確かに、私は思いもかけずに世界史に遭遇し、世界史に翻弄されていたのだった。

しかし当時は、この体験は孤立無援と思えるような経験だった。日本近代にも私自身にもこれにたいする備えというものがまるでなかった。接触が確かなことなのかどうかさえも分からない。しかも、安保闘争を主導したかに見えた戦後知識人たちが、国民とともにこの目に見えない前線から一斉に逃亡した。鶴見俊輔は矢玉を撃ちつくして鬱病になり、竹内好や丸山眞男は研究室に戻り、若い江藤淳はアメリカに渡ったという（小熊英二『〈民主〉と〈愛国〉』）。マルクスはアカデミーに引き取られた。戦後最大の思想的事件から、彼らは敵前逃亡したのである。

確かに、吉本隆明とか清水幾太郎とかの例外はあった。六四年に清水が書いている。「日本に関する限り、ニーチェの謂ゆるニヒリズムの時代は、漸く始まったばかりである」、「当面、我々は（十九世紀の）大思想の分解を正面から認め、それに堪えて行かねばならないと思う」（『現代思想』）。いやそうではない、ニヒリズムの時代はこの極東の島国でもすでに始まっているのだと、私はさらに先を行こうとする。西欧が三〇年代に接触し今また思想の課題としているに違いない「ヨーロッパ的人間の危機」（フッサール）「ヨーロッパのニヒリズム」（ハイデガー）が、私の戸口をも叩いているのだと。では、「普遍史の分解を正面から認めこれに堪えていく」？

当時のソ連のフルシチョフ体制について吉本隆明が書いていた（「模写と鏡」）。「これは政治ではなく、フルシチョフがみずから問わず語りに告白している「資本主義」体制と「社会主義」体制との機構的同位性であり、そこで拡散している大衆社会の全世界的な規模での表象である」。世界史は社会主義体制でも同様だというのだった。吉本によれば、「わが国では大衆的な言葉に固執する思想は、かならず世捨て人の思想である。おなじように尖端的な言葉に固執する思想は、かならずモダニズムの思想とならざるをえない」。島国のこのような思想の力場の中で、「この時代の尖端と土俗とのあいだに張られる言語空間の構造を下降し、また上昇しうる」ような思想の言葉、これが吉本の言う「世界思想」という課題であった。吉本や清水の以上のような思想の態度に、私自身も反応していたであろう。当時のメモにこうある、「いまようやく、ぼくは真実世界史的な課題のまえに初めて立っていると思うのだ。別に必要もないことだが、この「ぼくは」という主人公を「日本は」と代えてもいいと思っている……」（『1960年代　ひとつの精神史』）。

いやはや――、日本の大衆に世界史が到来し、しかも時を置かずに、救済の普遍史はすでにただの世界史として、「分解」の有様で経験されていた。日本の一九六八年はもうすぐそこに近づいていた。

体験「と」普遍史

繰り返すが、体験と普遍史とは古くて新しいテーマである。このテーマが大衆的に演じられたのが日本の六〇年代の「革命」だったと私は思っているが、しかしその後には絶滅してしまったテーマなのだろうか。グローバリゼーションとかの八〇年代が始まる。わたしが世界史に接触する感覚など、もう取り立てて意識されることもない日常茶飯である。それでいてグローバリゼーションは普遍史たりえない。だから六〇年代の「わたし」ももういない。近代的自我とかミーイズムの私だとか、こんな規定さえ的外れなほどに主体は浮遊してしまっている。こんな現在でも、「わたしと世界史」は時代に潜伏しつつ、なお古くて新しいテーマであり続けているのだろうか。全共闘世代の語りのうちにその行方を探りたいと思うのは、若い世代の思いではあるまいか。

世界史が普遍史と意識されるのはとりわけ戦乱と革命のさなかであった。グローバリゼーションと日本の平和のその外部では、なお戦争とテロルとが鳴り止んではいないと指摘すべきかもしれない。また、二〇一一年以降は、街頭占拠型の大衆蜂起が世界で繰り返されており、ある場合には第三勢力（左右のポピュリズム）として政治に登場している。体験を日本の領土内に限ることはないのである。例えば二〇一三年のトルコは首都のゲジ公園、占拠闘争がＳＮＳの呼びかけを通じて突如として始まった。同じくSNS上の「いいね!」がリーダー不在のリーダーの役を果たしたという。しかし実情は、以前からネット上のオルグ集団、キュレーターとかゲイトキーパーとかが、情報を選択し真偽を吟味したうえで仲間に流す活動を続けてきたのだという(ゼイナップ・トゥフェックチー『ツイッターと催涙ガス』)。「強さと脆さ」とが指摘されがちだが、ここにも徒党がひしめく中から集団を形成する契機がいくつも現出したと想像する。そこにどんな普遍史が浮上したか。

かつて、「なれなれ、すべてきめ細かく近代的になれ! 俺が固執するのは一本のドグマ!」と私はメモを残している(一九六七年)。今日の「わたし」の在り方はどうだろう。集合としての個々人のことではない。社会学的な調査などが明かすことのできない、一人の孤絶のことだ。全共闘運動からもう長い時間がたち、繰り返し消滅しては拡大再生産されている孤立があるにちがいない。孤立そのことが普遍史を呼び寄せては同時に孤立を深めていく。普遍史を拒絶する普遍史がある。万人が孤絶しているルソーの奇妙な「自然状態」のことを思い起こしてもいい。そこでは人間は相互に孤立しており社会的交流は全くない。各人は動物同様の自己保存の欲望と、プラスして動物には欠けている憐れみの情だけを持つのだという。この純粋自然状態から、各人が自分を全面的に譲渡する一般意志の共同体が生まれるのだと。これも「一本のドグマ!」と評すほかはない。

体験「と」普遍史とがそれぞれの極端に隔絶し、隔絶することによって「と」がにわかに顕現する。そういうことだろうか。

一九七〇年　岐れ道それぞれ

「大学闘争も、七〇年には完全に鎮静化した」。——小熊英二『1968』にこうある（下六九頁）。そうであったであろう。「日本の1968」も峠を越えていた。とはいえもとより、渦中にあった若者たちそれぞれにとっては、にわかに鎮静化とはいくわけもない。一九七〇年にしぼって、1968がばらけていく道筋のいくつかを以下に想起しておきたい。

一大階級決戦

前年（一九六九年）と同様、この年も四・二八沖縄デーや安保条約自動延長、一〇・二一国際反戦デー、そして一一・一六佐藤首相訪米阻止と、街頭闘争が諸セクトを中心に組織された。しかし前年までの盛り上がりに比べるべくもなく、小熊に言わせれば機動隊にたいして「完敗」に終わった。私は三島由紀夫が防衛庁を占拠した時の「檄」をノートに書き写しているが、これもまた言っている。「しかるに昨四十四年十月二十一日に何が起こったか。総理訪米前の大詰めというふべきこのデモは、圧倒的な警察力の下に不発に終わった。その状況を新宿で見て、私は「これで憲法は変わらない」と痛恨した。この日に何が起こったか。政府は極左勢力の限界を見極め、戒厳令にも等しい警察の規制に対する一般民衆の反応を見極め、敢えて「憲法改正」という火中の栗を拾はずとも、事態を収拾しうる自信を得たのである。治安出動は不要になった……」。アジビラとしては出来が悪いが、ここで治安出動とは自衛隊をデモの鎮圧に派兵することであり、その結果として憲法改正が俎上に上ることを三島は期待していた。

だが、セクトとりわけ革共同中核派に言わせれば、安保・沖縄の街頭武装闘争はこれからがむしろ本番でなければならない。「七〇年闘争」で中核派は何よりも武装闘争を呼号した。国家暴力による強行政治に対決して、素朴な実力闘争から本格的な武装闘争への移行を目指したのである。といっても実際は、街頭闘争の暴動的展開程度なのだが、路線としてはあくまで武装闘争だということである。かくて、「全人民の希望に拠って、自分たちが、政治情勢の決定権を握っている。六〇年闘争で実現できなかったプロレタリア革命への序曲が近い」と把握するにいたった。「あの待ちに待った七〇年六月」を迎えたのである。中核派全学連の副委員長だった尾形史人がこう述べている（『革共同五〇年私史』、一一九頁）。「六〇年（安保闘争）の「壮大なゼロ」を乗り越える事態ではないかと、その指導部が胸を弾ませたのもやむをえないことであった」。

中核派のこの路線は尾形に言わせればその後三十年にわたって固執された。「連年危機論」にもとづく武装闘争である。ただ、私から見ればこれは安保ブント解体期に一分派（清水丈夫）が唱えていた路線主義（万年政治危機論に武装闘争を直結させる）である。中核派は革マル派と袂を分かつことを以て、清水のブント主義と革共同の前衛党主義のアマルガムという特異なセクトとなった。かかるセクトとして「七〇年闘争」を牽引した。もともと路線的に言って全共闘運動などに独自の意義を認めないセクトの代表格として、「暴動」の呼号へと突っ走っていく。「戦後世界体制の崩壊的危機の真中、今秋の闘いは戦争か革命かの一大階級決戦である」(「前進」七一年)。そして同時に、この年の八月には、最初の内ゲバ殺人といわれる革マル派の海老原俊夫殺害事件を引き起こして、中核派は内ゲバ時代を先駆けることになった。

他方、ブントは前年に分裂して、赤軍派が「戦争宣言」を発した。「ブルジョアジー諸君！我々は君達を世界中で革命戦争の場に叩き込んで一掃するために、ここに公然と宣戦を布告するものである」。そして七〇年三月、赤軍派の有志が日航機よど号をハイジャックして北朝鮮に渡った。まだ誰もが飛行機に乗る時代ではなかった。玄界灘の上空を航空機が一機、見えない国境線を越えて行く。事件の一報を受けて私にはいささか場違いに「道行き」のイメージが浮かんだ。赤軍派は党の軍隊化(建党・建軍)を唱えて分派したのだが、七〇年にはこれ以外にもノンセクト系小集団による都市ゲリラめいた様々な爆弾闘争が解禁されていく。赤軍派が連合赤軍事件を引き起こして自滅するのは一九七二年のことである。

日本人であることの負債

この年にはまた、在日華僑青年の団体(華青闘)による抑圧民族日本人への告発が、運動に突風のような衝撃を与えたようだ。七月七日の盧溝橋事件三十三周年集会でのことである。「抑圧民族としての自己の立場を自覚しそこから脱出しようとするのか、それとも無自覚のまま進むのか」。名高い七・七華青闘告発である。集会に参加していたセクト八派の代表がそれぞれその場で自己批判を表明する事態になったという。日本の１９６８に与えた七・七告発の衝撃とは少々謎めいている。運動がここからマイノリティー差別に目を向けるようになる。それは自然のことであり、その後「新しい社会運動」として世界の１９６８に共通して起ったことである。自己否定など全共闘の倫理主義がもともとこの手の告発に影響されやすいことも理解できる。これが前後転倒されて、七・七告発を起点にして日本の１９６８を論じるという珍説も登場した。「新しい社会運動」から１９６８を見るという視野の狭い研究書も現れる（安藤丈将『ニューレフト運動と市民社会――「六〇年代」の思想のゆくえ』）。全共闘運動の政治的意味がこうして消されていった。

ところが、七・七告発にショックを受けたのは全共闘のノンセクト活動家だけのことではなかった。むしろ「一大階級決戦」を唱える新左翼諸セクトがとりわけ蒙ったことであるらしい。「わが同盟は、抑圧民族としてのウミを徹底的にしぼりだすための内部における闘いを非妥協的に推し進める」。これは中核派である。社青同解放派でもまたこの問題が内部抗争の争点になったという（岩井哲『〝私の〟東大闘争』）。後に言う血の負債「血債の思想」である。抑圧民族としてのセクトの自己批判なるものは、折から頻発するようになる差別反対闘争に便乗する手段だったかといえば、そうではない。むしろ党内闘争、党を純化するために「ウミを徹底的にしぼりだす」内部糾弾に使われた。それもセクト指導部の意図というより、セクトというものの組織思想に深く浸潤していた政治とは無縁の倫理主義のせいだと思える。「共産主義的人間の強固な共同体」である。

ともあれ、一九七〇年という年はマイノリティー差別反対運動の始まりになっていった。そして私といえば、当時こんな風に言わずもがなの感想を書き残している。「アジアとの連帯とか差別とかいったりいわれたりするのに接するたびに、私には理屈以前の不快感が起こった。君たちは、日本人であろうとアジア人であろうと、知識の経験というものを一体どこへやってしまったのか、と」（『1960年代　ひとつの精神史』、六二頁）。

ところが灯台下暗しで、この年の五月二十五日に劉彩品と木村博の夫妻が私のところにやって来た。木村は学生のころからの私の友人である。劉彩品は中華民国（台湾）からの大学院留学生であり、在留ビザの更新期限が来ている。そこで今回は中華人民共和国支持を公表したうえで、ビザの更新要求を大衆運動としてやりたいから助けろと言う。日本が中国とまだ国交がなかったころの話である。そこで「劉彩品を守る友人の会」を立ち上げて、私はこの年一杯を忙殺されることになる。当時の私の記録によれば、彼女はえらくきつく「日本人」をなじり、今回は「日本人」に賭けるのだと言う。その上で私など「守る会」のメンバーの一人ひとりに迫っては、この運動に日本人として「意義はあるのか」と繰り返し詰問するのだった。これにたいして私などは答えた。「意義を認めたことはないし、これからも認めることはないだろう。ただ、一人の外国人の友人が困っているのを手助けするのは人情というものだ」と。とはいえこれでは運動にならない。劉彩品がビザを獲得するまでの運動の全容は翌年にまとめて出版されている（『日本人のあなたと中国人のわたし』）。うかつなことに今になって思うのだが、この運動は「七・七告発」に先駆けていたのだった。ちなみに、小熊英二の著書で私の名前が登場するのは唯一この場面であり、外国人からの日本人糾弾に冷静に対処しえた「年長のベテラン活動家」とある（下巻二七一頁）。

新しい社会運動

「われわれは四年待った。最後の一年は熱烈に待った」（「檄」）。先にも触れたが、日本の1968を鎮圧するために自衛隊が治安出動を命じられること、その瞬間のために三島由紀夫は楯の会を結成して待機していた。待ちきれずと言うべきか、三島が陸上自衛隊東部方面総監部を占拠して自決するのがこの年の十一月二十五日だった。三島は右翼だから自分たち左翼とは相いれないなどという区別は、日本の1968にはもうない。右か左かでなく、過激であるとはどういうことかが問題なのだった。三島由紀夫の蹶起は「極左勢力をはなはだしくコケにしている。「まいった」とも、「やれやれ」とでも言う以外にない」。これが翌日の私の感想だった。

　とはいえ、三島由紀夫の影響ではないのだが、私は戦前の超国家主義やその叛乱を含めて、左右を問わず「日本の過激派」という主題を立てるようになっている。ナチズムを一つの大衆革命として振り返り、何本かのナチズム論を書いたのもこの年のことだった。いつだったかナチ党のドキュメント映画の試写会があり、同席した平岡正明に映像に登場するナチの面々の解説をしたことがある。そのせいだろう、「ナチズムに関してブントには長崎浩という専門家がいて、……」と平岡がどこかで書いていた。

　最後に、沖縄ではこの年の十二月にコザ暴動が発生している。沖縄はいまだに占領下である。六〇年安保闘争が米国では東京暴動と受け取られたように、コザ暴動も反米暴動だった。「沖縄は紛争の火種になりかねない非常に微妙な問題だ」と、ライシャワー大使が来日早々に書いていた(六一年八月)。しかし、日本の1960も1968も沖縄を圏外に置いたまま闘われたのであり、その裏で米軍基地は本土から沖縄に集中するようになっていた。六〇年代の大衆運動は基本的に戦後の高度経済成長と関連する性格のものだった。そして、高度成長と大衆消費社会への反発という性格の全共闘運動は、その後おのずから新しい社会運動として沖縄を始めとした「地方」「地域」へ目を向けるようになる。七〇年は「公害国会」の年である。水俣など環境問題へと全共闘活動家の関心が向かうようにもなった。同時に、三里塚国際空港建設のための土地収用、その第一次強制代執行が翌七一年の年明け早々に強行される。七〇年代を通じてテーマとなる三里塚闘争の始まりであった。

だが、沖縄と言い水俣と言い、また三里塚の農民との連帯を唱える。全共闘運動にとって、ことに全国政治闘争を呼号する諸セクトにとって、一転してこれら「地方」はどんな関りがあるというのか。これもまた日本の1968がその後に投げかけた思想的で政治的な課題となっていくだろう。そういえば当時私といえば、半ば口走るようにして書いていた。「第三世界なり水俣なり、〈何処か他所へ〉出かけていってはならない。深夜自らの〈街〉の足下を掘らねばならない」(「《街》の真中で」、一九七一年)。

新進の評論家

小熊英二の『1968』には「一九七〇年のパラダイム転換」と題した長い章が置かれている

（下巻第十四章）。ちょうどこの年を境にして新左翼の思考と行動の組み建てが転換するというのである。メルクマールとして挙げられているのが、戦後民主主義と近代合理主義にたいする批判、マイノリティー差別、地域闘争、セクトの建軍路線とゲリラの爆弾闘争、そして内ゲバへの序曲である。パラダイムチェンジというより「日本の１９６８」が文字通りばらけたということだが、これらメルクマールが１９６８に関わった者たちにとって、それぞれの岐れ道になったのは確かであろう。私は以上でこのうちのいくつかについて短く想起してみた。

それでは私自身は、一九七〇年の年表のどこで何をしていたのだろう。先ほどはこの年の諸事件に触れながら、それぞれに関する私の短い感想を付しておいたがほかでもない。私はそのどこにもいなかったのである。私はこの年に先の当てもなく大学の助手を辞めて、以降十年間のルンペン生活を始めた。「叛乱論」（一九六八年）を発表して以降、日本の１９６８に沿うようにして毎月のようにどこかに評論を書き続けた。人に会い、遠くまでも講演に出かけていた。「新進の評論家」といったところだったろう。何を書き何を喋っていたのだろう。その一端は翌年の評論集『結社と技術』に集めてあるが、こんなテーマである。「結社と技術　叛乱の組織問題」、「主体性の死と再生」、「大衆にたいしてストイックな党」、「ブランキスト百年　私のブランキ」、「政治的言語のために」、「アナルコ・ニヒリズムと政治」などなど。

テーマの一端を短く引用しておく。「戦後とその破砕過程としての「新左翼」十年が私たちをとらえてきた、その精神の凝りを、私たちはこの二年の闘いのうちで解きほぐしてきたはずだ。それは、一方では行為をいわばのびのびと解き放つとともに、あらゆる領域での政治の理論を根本の《経験》の地盤から出立させるための現実的基盤をつくりだしてきたはずなのである」(「〈政治〉の破砕へ 6・15の成熟と解体」)。要するところ大衆叛乱を現実的基盤とした政治の形成ということだった。『結社と技術』はあとがきにこう記している。「総じて本書を構成する諸論文は、常に「アジテーターの遍歴史」の記述を将来に予測しながら書かれたといえる。そのための予備作業はいま終わったと思っている」。けれども、『政治の現象学あるいはアジテーターの遍歴史』を出版できたのは七七年になってからだった。

政治と党のことばかり

さて、新進の評論家はまたその裏でセクトの党派活動に介入していた。分裂した第二次ブントで他称かつ自称「右派」と呼ばれる一分派、共産主義者同盟再建準備委員会またの名が情況派である。その様子は以下の回想からうかがうことができるかもしれない。

「長崎が「共産主義者同盟を大衆政治同盟へ転換せよ」っていう方針出してね。なんか赤い(表紙の)パンフレットを作った。ブントそのものを大衆政治同盟にしちゃえ、という議論です。もう全体としてのブントを「党」とは考えない、という。とにかくブントを質的に変えてしまおうという方向性を、内部で出しはじめてた。しかしここらあたりから、組織的には迷走がはじまります。小さく純化した「党」と「大衆政治同盟」なる集団の関係を、実際にどう考えたらいいのか、いろんな受け取り方をされて混乱していくんです。相模湖あたりで合宿したり、どっかの寺に集まったり、説明会だか討論会だかやって、喧々囂々」(石井暎禧・市田良彦『聞き書き〈ブント〉

一代』、一六六頁)。

要するところ、私の関心は表でも裏でも終始「党」のことだった。前衛党の組織論の話ではない。レーニンの党を巡る積年の議論を一切切断したうえで、それでもありうるかもしれない党という観念を、徹底的に大衆叛乱のうちに見出し形象化することだ。革命運動史上のコミューンにしても評議会にしても、いつも前衛党と国家権力つまり「革命」の前段階のごとくに扱われてきた。この癒着から解放して、評議会を大衆叛乱の自己組織化（大衆政治同盟）として捉えなおす。日本の1968でも私の関心がもっぱら全共闘にあったのもこのためだった。その上で、この大衆組織がそれゆえに析出せざるをえない政治の独自性、その跳梁を取り押さえようとする場所に党を据えることだと。党を考えることはつまり政治を再定義することでなければならない。政治は綱領や戦略の言葉では捕まえることのできないもの、言葉をすり抜けてはしかも叛乱の場に執拗に回帰する。逆に言えば、政治はそれだけに一層叛乱に強度を要求する。「叛乱論」の直後に「叛乱と政治の形成」を書いて以降、私の評論にはこの意味で政治という言葉が、政治という政治言語があふれている。それが私の書くものの領域を狭くしたし、ありうべき読者を徒に遠ざけてしまう。一九七〇年に、私はこのことを十分に自覚していた。

夏の抽象

さて、あれから何十年もたって、夏のある朝に私は以下のような作文をこしらえてみた。

今年は梅雨が早くあけて、七月初めからじりじりと陽の照る日が続いた。地平線に新鮮な積乱雲が立ち、遠く少年の日の夏を思わせた。虚しくやるせない夏。私は自転車で食料品の買い出しに出かけた。これからの夏の日々に、エアコンをきかせて籠城する構えである。

とはいえ、何に籠るというのか。もう長年、老人の引き籠りが続いているではないか。世間は遠のき、お里の便りも絶え果てたのだ。しかしそれでも、身体の奥から誘うものがある。透明なガラス窓が湧き立つ夏雲から私を隔てている。水槽の中にいるみたいだ。そこに人工培養されて、沈んだ気配がある。そして私は気づくのだが、身体が何やら深いところで抽象を欲しているのだ。世間から、そして我が身からの完璧な隔絶を求めている。少年の日には、夏の休暇に籠って『ヨーロッパ諸学の危機と超越論的現象学』を読んだ。『存在と時間』を読み通した年もあった。しかし今やそれも、遠い記憶が呼び戻す微弱な気配に過ぎない。分かっている。あの頃の決意性の記憶が底に沈殿して持ち越して、今も身体の底のほうで揺曳しているだけなのだ。

いつのころからか、もう私には抽象は無理だと気付くようになった。早い話、分厚い翻訳物の哲学書などはもうフォローできない。フランス由来のポストモダン思想がとうに歴史になり、代わって装いを新たにした実在論が流入しているらしい。実在論は抽象の底を問い直す。科学とは何か。私にもそれは一貫して隠れた関心の的だったはずである。だがもう歯が立たない。多分そうだろう。覗いてみることすら端から放棄してしまっている。

しかしそれでも、日々のしきたりのように机に向かう夏の朝に、身体の底に感じ取る気配がある。もう、夏の決意性へ誘うものとは言えない。それでも、私は生活に背を向けて夏の日々を潜り抜けねばならない。買い込んできた食料品で日々を食いつないでいくだろう。午後になれば隣家の壁に西日が照りつけ、そこに庭の桜の梢の影が小やみもなく揺れているだろう。虚無の影のように。蟬の合唱がやまない。

さて、今は朝。少年の夏とはまるで違っていても、それでも、そこはかとない決意性のようなものを感じておかしい。

永遠の序章　六八年と共同体

共産制（コミュノーテ）のユートピアが、文明の偉大な首都の注意を荒々しくもひきつけて、首都はサルダナパルスの饗宴からはっと目をさます。いまやここでは、このユートピアは、その信奉者たちが期待していたような人間の完全への歩みの自然な結果ではなく、突然の、雷撃のような侵入である。これに堪えるか、さもなくば滅亡か。（ブランキ「祖国は危機に瀕す」、一八七〇年九月二十八日）

六八年の既視感

遅まきながら最近になって、私は『明かしえぬ共同体』（ブランショ）と『無為の共同体』（ナンシー）を読んだ。思いがけず、既視感があった。彼らが探求しようとしたような共同体（コミュノーテ）に、どこかで私も接触したことがある。そして同時に、この手の共同体の根にある衝迫力を、私は自分の政治論から追い出そうとしていた。その既視感を触発したのも、両人の共同体論の次のような語り口であった。

他人の死を、自分に関わりのある唯一の死でもあるかのようにおのれの身に担いとること、それこそが私を自己の外に投げ出すものであり、共同体の不可能性のさなかにあって共同体を開示しつつ、その開口部に向けて私を開くことのできる唯一の別離なのである。(ブランショ、25)

共同体が他人の死によって開示されるとしたら、それは死がそれ自体死すべき者たちの真の共同体だからであり、彼らの不可能な合一だからである。(ナンシー、46)

この難しい言い方からもうかがえるように、ブランショとナンシーの共同体とはただちに集団・組織ではない。「恋人たちの共同体」までが射程に入っている。かつて、叛乱のコミューンやオカルト結社、あるいは共産主義とナチズムに至るまで、集団として共同体があった。この手の共同体が引きつける磁力をまざまざと経験し、かつその悪と犠牲の累積を前にして誰しもがたじろがずにいられない。磁力の源を探究しかつ現実の共同体のあり方を否認する「不可能な共同体」――この否定的共同体、「無為」の「明かしえぬ」共同体がブランショとナンシーの主題である。そして、共同体論のキーワードが「他人の死」であるらしい。

その彼らの共同体論がどうして既視感を呼び起こしたかといえば、私もまた政治の中の「他人の死」に言及したことがあったからだ。たとえば、一九七七年の『政治の現象学あるいはアジテーターの遍歴史』の最後の部分で、こう書いた。

死はどこでも本来的に個的で一回限りのものであり、それゆえにいわば反政治的なものの極に位する。しかしにもかかわらず、それは政治のなかの死——共同的死——として、政治の場面で意味づけられ、一つのスローガンにまで仕立てあげられる。倫理的個体と政治的共同性の極端におけるこの一体化は、ただ死者が文字どおり不在であることによってのみ、彼（死者）にとって耐えうるにすぎない。……

それゆえ、「個人の問題」を断念せんと決意する政治（家）にとって、死ほど危険なものはない。政治のなかの死に出くわすことは彼にとって宿命とまでなっているが、しかし、彼は死の淵に立ちながらも死そのものをのぞき見てはならない。死が身近なものであればあるほど、たじろぐことなく彼は瞼を閉じねばならない。政治のなかのどんな無名の死も、倫理を断念すべき政治の姿勢を、一瞬深い動揺におとしいれずにはおかないからだ。（四三八頁）

以上からうかがえるように、ブランショとナンシーの共同体は、「他人の死」を間に置いて、私の言う「倫理を断念すべき政治」とは対極に位置しているようだ。無為の共同体がただちに政治的ではありえないのと同様に、私の名指す政治も政治の通例とは違っている。諸集団の利害対立とその処理、公共空間での民主的コンセンサス、敵味方の愛憎抜きの闘争、イデオロギーの右と左、あるいは経済闘争と政治闘争の区別——こうした現象がただちに政治ではない。そればかりか、オカルト結社やコミューン共同体を反 - 政治的共同性として扱うような政治である。「個人の問題を断念せんと決意する政治」!?　政治の方も彼らの共同体論に劣らず、面倒な言い方を強制されていたであろう。
私は死や性と一緒に「政治的であること」からブランショたちの共同体を締め出したいと願っていた。裏を返せば、私は当時叛乱の中で、死や性の共同体への傾斜に確実に接触していたということだ。これもまた六八年の経験であった。だから少々依怙地になって、私の政治論はそれを嫌っていた。私はこの手の共同性の間近にいながら、強いて「瞼を閉ざした」。だが実のところ、政治にとってのこの本質的な「敵」に正面から直面することを私は回避したのだ。ブランショやナンシーの共同体論が触発した既視感は、したがって、たんに私にも覚えがあるということでなく、同時にこれを政治思想から放逐しようとしたという既視感なのだった。あの頃からもう半世紀がたとうとしている。現在の社会で、社会的政治的集団以上に過剰な、「無為の」「明かしえぬ」共同体が何がしかリアルであるかどうかは知らない。私がこれに対置したらしい「倫理を断念すべき政治」についても同断である。ただ、かつて回避したことがらにこの機会に向き合ってみよう。この迂回路から六八年に光を当ててみようとしている。

(ジャン゠リュック・ナンシー『無為の共同体』〔1983〕、西谷修訳、朝日出版社、一九八五年、モーリス・ブランショ『明かしえぬ共同体』〔1983〕、西谷修訳、ちくま学芸文庫、一九九七年。その引用には両訳書の頁数のみを記す)

叛乱の中の共同体

ブランショは六八年五月について次のように書いている。

「伝統的革命」とは逆に、権力を奪取してそれをもうひとつの権力に置き換えることや、バスティーユなり冬宮、エリゼ宮あるいは国会なりを占拠するといったさして重要でもない目標があったわけでもなく、また古い世界を転覆することがねらいだったのでもなく、各人を昂揚させ決起させることばの自由によって、友愛の中ですべての者に平等の権利を取り戻させ、あらゆる功利的関心の埒外で共にあることの可能性をおのずから表出させることこそが重要だったのである。(63)

革命でなく大衆叛乱としての六八年は、どこでもブランショと似たようなスタイルで語られてきた。繰り返さない。叛乱の中で「共にあることの可能性」がまぎれもなく現出していた。そこでの「爆発的コミュニケーション」、——「だからこそ権威は覆され、あるいはほとんど無視され、いかなるイデオロギーもそれを取り込んだり自分のものだと主張したりすることのできない、未だ嘗て生きられたことのなかった共産主義の一形態がここに出現したのだと、人びとは感じとることができたのである。しかつめらしい改革の試みなどは存在せず、あるのはただ(それがために極めて異様な)無辜の現前だけだった」(63-64)。ここで瞬時に無媒介に実現されるユートピアとしての現前、それを「民衆の現前」と呼んでもいい。だが、民衆とは社会的勢力のことではない。いかなる権力をも本能的に拒絶する、その「無能力の宣言」であった(68)。

この「異様な無垢の現前」について、私は先に引用した著書の冒頭で「叛乱世界」として記述している。叛乱は特定の集団的行動によって引き起こされるが、出現するや集団とその成員の社会的規定性をも清算して、共同体としての世界を現前させる。後に見るように、ブランショは「他者にぶつかり他者により（承認でなく）異議を提起されるコミュニケーション」としてこの世界を構想したが、私はこの世界の一端を例えば次のように描いている。

私＝共同体という私の集団の統一性は、それぞれ私たち各人のものなのだから、各人の各人による、そのつどの統一が競合的に生起することによって、この集団は、じつは一つの矛盾的な運動の集合によって成り立っているといわねばならない。それはもはや相互性のカオスではないが、政治的見方からすれば、なお十分にアナーキーな構造である。牧歌的な共同体といういささか静的な集団ではなく、そこでは、私による統一の実現を目指す、各アジテーターの眼に見えない死闘がくりひろげられている。なぜなら、私による私の集団の統合は、その限り他者たちをこの位置から排除するものであり、そして別の私による集団の実現も同様である。だから、私（そして各人）によるこの統合と排除の闘いは、相互に果てしなく循環し、限度を知らない。（六五頁）

私は以下でブランショとナンシーの共同体を、大衆叛乱の文脈に置いて読もうと思う。たんに両人が五月からの刺激を背にしているからだけではない。政治的であることの視点でこそ、二人の共同体のあえて言えば逆‐政治的な性格が浮き彫りになるからだ。というのも、ブランショの

「民衆の無垢の現前」と私の「叛乱世界」とをとりあえず共通の出発点とするとして、これらはそれ自体が前政治的な共同性であり、そのために、政治的には何者かに成っていくべき存在であるほかないからだ。歴史上の経験からすれば、この世界から、この世界の中でそのストレスを浴びて、多様雑多な共同体が析出し分泌していく。六八年は様々なオカルト結社を生んだ。コミューン共同体が結ばれた。自らを共産主義者の強固な共同体だとする、かの前衛党主義もなお幅を利かせていた。一言でいえば、叛乱世界の共同性は「無為」であることができない。「できない」という加速度こそ政治的なものである。そこから、むしろ自覚的に（反動的に）反政治的な共同体として集団を固めていく動きが生まれる。コミューンやオカルト結社である。逆に、政治的なものの加速度に沿って、この共同性の政治的遍歴を最後まで辿り切って見よう。こちらが私自身の選択だった。

この両方向の傾向に反して、ブランショとナンシーが思い描く共同体は、政治的形成はもとより反政治的共同体もともに拒絶する。そうではなく、叛乱世界における民衆の無垢の現前に踏み止まって、この現前そのものを現出せしめるもの、共 - 存在としての人間実存を探索しようとする。反政治的と政治的と、その両方の共同性に背反する共同体にたどり着こうとする。そうすることでかえって、民衆の叛乱への止み難い渇望を明示したい。言ってみれば政治のゼロ度に迫りたい。これこそが、六八年を反政治的に捉えることの極限なのだと。

ブランショは六八年五月に言及し、続けてアルジェリア戦争反対行動の死者（シャロンヌの死者たち）を弔うべく無言の抗議集会に集まった群衆、「潜在的で絶対的な無能力をおのれのものとして抱え込んで」いる民衆のことを想起している。そこでも共産主義と共同体とが結びついて、「ふたつながら実現されるやたちまち消滅していく」稀有の瞬間があった。「持続してはならない、何であれ持続に加担してはならない。そのことがこの例外的な日に聞き届けられた」(69)。

共同性は「持続してはならない」。政治に突きつけられた、これは途方もない言いがかりである。従来の(反政治も含めた)政治的形態のすべてにたいしてこんなふうに否認の言辞を連ねて、それでもなお追って行くべき共同性の経験というものがある。明かしえぬ共同体、否定的共同体とあえて言わねばならない共同体があった。その「稀有の瞬間があったのだと私は確信している」とブランショは述べている。そして私自身も、この稀有の瞬間に立ち会ったことがあったに違いない。あえて言えば、その経験を隠れた衝迫として政治論を綴った。

しかしそれにしても、共同体のこの異様な、一瞬の現前とは何なのか。どのようなロジックのアクロバットによって、この経験に接近したらいいのか。改めてここで、ブランショ、そしてナンシーの手続きを追っていきたい。

死者たちの共同体

ブランショは先のように闘争の死者たちを弔う沈黙の群衆を見た。そして私は、闘いの中の死に政治は決意して目を閉じねばならないと書いた。そうしなければ、政治は深いところでぐらついてしまう。ぐらついてしまえば、死者を弔う群衆を狂信的な死の集団に固めてしまうかもしれない。いずれにしても、一瞬の共同性はこのように死(者)との関連で想定される。もともと、ブランショの共同体論は直前に刊行されたナンシーの論を下敷きにしたものであり、かつ両人とも共同体論の淵源をジョルジュ・バタイユに定位している。戦争と革命の中の死者たちが蔓延していた一九三〇年代のバタイユである。死者たち、それも親しい者の死の葬送は日常の出来事であり、死者に直面した者たちの心性は何も難しい話ではない。死者はおのれの死を死ぬことはできない。死は各人にとって極私的であり、かつこれを弔う者たちによってこそ各人の死になりうる。ナンシーはバタイユ戦前の草稿を引用している(48)。

同胞が死んでゆくのをみたら、生きている者は我を失うことなしにはそれに耐えることができない。〔……〕私たちのおのおのは、そのとき狭い人格の枠から追い出され、同胞たちとの共同体の中にあたうかぎりおのれを失う。それゆえ共同の生に達するためには、死の高みに身を持することが必要なのだ。大多数の私的な生は卑小なくじを引き当てる。しかし共同体は死のもたらす強度の水準においてしか存続しえず、危険にもっぱら備わる偉大さに背いたときからそれはたちまち崩壊し始める。

ここで同胞の死とは端的に革命と戦争の中の死である。しかも、当時バタイユは共産主義運動に裏切られたと感じている。また、ナチズムが一個の大衆革命として権力を奪取した時期である。どちらも革命的共同体を中核において彷徨える若者たちを引きつけている。そして世界大戦の足音がする。いたるところで、「同胞が死んでいくのを見る」。残された者はこれに耐えねばならないが、それは同時に「我を失うこと」によるしかない。自己の外に投げ出されて「同胞たちとの共同体の中にあたうかぎりおのれを失う」。死の共同体のうちで一瞬保持されるような共同性である。これ自体は葬送の参列者が誰しも経験する気持ちにすぎないが、時代は「死のもたらす強度」が破裂するまでに高まり、そのテンションの水準で存続する共同体をバタイユは名指している。共同体はそれ自身「死の決定的な暴力性の水準で過激な生を有している」(48－49)。

ブランショもまたバタイユと共に、共産主義とナチズムと戦争のこの時期に、共同体への渇望と挫折を経験した。ここで共同体とは政治的集団のことではなく、自我ならざるものへ、至高性への合一や恍惚を体験する場であった。言うまでもなく、この共同性は危ない。犯罪すれすれのオカルト的秘密結社と地続きだ。バタイユもアセファルという人身御供を目的とする秘密結社まで試みたことがあったという。逆に、死の共同体を回避しようとすれば、政治的に何の機能も果たさない共同体の無為に固執しなければならない。「何であれ持続に加担してはならない」。このように両極の共同体経験を一時期の常軌を逸したものとして忘れ去るのでないとしたら、何を掬い取ってくることができるのか。正しいコミュニズムとかファシズムの誤謬とかの政治的総括では収まりがつかない、実存的体験の深部に降り立ち、狂った体験の発祥地点を探索するとしたらそれは何か。もう、通常の意味でも固有の意味でもそれは政治的なものではありえない。

冒頭に引いたようにブランショは続けて書いている。「他人の死を、自分に関わりのある唯一の死でもあるかのようにおのれの身に担いとること、それこそが私を自己の外に投げ出すものであり、共同体の不可能性のさなかにあって共同体を開示しつつ、その開口部に向けて私を開くことのできる唯一の別離なのである」(25)。自己の死に向き合うことではない。バタイユの言う死にゆく同胞との対話であり、死にゆく者の絶対的な他者性を分かち合う。「それが共同体を基礎づけるものである」(27)。「死の危機のさなかの死の共同体」である。六八年五月の中でブランショがマルグリット・デュラスなどと結成した「学生‐作家行動委員会」は、何らか行動するどころか文字通りに「無為の」共同体であったという。

「共同体は他人の死によって顕現する。死がそれ自体、死すべき者たちの共同体だからであり、彼らの不可能な合一だからである」と、ナンシーもまた書いている。バタイユからブランショとナンシーへ、かように「死すべき者たちの共同体」が畳みかけられるのを聞けば、ここにハイデガーのことを想起しないわけにはいかない。現存在は死へと臨む存在であり、覚悟をもって死へと先駆するときそこに現存在の時間性が開示される。『存在と時間』の後半のあたりから任意の一文を引いてみる(細谷貞雄ほか訳、下巻六四頁)。

[死への]先駆は現存在に世間的＝自己への自己喪失を暴露し、現存在を引きだして、第一義的には[世間の]配慮的待遇に支持を求めることなく自己自身としての存在することの可能性へ臨ませるが、その自己とは、世間のもろもろの幻想から解かれた、情熱的な、事実的な、おのれ自身を確承せる、不安にさらされている《死へ臨む自由》における自己なのである。

ここに脱自的に(我を忘れて)死へと立ち向かう現存在の本来性が押し出されている。だが、ここで死へと臨む自己とはあくまで「おのれの死」へと先駆することであって、以上にブランショたちが引き合いに出した「同胞（他人）たちの死」ではありえない。しかし実は、ハイデガー自身がおのれの死へと臨む現存在の時間性から、本来的歴史性（運命）を、あまつさえその民族的共同性までも導こうとしていた。同じく『存在と時間』の終りの方にこうある。

運命的現存在は、世界＝内＝存在たるかぎり、本質上、ほかの人びととの共同存在において実存しているのであるから、その現存在の経歴は共同経歴であり、共同運命という性格を帯びるのである。それはすなわち、共同体の運命的経歴、民族の経歴のことである。（下巻二五二頁）

昔、『存在と時間』を初めて読んだとき、死に臨む自己から民族の運命共同体へと向かうかに見える以上の個所に、暗く抗いがたい煽動を読み取らずにはいられなかった。実際、ある証言によれば、ハイデガーの一冊を背嚢に忍ばせてナチスの戦争に赴いた若者が大勢いたという。ナチズム共同体への高級な哲学的アジテーションがここにあったことは疑えない。三十年代のバタイユもブランショも、脱自の恍惚の中でこの共同体の妖しい魅惑に取りつかれることがあったに違いない。同胞の死へ向けて我を失うことは、コミュニズムと共にナチズム共同体とも地続きであったに違いない。後に私はハイデガーの論旨を能動的ニヒリズムの煽動として嫌うようになるが（『日本人のニヒリズム』）、改めてハイデガーのアクロバティックな論証手続き（第七章時間性と歴史性）をここで検証することはしない。というのも、ナンシーが目指すものこそ死者たちの共同体にアプローチし、しかし同時にハイデガーを脱臼させねばならないからである。その際のロジックは面倒なものであるが、可能な限り追いかけてみよう。

共同体の可能性／不可能性

ナンシーは『無為の共同体《コミュノーテ》』をこう始めている。――「共産主義」という語は「現代世界の諸規定の彼方に共同体の場を見出そうあるいは再び見出そうという願望を表徴している」(8)。だが、「この表徴は今ではもう通用しない」。左派や極左派が共産党の裏切りを告発しても無駄である。なぜならと、ナンシーは畳みかけていくのだが、そもそも共産主義の理想の基盤には特有の人間主義があり、これが「無為の」共同体の思考とは逆方向のものだからだ。ここで人間主義とは、「生産者として定義された人間」、「自己の労働とその諸作品という形で自分自身を生産する者」として人間を定義するものである。有為な人間である。この人間主義は「人間の人間に対する絶対的内在」を原理とするものであり、「内在主義」という独特な呼び名をナンシーはこれに与えている。そして、「内在的存在とみなされた人間こそが、共同体をめぐる思考にとって躓きの石なのである」(12)。

ナンシーの指摘のここまでは、これもまたハイデガーの路線の上にある。若いマルクスが強調した協働としての労働の原像が共産主義共同体の故郷であり、革命運動の敗北と共産党の裏切りのたびごとに、人びとはこの原像にまで立ち戻って人びとの共同性を組み立て直そうとした。労働の自己疎外革命論である。しかしそもそも、この労働の原像こそが唯物論の本質としての形而上学にほかならない。そうハイデガーは述べていた（『ヒューマニズム書簡』）。あえて言えば、人間を「労働とその諸作品という形で自分自身を生産する者」と見なす人間主義こそが、近代のブルジョア的世界像を切り開いた形而上学なのだと。この形而上学から抜け出して思考するためには、労働と制作の否認、つまりは「無為」であることに人間の在り方、だからまた共同体への視線を定めねばならない。ナンシーの論旨はこのように転じていく。日本における六〇年代の思想の経験からして、この筋道はよく分かる。マルクス主義批判が真っ直ぐに「労働の廃絶」の提唱に向かった。ではその先にどこへ向かうのか。「無為」であってかつ共同体であることのロジックはどこに見いだせるか。

ここのところで、ナンシーが立ち戻るのもまた「死者たちの共同体」である。というのも、現代社会は「死がもはや個人の死でしかない」という各人の「死の発育不全」を特徴としている。このことが一方では共産主義の原理を無効にすると同時に、他方で止み難い共同体願望を人びとに胚胎させてもいる（8）。では、個人の死ではない、人間主義・内在主義の彼方にある「死者たち」とは誰のことか。人間主義は人間の疎外態として西欧の個人（主義）、つまり「内在的存在としての人間」を産み落とした。自己に内在する個人は個人の死を死ぬことしかできない。おのれの死のみが個人の起源と確証になると、ハイデガーふうに言われてもいる。そして、個人はおのれの労働の産物（作品）に生を移すことで、作品として不死性を獲得する（15）。逆にいえば、「死は内在の範例であるばかりかその真理である」（39）。ナチスドイツの血と大地を媒介にした合一は、死を真理とした共同体の自殺の論理以外のものではない。労働対象たる自然と、労働の産物としての作品とに等しくなった人間とは、死を忘却した死の共同体なのだ。つまり、「個人主義的であるにせよ共産主義的であるにせよ、人間主義の想定する完成した人間とは、死んだ人間である」(42)。

さて、にわかに訳の分からない話になる。死すべき存在としての人間がいまや「死ねない」としたら、内在的(労働と活動の)人間はすでに死んでいるからだ、ということであろう。ともかくも、「成員の死のまわりに共同体が結晶する」(44)というありふれた事象に関する、これがナンシーのロジックである。むしろ逆に、「有為」の共同体に対置するナンシーの論理を見るのがいいだろう。ハイデガーが踏み迷ってしまった共同体の作品化(民族の運命)を避けて通りながらである。そこで、再びバタイユ的な恍惚としての脱自に戻らねばならない。ここで脱自とは「絶対的内在なるものの、従って精確な意味での個人性と、同時にまた純粋な集団的全体性との、存在論的、認識形而上学的不可能性を厳密に定義づけている」(21)。自己の外に投げ出されて、アトムとしての個人が全体性に合一するという陶酔のことでなく、むしろその絶対的な不可能性だというのである。

こうなれば、共同体は終始否定的な言辞を連ねてしか言及することができない(46)。云わく、共同体は主体間に死を越えた高次の生を織り上げるものではない。作品でもなければ、死の営みを果たすこともない。死者たちを祖国とか民族とか、何らかの実体あるいは主体に変容させる働きをするのではない。共同体は成員の死に向けて構制されている。死の営みをなすことの不可能性が共同体として刻みこまれ、担われるのだ。死すべき者たちの不可能な合一である。

共同体はそれ自身の内在性が成立せず、主体としてそこに属することができないという、そうした不可能を引き受けているのである。共同体は何らかの形で共同体の不可能を刻み付けみずからそれを担っている。共同体とは融合の企てでもなければ、一般的にいって生産のためのあるいは活動のための企てでもない――むしろ企てといわれるものではありえない。(47)

かくも不可能な共同体、しかもそれはある時にまざまざと経験された。政治が強いて目を閉ざさないとすれば、政治もまたまぎれもなくこれに接触したことがあるはずだ。であれば、共同体は可能性でありかつ不可能性である。やれやれと言うほかはない。

自己の不充足性

ブランショもまた『明かしえぬ共同体』を共産主義あるいは共同体の呼びかけにたいする応答として始めている。そのいずれの用語で考えても、歴史上それがもたらした災厄の累積を前にして、いまや誰しも暗然たらざるをえない。だが、かつてなぜ人は共産主義・共同体にかくも魅せられたのだろうか。これまでも決して途絶えることなく、だが時折言葉にされるにすぎなかった自らの問いを、ブランショは改めて考えてみようとする。あらかじめ予想できることだが、共産主義共同体はそれ自体に背いて放棄することなしには「しかるべきもの」とならないような、そのような問いになるであろう(10)。可能性/不可能性の問いである。

ブランショは次いでナンシーの「内在的人間」、共産主義と個人主義を通底する人間主義を参照する。おのれはおのれ自身である。そのような一個人はまた他の者にとっても同断であり、過去であれ未来であれ、彼同然の個人が際限なく反復されている。かかる内在的人間の生はそれ自体が終わりをもたないものである以上、彼は死すべき者でありかつ不死なのである(12)。だとすればしかし、かかる内在的人間の相互性はどうなるのか。共同存在の端的な不可能性がひとたび措定された以上、それでもなお追い求められる共同の可能性とはただちに共産主義‐共同体であるはずがない。かつてバタイユが執拗に思考したのもこの不在の共同体であった。なぜ共同体なのか。これが充分に思考されなければ、共同体が積み残す悪と闘うこともできない(17)。

ナンシーは繰り返して共同体を他者たちの死に結び付けようとしたが、ブランショはまずは迂回路を取って、内在主義的人間は個人(孤人)であるが故に他者たちを求めるという「不完全性の原理」から始める(19)。「おのおのの存在者の根底には、不充足の原理がある」(バタイユ)。後に見るように、ナンシーが言う内在主義的に完結しえない自己の「有限性」もこれに当たる。内在的人間とは自己自身で充足している存在だが、自らを独り身と知ることにおいて自身に疑義を呈する。この問いは他者が想定される限りで惹起される問いである。個人はこうして他者へと向かう。死と共同体というハイデガー的問題にこだわって、ナンシーが直に向かわなかった方向、つまり人はなぜ共同性を求めるかという問いをブランショは立てた。

以上はしかし、個人は自己であるとともに本来的に対他存在であるというありふれた実存主義のロジックに見える。それはそれでいいとして、ブランショが強調するのは別のことである。他者へと向かう個人が出会うのは他者の承認でも他者との合一でもない。逆である。おのれは他者によって異議に曝され、ときに否認される。この自己の剝奪状態において、つまりはおのれ自身であることの不可能性が意識させられる。逆に言うべきだ。他者によるおのれの剝奪状態の中ではじめて彼は存在しはじめる。自己はこうして、

外に－置かれるというかたちで現存し（ex-ister）、自分をつねにとりあえずの外部性として、あるいはそこかしこに破綻をきたした現存として体験しながら、ただ、荒々しい沈黙のうちで不断の自己解体を通じてのみ、おのれを構成してゆくことになる。(19)

ブランショは現存在の実存をこんなふうに描いている。不充足の原理である。であれば実存は他者（たち）を呼び求める。ある共同体を呼び求める(20)。けれどもこんなふうに言えば、直ちに難問が待ち構えている。共同体は合一や集団的沸騰状態、つまりは個人性を超えた一単位を作り出してしまう。共産主義と個人主義と、その双方へ向けた反論が返ってくる。歴史上オカルト結社からナチスに至るまで経験された当の問題である。だが、不充足の原理とは終わりなき不充足、絶えず他者の異議提起により疑義にさらされ、個人がおのれの剝奪状態に追いやられることだ。この状態の内になお呼び求められる共同体こそが継承されねばならない。ブランショはそう続けている。不充足は、「それに終わりをもたらすものを求めているのではなく、むしろ満たされるにつれてますます募っていく欠如の過剰をこそ求めている」。この不充足性が他者に自分を

さらけ出し、他者だけが彼の位置そのものからして私を揺さぶることができる。「もし人間の現存が、自己を不断に根底から疑問に付すものだとすれば、おのれの力を越えるこの可能性を、彼は自分一人で支えることができない」(24)。「過剰な欠如と欠如ゆえの過剰とが、人間の不充足の決して満たされることのない要請なのである」。

バタイユは脱自・恍惚・忘我の神秘家と思われているだろうが、それは違うとブランショは言う。バタイユはこの状態に深い嫌悪すら抱いていた。バタイユの不充足とは、「不充足でありながらその不充足性を断念できない現存が、ゆさぶられておのれの外に投げ出される、まさにそのことを通して貫かれる困難な歩み、超越の通常の諸形態をも内在性をもひとしく崩壊させてしまうこの運動のほうだった」(22)。

ブランショはここでバタイユとともに三〇年代の体験を想起しているに違いない。そして、ブランショが実存について改めてこんなふうに書いてからも、もう半世紀近くがたっている。フランス現代思想の面倒な言葉遣いの以前、戦後もてはやされた実存主義が崩れていく加速度をここに感じ取らずにはいられない。これもまた六八年の自我の描写であるに違いない。私もまた叛乱の集団形成を不充足の個人から始めた。ひとはそれまでのおのれの身分階級所属(内在性)を清算して、一個の欠如態として叛乱に立ちあがる。欠如態であるがゆえに叛乱の同一行動の中で他者を求める。この関係は新たな共同性の形成を可能にしまた挫折させる。ブランショの不充足性やナンシーの内在性にたいする既視感は、ここでも著しい。

先に私は叛乱世界という共同性の一端を見た。その内部は合一であるどころか、自己と他者たちとの統合と排除の果てしない闘争として私は思い描いていた。大衆叛乱を前提にする限り、この共同体はあくまで人びとの同一の行動を通じて現前するに至ったことである。私は行動のこの同一性という契機の方に引き寄せて、ブランショの「決して満たされることのない不充足性」ということを受け取りたい。超越への帰依でもなく、もとより内在主義的個人としてでもなく、私という欠如態は同一の行動の中で他者たちを発見してこれと葛藤する関係を展開することができる。これが思いもかけず叛乱の共同体（世界）を現前させる。ブランショの上げた弔いの群集だって、強いていえば同一行動である。この束の間の共同性がただちに散会するか、何らかの超越のもとでの共同体に凝り固まるかは、また別の問題である。そこに政治の分かれ目がある。

ところで、しかし、ブランショ、ナンシーの共同体論にたいする逆－既視感とは、なお他者（たち）の死のことだ。ブランショは自我の不充足性の指摘に続いて、すでに引用したが、「同胞が死んで行くのに立ち会うとき」というバタイユの言葉を想起している。そして、繰り返しになるが、こう書いた。「死に瀕して決定的に遠ざかってゆこうとする他人の間近に現前し続けること、他人の死を、自分に関わりのある唯一の死でもあるかのようにおのれの身に担いとること、それこそが私を自分の外に投げ出すものであり、共同体の不可能性のさなかにあって共同体を開示しつつ、その開口部に向けて私を開くことのできる唯一の別離なのである」（25）。

不充足性は自己を他者へと促し、このことによって他者による異議におのれをさらす。ここで他者による異議とは、端的に他人の死からやってくる。他人の死が何にもまして根底から私を問い糺す。ブランショはここのところでナンシーの死の共同体論に接近するのである。なぜなら、他者（たち）はその死においてこそ絶対的他者性として私を否認する。絶対的他者に向いおのれをこれに差し出し対話することは端的に不可能であり、死者は共同性の絶対的な否認である。彼我の非対称性は解消しえない。しかし、死すべき者としての私たちはこの不可能な合一の試みの中で、初めて共同体を開示する。ナンシーも論じていた。共同体は他人の死によって顕現する。死がそれ自体、死すべき者たちの共同体だからであり、彼らの不可能な合一だからである。共同体はそれ自身の内在性が成立せず、主体としてそこに所属はできないというその不可能性を引き受けている。

さて、このようにして、どんな営みもなすことをおのれに禁じているナンシーの「無為の」共同体に、ブランショ（バタイユ）の「明かしえぬ」共同体が合流するようである。ブランショの共同体論は「同胞の死を前にして我を失う」という体験から出発した。これにたいして、おのれの死への覚悟性を運命共同体へと導くがごとき共同体論をナンシーはどこかで断ち切りたい。ハイデガーをバタイユの線で折り曲げようとした。そこにはしかし、自分の死と他者たちの死との断絶があり、ナンシーのロジックを分かりにくくしているのだろう。

コミュニケーション共同体

ナンシーとブランショは次いでバタイユの共同体体験の検討に向かう。「現代における共同体の運命に関する決定的な体験を最も遠くまで辿った人物」（ナンシー、50）としてである。けれどもここではバタイユ論には立ち寄らない。私がバタイユに不案内だという理由もあるのだが、何よりも六八年の共同体体験を与件にして考えたいからだ。バタイユは脱自（恍惚）と共同体という二つの極に引き裂かれて、ついに宙づり状態を抜けられなかったとナンシーは指摘した。ここで一方の共同体の極とはひとつにはファシズムの狂躁（あるいは祝祭）であり、これにたいする両義的郷愁は六八年五月において回帰したと言う。そしてもうひとつの極が共産主義の理念であった（62）。六八年もまた引き裂かれ、同じ宙づり状態を体験したのは疑えない。「バタイユに促されて」この体験に言葉を与えること、それが問題である。

それでは、共同体の中で何が経験されたのか。たんに否定の言辞の連鎖としてでなく、何が共同体か。ナンシーはこんなふうに語る（80）。「共同体は私に、私の誕生と死とを提示することによって、自己の外にある私の現存を開示する」。脱自が恍惚、合一へ到達することではない。かえって、「共同体は有限性を露呈させるのであって、その有限性にとって代わるものではない。共同体とは結局、この露呈と別のものではない」。「特異な存在者は個人ではなく、有限な存在である」。これが共同体における自己の分割（分有）という事態であり、分割という事態において私は有限だというのである。内在性の分割、有限性としての実存とは、バタイユがおのれの不充足性、ブランショが不完全性の原理と呼んだものと別のことではない。内在主義的に完結した人間は共同体を結ばない。共同体はおのれに本来的な不充足性を解消するものではない。共同体はかえっておのれの不充足性（有限性）を露呈させる、有限な存在者たちの共同体である。有限性の共同体である。個人でなくこの有限の存在者をナンシーは特異性と呼ぶ。

主体の分割と有限性とは共同体に合一するのを拒絶することの証しだが、なぜこんなことが確保できるのか。ここで、ブランショが他者（たち）による承認でも同化でもなく、異議提起（否認）だとした自他の交渉が起こっているからだ。他の特異な存在者なくして特異な存在者はありえない。自己の分割とはすなわち他者による分有である。そこにコミュニケーションがある。「有限性はコミュニケーションとして出来し、現出し、現存する」（85）。ここに、有限性は共‐存在の内に共‐存在として現れる。「この曝し出す分割はのっけから、一切の言語の差し向けに先立つ（そして言語に可能性の条件を与える）特異性たちの相互的な問い糺しを惹き起こす。有限性は共‐現する、つまり曝し出される、それが共同体の本質なのである」（86）。共‐現とは、「間そのものの出来なのである。つまり、君と私というとき、そこで「と」は並置の価値をもつのではなく露呈の、曝し合いの価値をもつのである」。そこに露呈されるのは「可能なあらゆる結合のうちに、……「君が分かつ私」を読み取らねばならない、ということである」。特異性は孤立していると同時に共同的（分割＝分有）である（88）。

共同体は特異な存在者たちの作品ではないし、彼らが共同体の作品なのでもない。コミュニケーションもまた彼らの営みでもなければ彼らの活動でもない。コミュニケーションは端的に言って彼らの存在なのである。それは、社会的、経済的、技術的、制度的な営みの解体としての無為なのだ。（94）

コミュニケーションとは現代では便利に使われている言葉だが、むろん共同体コミュノテと同根である。コミュニケーションは共同体を構成する各人の存在そのものだとナンシーは言っている。実際、史上どんな叛乱も身振りと言語の氾濫であった。ただに各人の交流とか意思疎通とかではなかった。コミュニケーションする各人をすら離れて、共同であることが各人を捕えて跳梁していた。かつて稀代のアジテーター（トロツキー）が自伝に書いている。――私は聴衆に向けて語る。だがその途中で、あらかじめ考えられていた論証も、用意された言葉も引っ込んでしまう瞬間が訪れる。するとこのとき、私自身がまるで誰かがすぐ傍らに立って演説しているのを聞くように、用意されたのとは別の思いがけない言葉が影の中から現れてくるのだ。影の自分の言葉は、明らかに私の肉声の響きを立てていながら、私は夢遊病者のように、転げ落ちはしないかと不安にかられながら壇上に立っている。この影の言葉の跳梁こそがこの場の各人の存在であり、共同体の現前にほかならない（前掲、『政治の現象学あるいはアジテーターの遍歴史』）。

それゆえ、改めてブランショ、ナンシーに言われるまでもない、これも六八年の既視感である。分かれ目はこの体験からどこへ向かうのか、その方向性にある。彼らは各人の脱自的実存への回帰かコミューンへの帰依かを二つの極と見て、共同体の、影の現前に「持続してはならない」と命じる。共同体はそもそもどちらの極にも向かってはならないと言う。共同体にあっても、実存に分割・有限性・特異性という制約（不充足性）を課すゆえんである。

だが、私はここに別のことを感じ取る。かつて私は共同体の一瞬の現前を政治的形成の方向へと加速する契機を叛乱状態（遍満する欠如態）に見出そうとした。ナンシーたちはまさしくこれに逆らって反政治、というよりむしろ逆政治の方へと共同体を差し向けたいのだ。共同体の開口部へ向けて私を開くということである。ナンシーは先に共同体＝コミュニケーションについて、「社会的、経済的、技術的、制度的な営みの解体としての無為なのだ」と指摘した際に、「私はここに政治的なものを並べない」とわざわざ注記している。だが、共同体は政治的な営みの解体として無為ではないのか。ナンシーはこの点に未練を残している。「特異性の、そのコミュニケーションの、その脱自の描く線は政治的なものであるだろう。政治的なものとは、おのれの無為に向けて構制された共同体、自らの分割の体験を意識的に遂行する共同体の謂でもあろう」(120)。一転して歯切れが悪くなる。それは「まだこれから考えなければならないこと」、「書くことを止めてはならないのだ」と言う。そして、「私たちとしてはさらに先に進むよりほかはない」と書いて、『無為の共同体』を閉じている。「さらに先」とは共同体の自己解体の軌跡、そうでなければ政治形成を追跡することではないのか。

「おのれの無為に向けて構制された共同体」が政治的であるとは、ありていに言って政治という用語を反故にすることである。政治的形成を拒絶することであり、政治を逆政治に差し向けるという点で逆説的に政治的だというほかはない。叛乱から倫理＝政治的なコミューンを固める方向もまた反政治的であるが、これら反政治的共同体にたいしても「持続してはならない、無為であれ」と命じる反政治なのである。反政治主義にたいしても反・反政治、つまりは逆政治である。反の反がひっくり返って政治的であるというほかない。そうである限り、ナンシーたちの共同体論は明かしえぬ共同体への永遠の序章であるほかない。

私は、叛乱の政治的形成を背後から（というより底の方から）脅かすその衝迫力に覚えがある。

つまりはこれが逆-既視感である。この衝迫に対抗するためにこそ、政治は政治で、見慣れた政治のシーンから離れていかなければならなかった。アジテーターのあの「影の言葉」の次元の自立に政治の視座を確保しなければならない。

恋人たちの共同体

ナンシーが書いている。「バタイユにとって、共同体とはまず何よりも、そして最終的に、恋人たちの共同体だった」(106)。ブランショも『明かしえぬ共同体』の後半を同じく「恋人たちの共同体」と題している。けれども、政治の見方ではこの共同体は政治的なものではありえない。社会的諸集団にたいして二人だけの私的な世界だから、ということではない。集団が政治的であるためには成員は三人以上いることが必要だからだ。三人集まればそのうちの一人は常にキャスティングボードの位置に立ちうる。この三角関係が集団内部に政治を発生させる。政治は通常集団間の対立だが、同時に、外的対立の内部化として集団内に対立を生み出す。外化された敵味方関係でなく、それ以上に、各人にとって政治的なものは本来的に集団内部から来る。恋人たちはお互いに対立し合ったとしても、それは政治にはならない。対幻想は対幻想なのだ。

ところが、叛乱の共同体の中の恋人たち、あるいは二人が先鋭な政治的ストレスのもとにあるとすれば、どうであろうか。ナンシーもまた指摘している。「恋人たちは共同体をその限界へ曝し出す」。「情熱の狂奔」が彼らを聖化するのは、「解き放たれた情熱によって彼らが共同体から隔てられるからではなく、彼らが共同体に共-現の極限を曝し出すからである」(113)。ここでナンシーが言うように、恋人たちを政治的なストレスのもとにある共同体の極限と受け取って見よう。このストレスが二人にとって「第三者」になる。そうであれば、恋人たちの共同体はまた、逆政治の方向に政治の足を引っ張る衝迫となる。ナンシーとブランショの共同体論を読めば、政治の中の死とともにここでもまた両義的な既視感が喚起される。かつて政治は性の衝迫力にまともに曝されたことがあったのだと。

私が書いたものを再度引いて見る。「私自身は、かつてもいまも、政治的闘争とそれをめぐる思考とが、性の軋み声のような「赤裸々な人間的真実」に直面することを嫌ってきた」（西部邁との対談のあとがき、作品社、一九八六年）。ここで私は連合赤軍事件とか大島渚の映画「愛のコリーダ」とか、デヴィッド・リーンの映画「インドへの道」やリリアーナ・カヴァーニの映画「愛の嵐」などを引き合いに出している。以上の映画はそれぞれ二・二六叛乱、植民地独立闘争、そしてナチズムを背景とした男女の物語である。「あの時代の闘争が「人間的真実」の深みにはまり込んでいくという点で「ほんもの」に近づいたとき、政治上の軋轢が人間たちの性の事件のかたちをとって鳴ったという実例は、やはりそこにあったと思う」。そして私自身は死と同様に政治の中の性に目を向けることから、意識して顔をそらしてきた。逆にいえば、性の衝迫が政治的であることを促していた。

先に見たように、ブランショは実存の不充足性を共同体論の出発点に置いた。本来的な不充足のゆえに自己は他者へと向かう。だが、そこに他者の承認や他者との合一は得られず、かえって自己へと跳ね返されおのれの不充足がさらに募る。ブランショは合一と対話のこの不可能性の中に共同体の可能性を確保しようとした。ナンシーの有限性についても同断であった。見られる通り、このロジックでは他者は取り立てて複数であることを要しない。むしろ、実存の不充足性と他者存在の絶対性とが、恋人たち二人の関係として極限的に露呈する。お互いにとって渇望でありかつ拒否であるような関係性である。

ブランショは恋人たちの共同体をマルグリット・デュラスの作品『死の病』を注釈する形で論じている。限りなく、これはもう「文学」になっている。恋人たちの共同体と同位相で「文学の共同体」に言及するのも道理である。戦後日本のテーマ、かの「政治と文学」をここに想起してもいい。私としては、しかし、恋人たちの共同体を政治の視線のもとに置いて見たい。同じデュラスの作品でも、植民地を舞台にした物語群がある。たとえばよく知られた『愛人』（〔1984〕、清水徹訳、河出文庫、一九七二年）、——ほんの少しだけ、この小説を覗いて見る。

場所は崩壊しつつあるフランス植民地ベトナム、そのメコン河の河口、サデックの白人居留区域に最下層のフランス人家族が住んでいる。「わたしは十五歳半、あの国には季節のちがいはない。いつも、同じひとつの、暑い、単調な季節、ここは地球の上の細長い熱帯、春はない、季節のよみがえりはない」（九頁）。彼女はサイゴンのフランス人高校に在学し国営の学寮に寄宿している。そして白昼、サイゴンの中国人街ショロンで中国系ベトナム人と逢引を重ねている。

ショロンの連込み部屋でわたしがすごす時間が、その場所を、新鮮で新しい光のうちに浮かびあがらせる。それは呼吸不能の場所、死と隣り合った、暴力と苦悩と絶望と汚辱の場所だ。そ

してショロンという場所もそういうところなのだ。河の向う側。河をひとたび渡ってしまったあと。(一二一頁)

鎧戸で外界と仕切られている二人の部屋を、真昼の街の喧騒が浸している。だが、それだけではない。彼女は植民地に住む娘であり、しかも恋人は現地人の青年だ。宗主国と植民地、没落しつつある家族の軋轢、それに原住民に身体を投げ出す娘。政治的なストレスが幾重にも二人にのしかかっているはずであった。暴力と苦悩と絶望と汚辱、一言で言って死と隣り合った呼吸不能の場所である。「男は怖じて、ふるえている」。

皮膚は豪奢なまでに滑らかだ。身体。身体は痩せて、力強さなどすこしも感じられず、筋肉がない、病気だったのかしら、ひげがなく、セックス以外には男らしいところがない、とても弱々しく、ちょっとした侮辱にも苦しみの声をあげるように見える。彼女は男の顔を見ない。彼を見ない。さわる。セックスの、皮膚の滑らかさにさわる、金色を、未知の新しさを愛撫する。男は呻く、泣く。男はおぞましい愛のなかにいる(六二頁)。

突然、彼女はそこで、その瞬間に知る、彼女は知る、この男はわたしがどんな人間か知らない、わたしのことをこれからもけっしてわからないだろう、これほどの頽廃、それを知る手段はこの男にはない、と。(五九頁)

この辺でもういいだろう。彼ら二人はどんな意味でも政治的ではありえない。むしろ、植民地の（ショロンの）沸騰と頽廃とが二人の結びつきを反政治の極端へと追いやっている。しかし同時に、秘密の隠微さでなく性の軋み声そのものによって、二人の合一と孤独とが遥かに政治と張り合っている。ブランショの「恋人たちの共同体」とはこうしたものであったろう。

黄昏から夜明けの薄明にいたる時間のあいだ、二人の人間が、ほかにいかなる存在理由をももたず、ただ互いにおのれをことごとく欠けることなく絶対的にさらし合う、それも彼らの目にではなく私たちの目に彼らの共通の孤独を出頭させるためにさらし合うこの空間の中に、そうだ、どうして求めずにいることができようか、見出さずにいられようか、「否定的共同体、共同体をもたない人びとの共同体」を。(104)

政治の中の「恋人たちの共同体」が沈黙のうちに政治に張り合うものであるとしたら、政治もまた遥かにこれに対抗しようとする。そんな政治があるのか、また考えるに値するものなのか。私はかつて政治にこうした問いが揺曳していたと思う。そうだとすれば、ここで言う政治も抽象的な「影の言葉」で捉まえるほかはない。集団間の利害対立の処理でも、敵味方の闘争というのとも違う。いわゆる経済闘争にたいする政治闘争、政治闘争からの革命の展望に話をずらしては問い自体が失われてしまう。ブランショたちの恋人たちの共同体が「存在」しないとすれば、これに遥かに張り合うべき政治もまた端的に「ない」。ないけれどもある、ブランショたちと同然の語り口をついついしたくなってしまう。「否定的政治」「力を持たない政治」というわけである。

それでもなお、そんな政治がかつて叛乱のうちに揺曳し、政治を逃れかつ執拗に跳梁していたとしたら、この政治を具体的に名指すことはもうできない。特定の歴史や歴史の中の特定の集団を想起し、記述するそのことのうちに政治はない。政治は構造ではない。かといって、イデオロギーの対立、右が左かが政治なのではない。政治の理論（哲学）の政治とは違う。大衆叛乱の沸騰のうちに跳梁する「影の言葉」を、何とか捕捉しようとするアジテーターの不安。この不安の自立を、それとして確保したい。それが党というものの場所である。

第三勢力の徘徊

ヨーロッパのポピュリズム

ロシア革命から一世紀がたった今、ポピュリズムという妖怪がヨーロッパを徘徊している。こんな大時代的な言い方をするとして、現代のこの妖怪は何者だろうか。「ポピュリズム」という呼び名はそれが誰に敵対しているのかを曖昧にしてしまう。攻撃対象は「エスタブリッシュメント」（既成勢力）だと言ってみても同様だ。また、選挙や国民投票のたびに「国論の二分」が指摘されるが、誰と誰とが分裂しているのか。「どの階級と階級の対立なのだ」と、レーニンなら叫ぶだろう。ぶしつけに名指すことが必要である。

エスタブリッシュメントの一翼を担い、今やポピュリズムの攻撃にさらされているのは、欧州の社会民主主義である。イギリスの労働党、ドイツの社民党、オーストリアの社民党、スペインの社会労働者党などなど、リストはまだまだ続く。そして、これら欧州社会民主主義のルーツといえば、ほかならぬマルクスとエンゲルスに行きつく。二人の遺志を継いで結成されたのが第二インターナショナルであり、ここから社会民主主義とレーニン主義が枝分かれする。共産党と社民党というマルクス主義由来の二大潮流が別々の道を歩み始めたのである。もとよりここで社民党はロシア革命にたいする裏切りだなどという見方は取らない。むしろ、西欧社会民主主義はマルクス主義の正統を継ぐものだ。

こうして見れば、ロシア革命百年とはまたマルクス主義革命の一世紀なのであり、西欧社会民主主義もこの世紀に属している。そして今では、欧州諸国のいたるところで、この社会民主主義が既成勢力としてポピュリズムによって一斉攻撃にさらされている。既成勢力はもちろん社会民主党だけではない。イギリス労働党とともに保守党、スペイン社会労働者党とともに国民党など、保守主義（マルクス的にいえばブルジョアジーの党）が、社民党と同列に攻撃されている。というのも、欧州の多くの国々では両党は二大政党体制を組んで長くになる。繰り返し政権交代を行いまた大連立を組んできた。既成勢力とはつまりこの「保守と革新」「資本家階級と労働者階級」の二大勢力の合作体制のことである。それぞれを第一、第二勢力とすれば、ポピュリズムとは両者の連合に敵対する（左右の）「第三勢力」の登場にほかならない。マルクス主義革命の一世紀はいまやこんな「妖怪」を跋扈させるに至っている。たしかに、ポピュリズムは「投票」を通じて時折姿を現すマス現象であり、実体を欠いた妖怪にすぎないと見ることもできようが、第三勢力というその立ち位置ははっきりしている。

階級闘争の当事者つまり水と油と見なされてきた第一第二勢力が、どうして連合して既成勢力をなすことができたのか。以下に見ていくことだが、マルクス主義と産業資本主義とを通底するイデオロギーとして、独特の「労働の尊厳」があったからである。このイデオロギーを潜在意識として、両者が対抗し、妥協し、連合して「労働にもとづく体制を基盤とした社会国家」（ロベール・カステル）を作り出した。これが福祉国家である。そしてこの間の新自由主義が前後の見境もなく福祉国家を掘り崩して暴走した。その反動としての第三勢力の台頭であり、労働にもとづく体制がすでに十分に空洞化している事実を衆目にさらしているのである。

ただし、あらかじめ断っておくべきだが、第三勢力と聞いてすぐに思い当たるのはファシズム・ナチズムのモデルである。地方を舞台に第二勢力を武力で粉砕し、選挙を通じて政権を奪取して第一勢力と癒着した。だが、現在の第三勢力にはこの芽はない。ファシズムは第二勢力の全盛時代の現象だからだ。同様に、第三勢力に何かしら新たな革命派の登場を見るのも幻想である。第二勢力の全盛時代にはその階級闘争内部にくりかえして革命派が登場した。レーニンのボリシェヴィキもそうだった。マルクス主義の「左翼反対派」である。第二勢力の（そしてスターリン主義の）「革命の裏切り」を告発する左翼反対派の存立基盤は、しかしながら、一九六八年叛乱以降にすでに十分に失われている。右であれ左であれ、第三勢力自身が自らを組織し政治的性格を発見していくしかない。

私は以下で第三勢力（そして第一勢力との合作としての政治体制）に敵対する第三勢力として、欧州のポピュリズムを見渡してみたい。その際、マルクス主義革命の一世紀に枝分かれした片方、ロシア革命とその遺産についてはここでの主題とはしない。レーニンの党に発する共産党（唯一の前衛党）とその国家というモデルは、その後南下して中東から東アジアに遺産を残した。アラブのバース党や中国の国民党と共産党など、いずれも「資本論に反する革命」（グラムシ）によって国家権力を握り、結果としておしなべて近代革命の一変種を残した。この系譜の源としてのロシア革命は、あれから百年と言っても今やただの年月の区切りでしかない。建国百年を祝うべき当の国家はもう存在しない。今日の歴史学ではロシア十月革命は「破局の8カ月」（池田嘉郎『ロシア革命』）と銘打たれ、「ロシア革命が労働者革命というのは神話に等しい」（下斗米伸夫『ソビエト連邦史』）と断定されている。かつての「栄光の八カ月」史観はどこえやらである。

かつてソヴィエト連邦が消滅した年、一九九〇年に私はロシア革命にたいする葬送の詞を書いた（『世紀末の社会主義』）。マルクス主義者・マルクス学者が繁茂してきたこの国で、社会主義世界体制の崩壊に意見表明するのが当時この一冊だけだったことに、少々驚いた。来年（二〇一八年）はまた一九六八年から五十年になる。ロシア革命が誰にとっても大文字の革命であった半世紀を経て、六八年からはたんに歴史年表上の一出来事になっていく。この年月のほうがそれ以前に比べてもう長くになる。政治思想のある抽象的なレベルが確保されなければ、ロシア革命百年それ自体はもう主題たりえない。

イギリス二大政党の内部分裂

過日イギリスでは欧州連合（EU）離脱の是非を巡って国論が二分した。国民投票（二〇一六年六月）にこれが集約されたが、EU離脱五一・九%、残留四八・一%（投票率七二・二%）である。国論の文字通りの「分断」であった。重要なのは、離脱をめぐる国論二分の背景に、保守党と労働党双方で内部亀裂が生じたことである。国民的課題への賛否が従来のように両党の対立として二分せずに、それぞれの党内部に対立が持ち込まれた。英国下院議員のEU残留と離脱の比率は、保守党が四二：五八、労働党で六三：三七だという。EU離脱に賛成でありかつそのための運動の先頭に立った政治家が、二つの党のどちらにも出現した。そして文字通りの第三勢力、反EU・反移民の英国独立党の台頭が目覚ましく、これとの対抗が二大政党の亀裂を拡大した。加えて、今回はスコットランド国民党などの「地方党」が独自の動きを始めた。スコットランドは戦後一貫して労働党の牙城であったが、去る二〇一五年の総選挙では労働党がほぼ独占していた議席のすべてを国民党が奪った（ただし、一七年の総選挙では保守党が盛り返した。国民党三五、保守党一三）。スコットランド国民党はもう左翼の既成概念では理解できない。

マルクスとエンゲルスの青年時代には一八四八年の「世界革命」が欧州を席巻したが、イギリスだけは「反動の巌」として革命の波浪に立ちはだかったように思われた。けれども、イギリスは近代資本主義の発祥の地であり、だから近代労働者階級の故郷である。そのロンドンで資本論を書いていた当時、マルクスは工場法の暫時的拡充とこれを資本家に強制した大工場の労働者の力（長期にわたる内乱）を高く評価した。この過程で獲得される労働者階級の規律と組織性は、やがて必ずや彼らを政権に近づけるだろうとマルクスは予測した。「少なくとも欧州では、イギリスこそ不可避的な社会革命が、平和的で合法的な手段によって、完全に遂行されうる唯一の国だという結論に達した人」、これぞマルクスだったとエンゲルスが書いている（『資本論』序文）。マルクス・エンゲルスのこの予測のその先に、（プロレタリア独裁国家でなく）労働党政権とイギリス福祉国家があるのは明らかなことである。

第二次大戦直後に、マルクスたちが期待した労働者政権、アトリー労働党内閣が初めて成立した（一九四五年）。そしてこの内閣がイギリス福祉国家のデザイン「ベヴァリッジ報告」を政策に実現した。「揺りかごから墓場まで」のイギリス福祉国家の始まりである。ベヴァリッジ報告は戦時中（一九四二年）に公刊され、一年間に六二・五万部のベストセラーになった。発刊二か月後の世論調査で、この報告を知っているイギリス市民は九五％、そのうち賛成が八八％に上った。当然、一九世紀的な自由主義からの逸脱として非難の声も上がったが、それまで友愛組合という独自の相互扶助組織を持っていた労働組合も賛成に回った。そして、この福祉体制の目的が第一に「貧民化の予防、労働の再生、労働の組織化」であった。人類の悪の第一が貧困である。貧困は道徳的堕落につながり、かつ社会不安のもとになる。その貧困は何よりも失業から来る。失業者に最低生活保障を与え早々に労働に復帰させねばならない。そのためにもケインズ的な完全雇用が政策として求められた。社会保障は「労働市場への燃料補給所」である。戦後イギリス国家は、労働の編成をめぐる産業資本と労働者階級の合作であった。

たしかに、揺りかごから墓場までの福祉国家がイギリス病という経済成長の停滞をもたらしたとして、八〇年にはサッチャー保守党政権による反動があった。しかし、その後のブレア労働党政権がニューレイバー、ワークフェアを掲げて巻き返しを図ったことは記憶に新しい。イギリス福祉国家がウエルフェアとワークフェアの編成であることは変わらない。両者のバランスが二大政党体制を維持してきた。それなのに、EU離脱の選択、これをめぐる第一・第二勢力双方の亀裂、そして第三勢力の台頭が、イギリス福祉国家体制の危機を俄かに可視化したのである。そもそもEU自体が、西欧の世界資本と社民による合作として存在してきたことを想起すべきである（フランス社会党員で欧州委員長のドロールの「欧州社民的な統合像」）。

マルクス主義の落とし子ドイツ社民党

イギリス労働者階級にたいするマルクスの期待は、後にエンゲルスによってドイツ社会民主党へと受け継がれた。社会民主党はその労働組合と一体であり、党費は組合費と同時に徴収されていた。「青春時代のブランキズム」を棄てたエンゲルスが世紀の末に展望したところでは、このドイツ労働者階級の党は近い将来「国内の決定的な勢力に成長し、他のすべての勢力は、これに屈しなければならなくなる」（『フランスにおける階級闘争』序文）。だから、「この日々増強する強力部隊を前哨戦で消耗しないで決戦の日まで無傷のまま保っておくこと、これがわれわれの主要任務である」と。こうして形成されたドイツ労働者階級と社会民主党が第二インターナショナルの中核となるのはいうまでもない。そして、レーニンらロシア社会民主労働党もこの動向の一環として生まれたのであり、「ドイツの労働者が助けに来てくれるだろう」とは十月革命の後にレーニンが繰り返し表明する希望になった。

ところが、二十世紀に入ってドイツ社会民主党は「革命か改良か」の分裂に見舞われる。第一次大戦の敗戦に伴う労働者兵士の蜂起は帝政を打倒したが、これまた社会民主党の分裂に次ぐ分裂を招くことになった。分裂は同時に第二インターの四分五裂となり、ここからドイツ共産党も、さらにロシアのボリシェヴィキも産み落とされる。ロシア革命百年を貫くマルクス主義革命の二筋の流れが分岐するのもこの時点にほかならない。

　こうして、ドイツ社会民主党は自らが抱え持った革命派を外部にはじき出すことを通じて、ようやくドイツ政治体制の一翼に位置を定めることができた。党がマルクス主義を放棄すると正式に決めたのは一九五九年、バートゴーテスベルク綱領においてだった。第二次大戦後になると、この党は中央でも地方でもキリスト教民主同盟とたびたび大連立を組むようになる。ドイツにおける第一・第二勢力の二大政党体制がこれである。ドイツでは手厚い社会保障は一部組織労働者に偏っており、彼らは五十歳代で早期退職して若者に職を譲る。ドイツ労働者階級とは文字通りに特権階級であり、現在ではこの階級外の非正規・移民労働者そして失業が併存している。

　このドイツでも、昨今は第三勢力「ドイツのための選択」の躍進が目覚ましい。この第三勢力の党も州単位で票を伸ばしており、「地方党」の性格を持っているのだろう。ドイツだけのことではないが、マルクス主義嫡流の社会民主党はどこでもファシズム・ナチズムからの手痛い敗北を経験している。地方での両者の暴力的闘争から選挙を通じた後者の政権獲得という歴史である。「ドイツのための選択」はナチズムの再来とは違うが、ここで再度、社会民主党が（緑の党などとは異質の）第三勢力の台頭に直面しているのは明白である。

　マルクス主義の故郷ドイツと資本主義の原点イギリス、その双方の社会民主主義を通底する理論モデルを想起してみる（私の『革命の問いとマルクス主義』、一九八四年）。たとえば、（ヘーゲルでなく）アダム・スミスの系譜でマルクス主義を理解するモデルである。大工場制の展開と共に「新社会の形成的諸要素と旧社会の変革的諸契機」が、価値法則それ自体によって自然史的に成熟するとマルクスは考えた。言いかえれば、剰余価値生産の法則自体によって、「人間と自然との科学的・合理的な物質代謝過程を可能にすべき、変革の主体的客体的条件」が作り出される（内田義彦『資本論の世界』）。読み替えればこうなる。労働者階級の階級闘争は労働条件の改善を資本家に強要するが、結果は生産に反作用を及ぼして資本の高度化と技術革新を促進する。階級闘争と資本主義の高度化とが螺旋的に循環して、労働の福祉と剰余価値の増殖をともに可能にしていくだろう。ここから労働者政権の成立は今一歩にすぎない。実際、イギリスでもドイツでも社会民主主義の成長は、こうした意味でマルクス主義の正統を行くものであることを証明したのである。西欧においてマルクスは「勝利した」ということが、ロシア革命百年の逆説的な歴史となった。そうだとすれば、このマルクス主義が現在第三勢力によって破綻を露呈しているのではないか。そこに焦点が当てられてしかるべきである。

ついでながら、オーストリアである。この国でも長い間社会民主党が国民党とともに政権を維持してきたが、昨年の大統領選挙では第三勢力自由党の候補があわや当選というところまで台頭している。アドラー父子とオットー・バウアー以降の伝統あるオーストリア社会民主主義の末裔、西欧左派社会民主主義の故郷である。感慨を禁じえない。オランダの場合も同様である。長く連立政権を担ってきた自由民主人民党と労働党であったが、去る三月の総選挙では両党の議席は全体の二割を割った。ことに壊滅的なのは労働党であって、三八議席がわずか九議席に減少した。第三勢力自由党の追い上げの結果である。

雇用／福祉レジームと北欧社民党

「第二次世界大戦後築き上げられたスウェーデンの礎石はみんなが思うほど盤石なものではなかったのだ。礎石の底が泥土だったのだ」（ヘニング・マンケル『五番目の女』、一九九四年）。スウェーデン社会民主労働党は早くも一九三二年に政権を担当し、これは連立も含めて九一年まで続いた。この間、社民党が労働組合ナショナルセンターとともに築いたのが独特の労働編成であった。一つは「連帯賃金制」と呼ばれ、企業の収益や生産性によらずに同一労働同一賃金を保障する。すると当然不公平と成長の停滞をきたす恐れがあり、そこでもうひとつ「積極的労働市場」の編成がある。低成長部門はどんどん整理する。この結果発生する余剰労働力は公的セクターを設けて雇用する、あるいはワークフェアを通じて高成長部門に積極的に移動させる。後者の優良企業が重点的に福祉財源となるとともに、国民は高い税負担を許容する。労働条件と社会保障は労組のナショナルセンターと経営者団体との中央交渉により決める。いわゆるコーポラティズムである。

スウェーデンは福祉国家として名高いが、福祉が労働の編成と一体であることが肝心な点である（エスピン＝アンデルセンの雇用／福祉レジーム）。いわゆる市場経済から労働市場をできるだけ切り離す。労働力の「脱商品化」と呼ばれる。もともと、資本主義市場経済は労働市場の編成原理を持たない。労働力は商品交換には還元できないからだ。そこで、労働市場の編成は各国の歴史と文化の違いを反映して同一ではない。同一に収斂する原理もない。米国のように景気動向の最も敏感な指標が雇用指数にある場合もあれば、労働の国家管理とも言うべき雇用労働の脱商品化もある。労働市場つまり労働の編成の相対的独立性こそが労働組合・社会民主党の基盤をなしてきた。（アダム・スミスなら反対するはずだが）労働組合が労働力商品を独占することも労働市場では可能だからだ。ひいては、マルクスの言う労働者階級の階級形成の根拠がここにある。

労働力の脱商品化が進んでいるという理由で、スウェーデンなど北欧諸国が欧州では第三勢力にたいする耐性がもっとも強いだろう。男も女も、国民とはみな労働者だと定義されるような国柄である。とはいえ、この労働の編成という点で、北欧諸国も他の欧州と問題は程度の差ということになろう。デンマークの進歩党は第三勢力登場の早い例である（一九七三年）。そして、進歩党から別れた国民党が移民抑制を掲げて二一世紀に入って躍進する。

労働を根幹とする社会国家

欧州社会民主主義の歴史と今日のその危機に関しては、フランスについてのロベール・カステルの見解が参考になる。その『社会問題の変容』（一九九五年）は懐かしい西欧社会民主主義の匂いのする書物である。この浩瀚な書物は労働を軸にしてフランス社会の近代史を跡づけたものである。人びとを社会的紐帯に組み込む際に労働が鍵になってきたからである。労働の権利は神聖にして不可侵であるとは遠くフランス革命の思想であったが、労働組合が根付くとともに労働が組織化されていく。これにともなって、労働の形態は資本の原始的蓄積期のプロレタリアから工場労働者へ、そしてホワイトカラーも含めた賃労働（サラリエ）へと編成が進む。こうして賃労働社会が成立したというのがカステルの見解である。フランスではおよそ一九三〇年代が画期だった。いわゆるフォード型の工場労働と労働組合の組織化が労働者を一つの社会階級として成立させた。工場労働とは、正規労働者であること、工場内配置と時間の管理のもとで働くこと、賃金を得て自ら大量生産品の消費者になること、そして強制保険や労働法の強化など労働の社会化、社会的サービスへのアクセスが可能であること、などを基礎としている。フランスではイタリアと同様に共産党が大きな影響力を持っていたが、これも紆余曲折の末に社会民主主義路線の一角に位置するようになる。ユーロコミュニズムを想起するといい。

ちなみに、フーコーの規律権力論は産業資本主義の工場労働をモデルの一つにして成り立っている。この規律訓練社会は「身体、時間、生、人間たちを労働の形式において生産諸力の働きに統合させるために、不可欠な、道徳的で政治的な強制手段を持つことになる」、「雇用者は諸個人を取得するだけでなく、彼が隅々まで管理する時間の総体を取得する」(『処罰社会』、一九七三年)。カステルの言う賃労働社会はミクロな規律権力の浸透する社会であり、人間は労働の編成を通じて規律社会の一員へと調教される。「プロレタリアートを階級に形成する」というマルクス『共産党宣言』の裏目読みであり、フーコーの規律権力論からはマルクス主義的労働者階級革命の「不可能性」を読み取らないわけにはいかない。労働の編成(労働者の階級形成)という基底を共有することで、マルクス主義革命論はブルジョア的世界観と密につながっている。そこに、この革命論の強みも弱みもあった。

実際、カステルによれば、フランス労働者階級にとってかつては「階級闘争の否定は日の光を否定すること」に等しいものだったが、資本と国家権力にたいする革命的対立姿勢は徐々に崩れていく。これに対応して、労働者階級は賃労働者（サラリエ）へと拡大変質を遂げていく。労働問題は（政治でなく）社会問題になる。おおよそ一九三〇年代から七〇年代に向けて進行したことだという。福祉国家の成立と期を一にした過程であったことはいうまでもない。この間、経済成長は年率五、六パーセントを越え、賃金は三倍になった。「まるで魔法にかかったように」というカステルの感想は、日本の高度経済成長期のことを想起すれば納得がいく。ついでながら、賃金形態が（日給・週給から）月給制になるのがフランスでは一九七〇年の労使契約が初めてだという。実際、月給制の労働者の比率は六九年にはわずか一〇・六％、それが七七年に八二・五％に達した。賃金とは日々の労働時間への直接報酬だという性格が、こんなふうに変わった。わが国の戦後とは正反対に、労働市場における労働力商品の売買という契約関係が、かの地では実際に支配的だったのだ。

さてそのフランスでは、七三年のオイルショックを契機にして「サラリエ社会の緩慢な崩壊が始まる」と、カステルは続ける。「労働にもとづく体制を基盤とした社会国家が、今日根底から揺らいでいる」。これもまた、わが国の九〇年代からの状況にかんがみれば、身につまされる話である。マルクスばかりか資本主義の根本原理として長く聖別されてきた労働が、壊れている・壊されている。カステルによれば労働者は今では「搾取すらされていない」のだ。ユーロコミュニズムの衰退は何もソ連邦の崩壊のためなどではない。移民労働者も含めて、今や搾取でなくただ収奪されている労働者たちがいる。新プロレタリアと名付けるほかはない。

よく知られているようにフランスでは国民戦線が勢力を伸ばしてきた。情勢は確かに単純ではない。労働組合の指導力がまだ生きているが、フランス労働者階級は大量の移民を同化できるかどうか、さらには地方のカトリック中間層の反動という要素もあるだろう。それでも、私は国民戦線の存在を西欧マルクス主義の歴史の果てに位置づけて観察したいと思ってきた。そして今年になって、大統領選挙と総選挙を通じてにわか出のマクロンとその党が、圧倒的に勝利して国民戦線をしのいだ。六月の総選挙では、社会党は二八四議席から二九へ、共和党が一九九議席から一一三へと激減した。社会党は事実上消滅したのであり、マクロンもまた新手の第三勢力であることを見せつけたのである。

このように見るならば、マルクス主義革命の社会民主主義的歴史は、「労働の聖別」の一点をブルジョアイデオロギーと共有してきたのであり、二〇世紀資本主義の発展を支えてきたことが了解できる。「労働の尊厳」というこんな大切な近代の原理を、資本主義の新自由主義とグローバリズムが自ら片端から破壊している。一体何を考えているのだ、どうするつもりなのか。

第三勢力と地方党

「そうです。正直に告白すれば、ぼくはFN（フランス国民戦線）の勝利を期待しています。FNの掲げている政策は最悪なものですが、彼らの勝利はポデモスの勝利と同様に情勢の展開を加速させることになります。そのようにEU情勢の展開が加速されることのなかで初めて、未来についての思考が再開されることになる、社会の自己組織化についての想像が始まるのです」。これはイタリアの活動家、フランコ・ベラルディ（ビフォ）の発言である（廣瀬純のインタビュー集『資

本の専制　奴隷の叛逆』）。この人はイタリア六八年のアウトノミア運動でネグリなどの盟友だった人である。私は（同じく傍観者の立場ながら）このビフォの政治判断に賛成であった。米国大統領選挙でのトランプ候補についても「勝利を期待しています」だった。第三勢力の登場は、今日の先進資本主義社会の何が問題なのか、その問題点を衆目にさらし加速する。

第三勢力は左右を問わない。舞台をフランスからスペインに移してみよう。スペインではフランコ独裁が終わって以降、保革二大政党（国民党と社会労働者党）が政権を維持してきた。ところが、二〇一五年一二月の総選挙で二大政党体制が崩れ、内閣が組織できない状況に陥った。やり直し選挙（二〇一六年六月）によっても事態を変えられない（ようやく十月末になって国民党ラホイ首相に落ち着いた）。この事態はいずれも第三党としてポデモスが登場したからである。ポデモスもまた典型的に第三勢力として登場したのである。同時に、この第三勢力は二〇一一年に欧米各地で発生した広場占拠闘争の産物である。ここにスペインらしさがある。

先に引いた廣瀬のインタビュー集にはスペインの活動家が何人か登場している。率直で臨場感のある発言に好感が持てる。二〇一一年五月、マドリードのプエルタ・デル・ソル広場で三週間続いた占拠闘争が彼らの出発点になっている。15Mと称する。その後この運動は地区評議会として継続されると同時に、「潮流」という教育や医療などの社会運動につなげられた。バルセロナでは住宅バブル崩壊後の立ち退き阻止運動が独自に展開された。この運動の指導者（女性）が今バルセロナ市長である。六八年と同様に叛乱は新しい社会運動として継続されたのだが、それだけではない。スペインでは社会運動は「地方党」を結成して地域と地方自治体の政治に根付いている。バルセロナ地方党（バルセロナ・アン・クムー）はその代表である。ポデモスも地域組織「サークル」を基盤にして全国選挙に登場している。これら地域の運動がなお勢いを失っていない現状は、たとえば『雇用なしで生きる』（工藤律子）の報告に見ることができる。欧米のこの百年を支えてきた雇用労働（サラリエ）それ自体が否認されている。

私はいわゆるポピュリズムの波を第三勢力の登場として跡づけてきたが、地域に根差すこの勢力の地盤を改めて「地方党」と呼びたい。もとより、欧米の現在では、第三勢力は選挙や国民投票など頼りない民意に支えられているにすぎない。そういう場合もあるだろう。逆にいえば、第三勢力は地方党に支えられて初めて第三勢力に値する。オランダでは自由党はウィルデルスの一人政党であり、これを「自由党友の会」といういわば地域の勝手連が支えているという。とりわけスペインは、何せ、かつてバクーニンが巡回しただけで、第一インターのマルクス派をたちまちに圧倒してしまったような国柄である。集産主義的アナキズムが地域に根付く伝統が今に生きているのだろう。

マルクス主義の社会民主主義的潮流（スペイン社会労働者党）の権威喪失状況のただ中でスペインの第三勢力が誕生したことは、「労働」に関する活動家たちの発言からもうかがえる。「こちらでは何かが根底的に変化し、もはや我々は自分たちを労働の代表と考えることができなくなった、すなわち、労働は今日我々を逃れる何かとなった。……社会運動は労働についての運動だと新たに認識された」。「今日のスペインに見られるのは「大衆」の存在であり、……この「大衆」こそが15Mをなし自治体選挙に勝利した……」。「ここにいる我々は何ものであろうか、何という名のものたちであろうか」。

スペインの活動家たちのこうした発言には遥かに六八年の木霊が聞こえるが、それだけではない。彼らが同時にポデモスを生み出したことが新しい。ポデモスは15M運動を基礎にして二〇一四年に結成され、欧州議会選挙でいきなり五人が当選した。翌年には地方選挙に統一候補を立てて成功した。国政選挙でも支持率三〇％に達した。その後支持に陰りを見せたが、一五年末の選挙ではバルセロナ地方党などと連携して得票率二〇％、国政で第三勢力に進出した。

先のインタビューに登場するスペインの活動家たちは、ポデモスを支持しながらもこれに批判的である。15M運動がせっかく一掃したはずの運動内部の階層性を、ポデモスは党として組織化した。元左翼出身者グループがやみくもに復活して党の指導のすべてを独占した。15Mの限界を意識してポデモスの組織化が図られたのだが、それがメディアに露出して選挙組織に特化してしまった、等々。こうした批判には大衆運動と政治組織とのありふれた軋轢が顔をのぞかせている。大衆叛乱が多様な社会運動として地域に根付いていくのを運動の水平性と見なせば、この運動を基盤にしながらその限界を全国政治への登場によって突破していく垂直の政治志向が生まれる。水平軸と垂直軸とが交差するところに、軋轢も生じるがまた双方を活性化する要因をも生み出す。

たしかに、第三勢力は選挙を通じて登場する。選挙に勝とうとすれば組織が選挙に特化することも避けられない。一般にポピュリズムと言われるように、メディアに登場して問題を「奴らと我ら」「イエスかノーか」の二者択一にしてしまう。ポデモスの推進役で幹事長のニコ・エレホンの発言であるが、差し迫った選挙は電撃戦であり、「党内民主主義も含めてすべてを選挙戦マシーンに従属させねばならない」。大衆運動の水平的広がりと選挙組織の「電撃戦」とが政治的軋轢を生みだすのは当然である。

けれども、この軋轢は新しい運動が政治に登場する際に避けては通れない経験であり、むしろ軋轢を顕在化するまでに運動を継続させたことこそ、スペインが第三勢力運動の先端を走っている証左である。ブルジョアと労働者階級の利害を保守党と社会民主主義とが代表する。これがマルクス主義の欧米の形態として長い歴史を築いてきた。この構図は今おしなべて形骸をさらしているのだが、解体を象徴する第三勢力がいかなる集団形成を成し遂げ、政治構図をどのように刷新するのかはまだ見えていない。けれども、スペインの運動が経験しているような水平と垂直が交差する政治は、第三勢力が政治的に何者かに成る際に避けることができない。右であれ左であれ第三勢力の登場を通じてしか、「情勢の展開が加速され」新しい政治の形が見えてくることはありえない。この百年は政治をロシア革命からこれほどまでに遠くに追いやったのである。

日本に第三勢力はあるか

さて、アメリカ合衆国の第三勢力について、さらに何を付け加えようか。米国こそ国の初めから民主党と共和党の二大政党でやってきた国である。それが今回の大統領選挙ではそのそれぞれに異端が登場した。民主党では「民主社会主義者」を公言するサンダースの旋風があり、二〇一一年にウォール街を占拠した若者たちなどがサンダースの選挙戦を支えたと想像できる。この潮流が民主党リベラルに再統合することはないだろう。他方、共和党はトランプ候補の登場によってその上層部が事実上分裂した。党の幹部や国会議員連中が党の大統領候補を支援しないと声明することなど、両党の歴史では未曾有のことである。加えて、産業プロレタリアが熱烈なトランプ支持に回った。サンダースにしてもトランプにしても、ターゲットを「エスタブリッシュメント」に絞った。両者を右と左の第三勢力と見るべきである。もとより、トランプのほうは大統領に当選することにより、第三勢力の性格を維持することが難しくなるだろう。「大山鳴動してネズミ一匹」というポピュリズムの結末がすでに見え始めている。その破綻を通して、第三勢力の行方を今一度占う局面が訪れることが予測できる。

最後に日本の第三勢力について、突飛ながらまずは天皇のことに触れたい。二〇一六年八月八日、平成天皇の「お気持ち」表明の映像が十一分間、七〇年目の玉音放送のように流された。「高齢のためこれまでのようには象徴天皇の務めを果たしきれない。国民の理解を求めたい」と。憲法違反にも当たる「生前退位」を、あえて天皇は国民に訴えたのである。国民は共感と同情心をもって、この玉音放送を聞いた様子である。「ありがたい」「おかわいそう」と、生前退位を容認することが国民意識の大勢である。

だが、天皇の政治的な立ち位置を考えれば、これは妙な話である。天皇の国事の務めとは、国会の開会演説や外国客の謁見など憲法上の公務のはずであるが、天皇のお気持ちではそうではない。被災地を訪問して国民にじかに触れること、そして第二次大戦の死者を訪ねる慰霊の旅、この二つがなかんずく「象徴天皇の務め」だと考えられている。だが、これは憲法が禁じている天皇の政治活動ではないのか。このような「公務」が今でも一年三百六十五日の七割以上を占めているという。これに「私的な」宮中祭祀が加わる。

けれども、憲法上の公務以外にこんな「務め」をいったい誰が平成天皇に求めたというのだろうか。ご自身の勝手な思い入れだったのではないか。しかしそれにしても、すぐさまヘリコプターで被災地に飛び、歩行も不自由の様子で被災者に声をかける天皇ご夫妻の姿は圧倒的である。ご夫妻でペリリュー島の海に祈りを捧げるお背中から、目をそむけずにはいられない。何を背負っておられるのか。何がこの務めに天皇を駆り立ててきたのだろうか。もともと日本の天皇とは、国民が一人として関心を向けずともおかまいなく、ほの暗い祭所で国民のために祈る存在である。そこに祭祀天皇としての威力があった。英霊の島に祈りを捧げる姿に感じ取れるのもこの威力である。しかし、それだけではない。

平成天皇が今や日本人でただ一人背負っているのは、日本の戦後民主主義あるいは社会民主主義である。政治家も国民も今では「平和と民主」の勤めを天皇に押しつけて、それぞれに生活を享受したり貧乏に苦労したりしている。安保闘争と経済高度成長を経た国民の今日の姿である。国民は先の戦争の惨禍を忘れ、戦後民主主義を自分流に受肉するとともに、その使命と英霊の声とを忘れた。これにたいして天皇は、「日本では、どうしても記憶しなければならないことが四つはある」と、皇太子時代（一九八一年）に述べている。終戦記念日、広島と長崎の原爆の日、沖縄戦終結の日である。だから、国民がどうであろうが関係なく、ただ一人で「象徴天皇の務め」を果たしてきた。だが日本国民よ、もう勘弁してほしいと天皇の「お気持ち」は訴えている。「おかわいそう」と、国民の方は今や他人事としてこれを聞いている。

日本ではなぜ欧米のような第三勢力の登場が見られないのだろう。戦後日本の革新勢力が社会民主主義を体現できなかったからである。六〇年安保闘争と経済高度成長以降、社会民主主義はむしろ自由民主党に体現されてきた。田中角栄内閣が社会民主主義を土着化した。これとブルジョア政党との合体として、自民党は「国民政党」であった。国民政党として永久与党であった。これにたいして、一九五五年から六〇年安保闘争までの独特の政治過程を通じて、社会党と総評とが「革新勢力」として形成された。総評は企業別労組の連合体であったため経営者団体とコーポラティズムの関係を結ぶことができなかった。代わりに、政治的案件をめぐって革新勢力と自民党との議会での対決が演出され、呼応して院外の大衆動員がなされるというモデルが定着した。この対決が「物情騒然たる」状況を作り出すことを利用して、春闘相場が決定された。高度経済成長期のため、春闘相場は公務員から中小企業へと波及させることができた。この政治過程の頂点が安保闘争だった。「保革対決」の政治構図がこうして形成されたが、その実、革新勢力は「万年野党」を脱することができなくなる。六〇年に社会党から分離した民社党は、民間大企業労組と組んで日本の社会民主党たるべき政党であったが、政治の保革対決構図の圏外に出ることができなかった。

そして、冷戦の終わりとともに国民政党は破綻を迎えることになる。遅れて、日本社会党も解党する。代わって、現在の安倍晋三内閣は戦後自民党の「社会民主主義」を、むしろ国家社会主義として政策化している。その分、第三勢力的な性格ものぞかせているのである。労働市場に介入して、賃上げを労使双方に要請する。春闘に関連して「むかし軍隊いま総評」と評されたのが労働組合のナショナルセンター（総評）であったが、今日では「むかし総評いま内閣」と揶揄されている。「働き方改革」を唱えて「連合」もビックリの「同一労働同一賃金」を実現せよという。「二大政党体制」の展望はなく、従って日本の第三勢力の自立もない。ただし、過日の都議会選挙のように小マクロンの台頭ともいうべき現象が起きている。「国論の二分」という状況が国民投票などで表面化する素地が生まれている。憲法九条改正の国民投票はこの意味で保革双方にとって不吉である。

日本においても戦後の保革対立から今日の自民党を通じて、欧米と同様に雇用／福祉レジームの変遷があった。労働の聖化から労働を壊した現状に至る過程として戦後を見ることができると私は思うが、「福祉国家と相互扶助」（『情況』、二〇〇六年五月号）や「日本における労働者階級の状態」（『情況　思想理論編』一号、二〇一二年）などに書いたので、ここでは繰り返さない。今では日本でも「新プロレタリア」とでも名付けるしかない若者と老人が存在する。

第三勢力はどこへ

さて、ポピュリズムを第三勢力の登場と名指しするとして、結局のところこれは誰なのか。冒頭でも指摘したことだが、ファシズムの脅威あるいは左翼反対派の登場とこれを見なすことはできない。確かに、移民排斥の「極右」運動が存在する。他方では、イギリス労働党のコービン、フランスのメランションそして米国民主党のサンダースなど、第二勢力の危機の中から頑固な左翼の存在が注目された。なおも侮りがたい欧米の社民リベラル勢力を思えば、彼らの登場は自然である。けれども間違えてはいけない。彼らはトロツキストでも反スタ革命的共産主義者でもない。社会民主党と共産党が革命を裏切っているから第三勢力が台頭した、などということはないからだ。

ロシア革命百年のその前半には、マルクス主義と革命にたいする裏切りを告発する左翼反対派がいつでも、どこにでも存在した。その組織とイデオロギーとは独立に、歴史的かつ政治的なカテゴリーとして左翼反対派の場所があったからだ。だが、ロシア革命百年はまた（欧米であろうがアジアであろうが）、革命主義が我知らず追い込まれた左翼反対派の敗北の歴史であった。したがって、ロシア革命百年、いやマルクス主義革命の一世紀がとうに歴史になっているとすれば、左翼反対派の根拠もまた失せている。六八年はこの点でも象徴的であった。左翼反対派の小さな前衛党共同体内部に囲い込まれてきた「革命」から、六八年は大衆叛乱を解放したのである。同時に、革命の独占と孤独とから、左翼反対派もまた解放されたはずであった。

ポピュリズムの運動を第三勢力の可視化と見なすとき、これを通して注目すべきは地域地方におけるその集団形成（地方党）の行方である。大枠でこれには右と左があり、第一第二勢力にたいしてばかりでなく、両者（左右）の対決を通じてこそ双方が組織化されていく。「新プロレタリア」の存在がどのように階級形成されていくのか、いかないのか。双方の自己組織化、自己権力への道がどのようにつけられるのか、どうなのか。第三勢力の政治的性格はこの動向に依存している。「プロレタリアートの階級形成」（マルクス）あるいは「規律社会の調教権力」（フーコー）という産業資本主義の「普遍性」は失われている。労働が壊れている、壊されている。第三勢力はその雑多な成員構成、国ごと地域ごとの特殊性の内から、新たな普遍史を作り出せるだろうか。

疎外革命論の時代

私とは誰か

いまさらながらに「フォイエルバッハ・テーゼ」を論じるとしたら、今日の時代とマルクスとの距離の遠さを確認することなしにはすまないだろう。歴史的のみならず思想的に、マルクスから遥かなところまで時代は来てしまっている。テーゼの中心的テーマは「私とは誰か」という問いに他ならないが、その同じテーマがいま立たされている位置をテーゼからの距離として測定してみよう。

人間を抽象的な人間一般ではなく実践的活動として捉えること。フォイエルバッハの哲学に対比して、テーゼでマルクスがしきりに強調している。しかしこの時点、一八四五年では、マルクスはまだ実践を歴史的具体的に規定しあぐねている。簡単にいえば、実践的活動とは人間の本来的活動としての労働なのか、賃労働なのか。廣松渉によればマルクスはまだ前者、つまり、環境の中で環境に立ち向かって労働する主体一般がフォイエルバッハの人間に対置されていたであろう。この主体が化けた形として疎外された労働と人間、つまり賃労働も存在している。ヘーゲルの「精神」はもとより、これを転倒したヘーゲル左派の感性的人間でも不十分だとして、マルクスは実践活動を掲げたのだが、それぞれに特有の「主体」概念が想定されていることに変わりはない。そのうえで、ヘーゲルの弁証法に従って主体は化け（疎外態を取り）、さらには主体が回復し取り戻される。当時のマルクスでいえば、労働の自己疎外論と、労働本体の回復としての共産主義である。

疎外されない（本然の）労働、つまり主体について、マルクスはまだロマンチックに、自然主義＝人間主義的に捉えていた。原野に鍬をふるう労働の主体である。しかしこれはいまだ資本家でも賃労働者でも、農奴でも奴隷主でもないような「人間なるもの」のことで、平均的個人、悟性的抽象にすぎない。廣松がこう指摘している。だからマルクスは早晩この主体概念を捨てて、プロレタリアはプロレタリアとして、つまり「社会的諸関係の総体」（テーゼ6）として主体を捉えなおすことになる。

しかし、私の見方はこの段階でも廣松説とは少し違う。若いマルクスが想定していた主体は、平均的個人「人間なるもの」だったと指摘されたが、私はむしろこの人間は期せずしてブルジョア的な主体の措定になっていると思う。能産的な労働主体を立てることがすでにして近代資本主義の精神である。それだけではない。有名なテーゼ2がいっている。「人間の思考が対象的真理を手に入れる力を持っているかどうかという問題は、観念的な問題ではなくて、実践的な問題である」。これは古来の哲学的認識論を実践に解消する宣言であるが、後にエンゲルスが注釈して、実践とは「産業と実験」だと要約することになる。人間の思考はそこから演繹される理論を産業と実験のテストにかけ、テスト結果が支持しない理論は捨てられ、テストが支持すれば思考は進歩しその適用範囲を広げる。人間の思考はこのようにして、まさしく実践的に限りなく「真理」に近づいて行くであろう。この真理確証手続きからはずれた世界は無意味であり端的に存在しない。これが科学技術を理念とするブルジョア的近代の認識論でありかつ存在論である。フォイエルバッハやヘーゲル左派マルクスが立てた主体は、この意味でブルジョア以上にブルジョア的な実践主体であった。とすれば、この主体が資本主義社会を批判する足場にならないのはいうまでもないことで、廣松説のように主体「人間なるもの」が説明概念として抽象的で無力だというのとは違う。廣松とは別の意味で、私は青年マルクスの労働の自己疎外論を捨てた。

疎外革命論の超克?

以上で私が廣松説といったのは周知の「疎外革命論批判　序説」(一九六六年、『現代革命論への模索』所収)のことである。この論文で廣松はマルクスの名による疎外革命論を超克せよと呼びかけているのだが、一方で、常識的な意味での自己疎外論を現状を記述し告発する概念としては認めている。「鯨という文字に魚ヘンがついているからといって、クジラを魚の一種だと誤想しない限り、一向に差しつかえない」と。現実の疎外現象(鯨)を字面から(魚ヘンだから)マルクスのもの(魚類に属する)と誤認しない限り構わないというのである。しかしだからといって、疎外論に「説明概念としての原理的な意味を持たせることは断じて許されない」。なぜなら、人間本来の実践活動から現実の疎外現象を説明する論理は、疎外論の主体構造からいって、「神」

や「精神」あるいはヘーゲル左派の「人間」が創り出したとして現実を説明するのと同じになるからだ。現実の非人間的諸現象を告発することと、人間なるものの自己疎外過程として歴史を見る立場とを密かに二重写しにする疎外革命論は超克されねばならない。

けれども、私はここでも廣松の批判はピントを外していると思う。いうところの常識的自己疎外論にはいまや現状にたいするあらゆる苦情がなだれ込んでいる。苦情はときに現状の変革や破壊の行為にまで昂じることになる。現実の否定を通じて肯定（いまはないがかってあり、未来にあるかもしれない何か）を望み見ようとする。これが常識的疎外論であり、疎外革命論である。事実として疎外論は名義人たちの手からもう十分に離れてしまっているのである。そして、この疎外論は実に頑健な論理であり、あらゆる非人間的現象に拡張して使えるし現に使われている。廣松が説明するマルクス若年の疎外論など事実として関係がない。私はかねてこれを俗流疎外論と呼び、労働の自己疎外論よりはこっちのほうをよほど積極的に評価してきた。反乱とはおしなべて疎外革命である。廣松は結論として次のように書いているが、いまではこれは哲学史のつまらない一節であろう。「われわれがここで確言しておきたいのは、マルクス・エンゲルスはまさしく真正社会主義の疎外革命論を克服することによって「科学的社会主義」を確立しえた……」。

たしかに、廣松も指摘するように、マルクスあるいは常識的な自己疎外論の背景には特定の哲学的人間学が潜んでいる。人間の本来の姿はこんなものであるはずがない——、現実の疎外現象を前にして誰しもがこう思う。この否定の裏には取り戻すべき肯定が、つまり人間らしさ、ヒューマニズム、尊厳など、「自然法的人間」が陰に陽に想定されているであろう。廣松によれば、この人間学の主体はまさしく抽象的一般者にすぎず、マルクス・エンゲルスが批判的に超克した当のものだという。しかし現在、俗流疎外論における主体の問題はこんなに単純な話ではすまない。逆説的なことにここでは、本来の人間性、自然法的人間学がとことん見失われており、疎外革命論はそのことを知っているのである。疎外は事実として物象化（物神崇拝）である他ない。主体の人間学から見ても、現代の疎外革命論はマルクスのものとは違う。いくらか例をあげてみよう。

労働と土地の疎外革命論

労働の自己疎外論にもともと仮構されていた労働という主体（資本家でも労働者でもない直接生産者のようなあり方）が見失われていることは論をまたない。いま労働現場の疎外を告発しても、誰も直接生産者に戻れるなどと思ってもみない。しかしだからといって、社会主義社会の労働の理想も事実として失効している。それればかりではない。今日のわが国では、疎外された労働はおろかまともに働くことまでが見失われている。だからいまさらながら、「働くことの意味」が問い質されているのだが、若いマルクスの労働疎外論が想定したような労働の意味（世界を存在させて認識する実践的活動）がそこに求められているのではない。労働は生活の手段だと割り切るのでないとしたら、ここで想起されているのは労働が協働であることの意味なのである。労働は働く者の相互承認という他者との関係において、私を確認する。こういえば、主体は自然法的人間でもなければ社会主義社会の労働者でもなく、たんにブルジョア社会の労働にすぎないと指摘されるだろうが、他ならぬそのブルジョア的な労働の編成が解体されている。日本の経営者たちはこの点でやり過ぎを犯したと私は思うが、もしかしたら、労働の主体といえども私と他者たちとの関係は自明でない社会が来ているのかと疑うことができる。失業者や移民労働者たちが街頭で石を投げる。彼らを駆動している衝迫力は労働の疎外革命論であるかもしれないが、石つぶてとともに投げ捨てられているのは労働そのものなのである。このような労働疎外論革命を防ごうというのであれば、ブルジョア的であろうが何といわれようが、労働者自らが労働の再編成に着手して、協働としての労働の意味を再構築する他ないはずである。

私は昔、疎外革命論として労働だけでなく土地の疎外論を考えたことがある（『革命の問いとマルクス主義』）。若いマルクスの労働は大地に立つ労働、土地という自然にしっかりと結びついた労働だったし、だから労働する人間はたんに自然身体という以上に自然主義的な存在なのだった。その大地がいまや土地所有に、したがって地代に化けている。この現実を告発して、古来農本主義的革命は土地と労働との緊密な結合の回復を望み見た。わが国だけでなく、ロシア革命の農民コミューンに始まる「アジアの革命」がこれであった。しかしいま土地疎外論を唱えたとて、だれも労働と直接に結びつく大地を想定することなどしていない。「自然に帰れ」（ルソー）、「この美しい緑の牧場こそ自然と人間だ」（フォイエルバッハ）、そして自然は「過去のわれわれの姿であり、われわれがふたたびとるべき姿である」（シラー）。こうしたスローガンが通用したのは一九世紀までのことだ。大地は解体され人びとは人工物（第二の自然）の中で暮らしている。人間そのものが第二の自然である。

そんなことはわかったうえで、奇妙なことに今日、労働と同じように土地自然の意味が改めて問い質されている。いうまでもなく、エコロジーの運動である。米国の過激な環境主義運動の理念の一つになったのが、レオポルドの「土地倫理」（土地共同体）であったことが想起される。たんに労働と結合した大地でなく、およそ人びとの暮らすところとしての土地、人類社会の場所としての地球が失われる危機がエコロジーを駆動している。

第ゼロの主体の噴出

労働と土地の疎外革命論は、したがって、近代資本主義が「本来の人間と自然」を「第二の自然」に変えてしまった世界で、なお改めて「自然」を望み見ようとする。これはもう本来の自然（第一の自然）の回復ではありえない。自己撞着的に「第ゼロの自然」とでもいうしかない自然への飢餓なのである。これが各人の身体という主体であり、主体は人間一般でもないしプロレタリアとして「社会的諸関係の総体」なのでもない。身体の反乱が自然の反乱と呼ばれたが、ここに噴出するのは第ゼロの自然の飢餓というしかない。笠井潔の近著『例外社会』によれば、動物性、人間性、その果ての「再帰的動物性」の噴出が今日の「本質的暴力」だということになるであろう。それゆえ、疎外革命としての大衆反乱は第二の自然の再編成、社会の改良路線を飛び越えていまここにユートピアを望み見ようとする。エコロジーの過激派が「コロラド川を解放せよ」と唱えた。

先に私は、まともに働くことすら失われている現状で、労働者が新たに協働を再建すること、労働の再編成に着手する必要を指摘した。これは恐慌を経由しての資本主義の再建の一環には違いない。だが、ここで昔馴染みの「改良か革命か」の対立は無意味である。仕事にあぶれた若者や移民労働者が街頭で石を投げるのは、改良（第二の自然の再編成）の限界を乗り越えたいからでなく、はるかに直接に自然への飢餓、意味への渇望の噴出に身を任せているのであろう。労働の疎外革命論は労働の編成の解体のなかで生じて、この解体をかえって放置してしまうように働く。土地についても同じである。過激エコロジー運動が「自然の解放」を唱えるとき、これは地上に残存する自然の保護政策には向かわない。環境問題とは、地域でも地球でも、自然保護の科学技術と政策の選択の問題である他ないのだが、運動はまっすぐに科学技術と環境政策を無に帰するように働く。土地自然の破壊がさなきだに進行している現状で、過激エコロジーはかえって環境破壊の進行を放置してしまう（私の『思想としての地球』）。

現代の疎外革命論が解き放つ「第ゼロの主体」（主体の零度）は、ではどうすれば私をわれわれとして再発見する道につけるだろうか。土地が破壊され労働が見失われている現状で、私は政策論の重要性を無視するつもりはない。環境と労働の社会的な再編である。だが、他ならぬ第二の自然としての「社会」への反乱が疎外革命であれば、社会再編に主体が再度繰り込まれる形の運動は革命の堕落だと見なされるであろう。しかし、第二の自然が第ゼロの自然と対峙するちょうどこのところが、現代で「政治」が定義される場所なのである。主体の政治的形成である。かつてわが国でも学生運動が、学生という猶予の身分を政治的に形成する訓練の場を提供していた。政治的形成とは集団同士の差異（時には味方にたいする敵）に直面して、これを内面化して私をわれわれとして再形成する過程である。私はかつて大衆反乱の集団論としてこの過程を追ったことがあるが、第二の自然までが壊れているいまでは、疎外革命論に抗して、労働と土地の再編成としてこの過程を構想すべきだと思っている。

感情の疎外革命論

現代の疎外革命論の性格を例示してきたが、もう一つだけトピックスを取り上げよう。感情労働のことである。労働が本来土地と結合した活動であるとすれば、感情労働では今度は感情という人間的自然と労働との関係が問題になる。米国の社会学者ホックシールドの『管理される心――人間感情の商品化』(一九八三年)が感情労働論の嚆矢となった。この書物で彼女が典型的事例として取り上げたのが、航空会社の客室乗務員の労働であった。著者自身が乗務員の研修コースに参加している。「TWAはお客様に心からの微笑をサービスします」という謳い文句そのままに、客室乗務員たちは機内で商売上の作り笑いでない、心からの微笑を提供するように訓練される。感情があたかも道具のように商品化され会社によって管理搾取される。これを感情労働と呼ぶとすれば、もとより感情労働は現代社会では特殊事例どころではない。先進工業国でも産業労働者は労働人口の高々二割にすぎない。他は多かれ少なかれサービス産業に属する労働である。航空会社の客室乗務員と同様な感情の商品化とその管理が労働に要求されているだろう。加えて、教育、医療、セラピー、介護など、労働対象「お客様」との関係が非対称で互換不可能な職種では、資本との関係を離れてもクライアントとの間に感情交換が不可避のことである。

しかし——と疎外論風にいえば、感情とは本来的に人間的自然の表現であり、私は他者（たち）の前でうわべだけでない、心からの感情を交換したいと願う。感情は私がわれわれであることを確証する。だが、感情労働の職場にあればそれだけに、私は本来の自分の感情がここにはないと感じる。感情は会社のものであっていいのか。どこかに本来の自己という主体があるかに思い、束の間労働の外部（家族や仲間、あるいはセラピー）にこれを見出そうとする。事態はひとまずは典型的に感情労働の自己疎外論である。マルクスの労働の疎外論がそっくり感情労働に当てはまる。いわく、感情労働では「感情が自分の本質に属していないこと、そのために自分が自分でない、不幸であると感じる。感情は消耗し精神は頽廃する。この労働の外部ではじめて感情を取り戻すことができる」。あるいはまた、「疎外された感情労働は人間から自分の感情を、他者の感情を、感情交換する人間の本質を疎外する」。それゆえ疎外の回復は、感情労働に人間的感情を取り戻すことでなければならない。ホックシールドの先の著書の最終章が「本来性の探求」と題されているゆえんである。

感情労働の現場では感情が商品化という疎外を受けるために、労働者の感情表出行為は特有の自己分裂を呈する。ホックシールドが指摘していることだが、一つには、まったくの意味で心からの微笑と共感をクライアントにそそぐべきだと頑張って燃え尽きてしまう。お客の前で感情規則にのっとって感情演技することが経営者の要求なのだから、燃え尽きは経営の損失である。とはいえ経営側は、クライアントへの本心からの共感共鳴を求め労働者の感情を搾取しなければならないのだから、バーンアウトを助長する。感情労働の自己分裂の二つめの形は、ちょうど燃え尽きの逆で、感情演技すること自体を放棄して経営が命じる感情規則のままに「私たちはただ夢を売っているだけ」だとうわべを繕ってお客に接する。だが、感情演技することはこの労働そのものなのだから、演技自体を放棄することはただ働いているだけ、要するに職務を果たしていないことになる。燃え尽きはしないとしても、これは一種の責任放棄の自責の念となって労働者自身に帰ってくる。なぜなら、職場の同僚との関係がこれでは崩れてしまうからだ。以上二つはむろん極端な例で、お客の前で心からの微笑を演技する労働者は、多少とも、「これは偽りの自己ではないか」と自分を責めることが避けられない。

感情労働のこうした状況はまたサービスの消費者にも返ってくる。消費者はサービス提供者の感情表現をたんなる職務上の態度だとして割り引いて受け取る習慣を身につけてしまう。そして、このサービス産業社会では誰もがサービスの提供者であり消費者なのだから、感情の疎外はこの社会の文化そのものである。もう誰も、感情の等価交換、等価交換できる自他の関係など信じていない。思えばこれはすごい文化である。そうであればこそ、「人間らしい」感情の発露と交換への渇望が昂じるであろう。「偽りの自己」を捨てて、ひとはあてどなく「本当の自分」を探して踏み迷っている。けれども、感情という自然についても労働身体や土地と同じことで、「本来の私」などがないことを誰もが知っているはずなのである。それなのにあてどない自分探しに誘うのは詐欺であり、誘われるのは自己欺瞞である。ひとはただ山の中へいって「バカヤロー」と絶叫する。

それゆえ、感情の疎外革命論があるとすれば、それはまさしく労働や土地の疎外革命論の別称だということになるだろう。労働はもともと協働であり、かつてひとは土地に結びついた労働共同体の一員であった。そこでの感情交換の失われた記憶が、疎外革命の蜂起において噴出する。動物群にも似た叫び、感情爆発のない反乱などないのである。手のつけられない暴力の発露はまた群集の感情が制御を失った事態を意味している。そこで叫んでいるのも人間の第ゼロの自然である。

疎外革命論に抗して

感情労働の疎外革命論がこうしたものだとしたら、「疎外革命論の超克」はどのように考えるべきだろうか。「感性的で人間的な活動」(テーゼ1)、つまり「本来の」感情表出行為や同感関係を探し求めても、かえって孤独を深めてしまう。この事態に反発すれば、犯罪あるいは感情の群衆的爆発に身を委ねてしまう。私は他者たちと感情の社会的な交換関係をどうしたら作れるだろうか。二者択一の趨勢の中で均衡を保つという問題の構造は、労働と土地の疎外革命論と同格である。

「いま、私であるということ」(『リアルの行方』、二〇一四年、所収)を書いたとき、私はアダム・スミスの『道徳感情論』の展開を追ったことがある。感情とは感情表出行為のことであり、自分の感情の意味は他者との感情交換において初めて確証される。感情は対他的で社会的な行為である。スミスは私と一人の他者との「同感」、つまり感情の意味の等価交換を求めることから記述を出発させて、まずは一つの集団の形成に立ち会うことになった。例として新たな労働の集団の編成をここに想定することができるが、これはまさに現在わが国の労働市場の裏で模索されていることだと思う。スミスによれば、私と他者との二元的な感情の関係が複数の他者たちとの関係に拡張されたとき、各人は相互の同感を求めて自分の感情表出を切り詰めたり、あるいは逆に肥大化させることを学ぶ。この学習の結果として私たちは特定の感情規則、スミスのいう「道徳感情に関する一般的諸規則」を共有するようになるだろう。これが私の仲間集団形成の内面に他ならない。なるほど集団の感情規則は個々人の感情表出欲望に照らせば、いつもなにがしか過剰でありまた過少たることが避けられないであろう。感情規則の下では私の感情行為はいつも感情演技であり役割遂行である。だが、労働が協働であり、協働における役割遂行がスキルとして相互に承認されるところに働くことの意味が見出される。感情演技の遂行とは働くことの意味を渇望し、労働仲間のうちでこの意味が承認される一つの在り方に他ならない。

なるほど、集団の感情規則に従う感情演技は、まさしく感情の疎外じゃないかといわれるだろう。感情疎外革命論の大衆反乱が起きる。偽りの自己を嫌って労働において燃え尽きていく者が出るであろう。演技をしないこと、したがって労働は生活の手段だと割り切る労働者もいるだろう。しかし労働の集団形成とは、労働において感情演技することを共有し、自分たちで感情規則をコントロールする試みである。集団の感情規則は集団形成の試行錯誤と同じことである。サービス産業では感情労働の疎外はクライアントとの関係で問題となることだが、この問題をまずは労働仲間の感情規則の問題に転化させて処理することができなければならない。そうでなければ、感情は各人による自己解釈と管理つまりガヴァナンスに押し付けられることになる。ガヴァナンスとはもともと政府の統治のことだが、それが万人をカバーできなくなり、ガヴァナンスは細分化され自治体や会社からついに個人の管理責任にまで下りてきている。感情労働において感情を爆発させないこと、切れないこと、規則からドロップアウトしないことなど、感情の自己管理が強迫観念になる。そのために各人は労働の外部でセラピーを受けねばならない。自己のガヴァナンスに反して、感情労働の集団形成とは感情のコントロールを共有のスキルとして獲得し、個人にも経営にも転嫁しない試みとなろう。

それでも、働く仲間を作ることはその都度挫折するであろうが、集団とはそのたびにあたかも新たな試みであるかのごとくに形成されるものだ。なるほど、形成された集団は再び労働市場に編成されて、ブルジョア的な生産の手段と化すかもしれない。しかし繰り返すが、今日失われているのはまともに働くことそのこと、したがって労働の意味である。こんな状況の下では、労働集団をあたかも新たなもののごとく形成する試みは、同時に他の労働集団との差異（場合によっては敵対）を発見し、集団の感情規則は仲間内から社会的な規則を形成する試行錯誤へと展開していくだろう。

疎外革命論の時代

実のところ、以上のような集団形成は、労働組合も農協も政府も政党も頼りにならない現状で、相互扶助のサンジカとして様々に試みられているはずのことである。そればかりか、十把一からげにＮＰＯとくくられる集団が族生するようになってもう二〇年になる。あたかも新たなことのように、この瞬間にも集団の形成が試みられているであろう。ただ、わが国ではことに、これら集団は相互の（あるいは既成組織との）差異に直面して自らを再形成する過程には進まない。集団がネットワークを組み大衆政党（たとえば緑の党）を利益代表として押し立てることもしない。NPOが反対同盟、つまりは大衆的政治同盟には転化しない。私がいう政治的自己形成など空想に見える。その反面の事実として、若者は本当の自分を探して燃え尽き、あるいは個人的な犯罪が後を絶たない。そういう社会になっているのかもしれない。あるいはまた、人間はいまや電脳神経網のシナプス（活動する結節点）として存在するのであり、この者たちのネットワークが作るはずの社会秩序に注目する論者も多い。かかる秩序では世界の差異は敵対せず、ただパラレルに布置するだけとなろう。

ところが、ここにきて世界の経済危機である。忘れていた古典的な問題群があたかも突如として姿を現わして人びとを驚かせている。労働と貧困をめぐるわが国の問題など、一世紀前の英国の議論を彷彿とさせる有様である。こうしたなかで時代はもう一度、疎外革命論を思い起こすかもしれない。しかし、若いマルクスの疎外革命論と今日の間にはそれこそ一時代が折りたたまれている。マルクスは次のように指摘した。「フォイエルバッハを含めたこれまでのすべての唯物論の主な欠陥は、対象・現実・感性がたんなる客体の、または傍観者の形式の下でだけ捉えられていて、感性的で人間的な活動すなわち実践として、主体的に捉えられていないことである」。（テーゼ1）ここにいうところの感性的で人間的な活動（実践）とその主体の現在を、私は労働、土地、および感情について省みた。これら三者に関わる今日の疎外革命論は、超克すべき対象であるというより、逆説的ながら青年マルクスの疎外革命論の自己否定のようにして蔓延しているのである。

Ⅱ　追悼

弔辞　小阪修平

小阪修平さん

あなたの古い友人の一人として、お別れの言葉を申し述べます。

私が始めてあなたとお会いしたのは、雑誌の座談会「マルクスを葬送する」でご一緒したころ、一九八〇年前後のことでした。笠井潔、津村喬、それに亡くなった戸田徹の諸氏がこの座談会の他の出席者でしたね。この頃から、あなたの編集した雑誌「ことがら」や「オルガン」を通じてのお付き合いが、八〇年代を通じて続きました。

あなたは私より一〇歳ほど若い全共闘世代の一人でした。そのためもあってか、最初お会いした頃、私にはあなたのしゃべることがさっぱり理解できずに、閉口したことを覚えています。書くものは別にして、独特の用語と節回しがあなたのしゃべり方にはあって、それが私のものとは違っていたということです。おそらく、体験を言葉にしていくことに、あなたの世代独特の困難さが現れていたのだと思います。あなたは終生、この困難に向き合っていました。あなたの最後の著作、『思想としての全共闘世代』を読めばよくわかります。私はこの書物を拝見して、とりわけ八〇年代以降のあなたの暮らし方を知って、小阪修平という人のことが、いまさらながら少しわかったような気がしました。

あなたはこう書いています。「思想としての全共闘世代について語ろうとすれば、あの時代を通過したことが、それ以降の生にとってどういう意味をもっていたのかという角度からしか語ることができない。いいかえれば経験という位相で語るしかない」、と。けれども、私の考え方はこれと少し違います。思想は経験という位相でしか語りえない、というのは思想についてのかなり特異な態度です。思想というものはしばしば暴走するものであり、暴走する思想をそのものとして取り押さえることも、思想についての態度のはずです。あなたはこうも書いています。「ぼくにとって全共闘運動とはなによりも、相手と向かい合った時の態度、自分自身と向かい合う態度を意味していた」、と。おそらくあなたは、全共闘以降もこのような態度で、「現実にたいするスタンス」を取ろうとしてきた。考えること書くことが、暮らしのスタイルを作ることと別のことでないように、あなたはおそらく意識して努めてきたのだと思います。『思想としての全共闘世代』を読んで、よくわかりました。私のように、いくつになっても理論好き、政治好き、論争好きな性癖とは大いに違います。

実は、あなたの突然の訃報に接する、ほんの一〇日ほど前のことです。黒須仁さんが連絡を取ってくれて、久しぶりで旧マルクス葬送派の生き残りが酒席を共にしましたね。そこでも、あなたは全共闘運動のこと、思想の態度のことを当然話題にしていました。話の途中、半ば半畳のようにして私が口を挟みました。「全世界を獲得するのだ」とわれわれは言っていたじゃないか、と。そしたらすかさず、「僕はもっぱらその口だったからなあ」と笠井潔さんが口を入れて、みんなで笑い合いました。あなたはとても元気そうでした。次は全共闘理論篇を書くのだとおっしゃっていました。あれから四半世紀がたって、ようやく全共闘運動が歴史として議論される時期がきています。あなたを失ったことがとても残念です。

小阪修平さん。

今年の夏はとりわけ暑い夏でしたが、その暑い盛りにあなたは亡くなりました。日本人はとかく、何かを失ったときに人間を超えた自然の声を聞くようです。すぐる敗戦の年の八月一五日に、天籟を聞いたという人もいます。あなたの訃報に接して次の日に、国立市のお宅までお別れに行きました。樹木にうずもれた古い団地の一室で、あなたは眠っていました。暑い日差しに蟬の声が激しく鳴っていました。

友人として、思想の同志として、さようならを申し上げます。

平成十九年九月二七日

長崎　浩

思想の自立を妨げた思想家　吉本隆明

吉本隆明氏はわが国の戦後でただ一人、思想家として食っていけた人である。品のない言い方をしたが、むろん嫌味のつもりはない。大学教授とか作家とか、他に専門や収入源を持ちながら、思想の評論をする。これは今でも普通のことだが、思想家とは呼ばれない。思想家という名称は、戦後吉本氏に関連して発明された言葉である。もとより吉本氏には文学の評論があるが、これとても大方は思想という関心から読まれていたであろう。なぜ、思想家は吉本氏だけだったのか。遅くとも一九五六年のスターリン批判以降、わが国には思想の市場が存在せず、とりどりの思想が交換価値を競うことがない。市場の未発達の中で思想家としてやっていくためには、思想の内容とレベルはもとより、言論のタクティクスが必須であった。要は喧嘩のうまさである。吉本氏はただ一人、思想の喧嘩を売ることがセンセーションとなりえた思想家だった。独力で思想の事件を作り出した。

だから吉本氏はまた、戦後に思想という言葉を発明した。それまでは思想は理論とか哲学とか呼ばれており、理論とは簡単にいえばマルクス主義のことであった。かつて、マルクス主義そのものにたいして反対するでもなく賛成でもなく、「この世に思想といふものはない。人々がこれに食ひ入る度合だけがあるのだ」と小林秀雄が書いた。同じポジションで、思想とは「思想の行為」だと吉本氏は考えた。欧米と違ってわが国では、大衆の言葉に固執する思想は必ず世捨て人の思想になり、反対に、尖端的な言葉に固執すれば必ずモダニズムになる。だから、土俗と尖端との間に張られた言語の力場を「下降しまた上昇しうること」が、日本における思想の言葉であるほかない。サルトルなど西洋の尖端思想は、この条件を省略できる幸運な文化の位相に立っている。だが、言葉に生命が吹き込まれるためには、わが国では思想の態度が思想でなければならない。

以上は「自立の思想的拠点」(一九六五年)に書かれたことである。私は当時この評論に深く感銘を受けた。思想に立ち向かう自分の態度について、「うんこれでいいんだ」と、安堵を覚えることができた若者は少なくなかったはずである。だがこのとき、吉本氏は思想の行為を自ら演じて見せることによって、日本では「思想の自立」は不可能だと宣告したようなものであった。吉本氏の思想の態度が、思想という言葉を自立させるとともに、思想は魔語となってその後の若い人たちの言説を縛る罠となった。

吉本さんは思想の「後ろ姿」を見せることのできる人だった。高橋源一郎氏が追悼文にこう書いている(「朝日新聞」、二〇一二年三月一九日)。思想の後ろ姿とは、彼の暮らしや生き方や来歴のことであるという。吉本さんだけは「ぼくたちに背中を見せ、ぼくたちの楯になろうとしているかのようだった」。思想が思想の行為であるとは、こうしたことと受け取られたのである。だがそれでは、思想それ自体の自立は本当に不可能なのか。先端であれ世捨て人の言葉であれ、思想が一個の作品であってどうしていけないのか。思想がその後ろ姿を見せるというような思想の在り方を、私は嫌うようになった。一九七〇年代のことである。

思想家吉本氏の論戦のタクティクスが最後のセンセーションを作り出したのは、『「反核」異論』（一九八三年）だったろうか。吉本氏の政治思想のその後を私はフォローしていないので確言はできない。ただ、八〇年代は社会主義の瓦解の兆候が明白となり、わが国ではポストモダンの時代である。日本に暮らす宿命のようにして、新奇の外来思想の大波小波がもう一度岸辺を洗うようになる。六八年の運動を食い逃げしたといわれる文化研究あたりから始まって、今日では現代思想と呼ばれる思潮である。現代思想の文体しか知らない若い知識人たちが大量に生み出される。実物を捉えるのが難しい問題だからなのか、それとも実物の表象とレトリックが難解なだけなのか、現代思想の言葉から弁別するのが難しい。先端の言葉に固執すれば必ず（ポスト）モダニズムになると、吉本氏ならダメを押すはずの現象なのか。それとも、もうグローバルに思想が作品として自立できる兆候なのだろうか。事態が後者ならば、思想は思想の後ろ姿から、つまりは吉本隆明の庇護と呪縛から自立できるだろう。『「反核」異論』は珍しく吉本氏が戦術を誤った事例として、当時私は受け取った（「「反核異論」のころ」、『叛乱の六〇年代』、二〇一〇年、所収）。この事件を境にして、思想のシーンが変わっていくのだと言ってもいいかもしれない。八〇年代以降の思潮を吉本氏の著作がどのように反映することになるのか。もう一度、吉本氏が思想の喧嘩を売ることがあったろうか。それとも私の見立てが誤解の類なのかどうか。誰か教えてくれる人がいるであろう。

アジテーター西部　西部邁

影の言葉に押し出されて

すがめで発育不良の少年に見えた。西部邁に私を引き合わせたのは清水丈夫だった。ろくに言葉を交わさなかったと思う。吃音もあったであろう。だがじきに、私たちは六〇年安保闘争に巻き込まれていった。清水は全学連（全国学生自治会総連合）書記長であり、西部は東大教養学部自治会の委員長になっている。同じ大学でもキャンパスが別なので、私は西部と付き合っていない。ただ、合同の会議に西部は「世の中、革命しかやることないですからねえ」と邪気もなく登場して私を驚かせた。煽動演説がハイティーンの学生たちを引きつけて、「輝ける西部委員長」という評判が聞こえてきた。そして一九六〇年の五月十九日の深夜、国会議事堂裏で私は西部の演説を聞いた。

心に響く演説だった。日米安全保障条約改訂案が衆議院で強行採決され、岸内閣としては参議院での自然成立を待てばいい。そんな夜中のことである。宵の内から国会周辺に詰めかけた者たちが、やり場のない欲求のはけ口を求めて右往左往していた。渦巻くデモとともに言葉が氾濫していた。傍らでは共産党議長の野坂参三が演説していた。「民主勢力の闘いはまさにこれからであり、闘いの前途は洋々であります」。

これにたいして、西部演説はこんな調子だった。「安保改訂阻止を目指す我々の長期にわたる闘いは、今夜ここに決定的な敗北を喫した。明日から我々がどのような闘いを継続するにしても、これまでの闘いがこの瞬間に敗れたことを確認することなしには始まらない」。これは私がレーニンの政治言語を論評する際に記録したものである。西部本人も忘れなかった。ごく最近の要約では、「権力が採決を強行するのは当たり前」、「それを易々と許す我々反対派の弱さと怠惰をこそ批判せよ」という演説だったという（『ファシスタたらんとした者』、以下同様）。

とはいえいずれにしても、こうした場面を伝えることはとても難しい。私たちは書くのでなく、喋っていたのである。しかも喋ることを武器に不特定多数を説得し、喋り言葉をもって対抗勢力をやり込めようとしていた。闘議ではない。明日の行動選択を迫る煽動である。暴力行使は禁じ手であり、相手もまた喋り言葉を返す。かくて言葉が氾濫し反跳する。公式的政治演説でもただの情念の表出でもなく、そこで瞬間の言葉を発する。すると、言葉が発言者の身柄からすら離れて跳梁し、相互に反跳しながらそれぞれに形をなそうとする。私が喋っているのではない。本当は、この形をなそうとするものこそが私の言動を捉えて追い立てているのだ。そして、私はこの力に押し出され振り回され、そして敗北する。そう感じさせる瞬間が訪れる。この瞬間に、西部邁はアジテーター西部だった。

別に難しい話ではない。トロツキーが自伝に書いている。——私は聴衆に向けて語る。だがその途中で、あらかじめ考えられていた論証も、用意された言葉も引っ込んでしまう瞬間が訪れる。するとこのとき、私自身がまるで誰かがすぐ傍らに立って演説しているのを聞くように、用意されたのとは別の思いがけない言葉が影の中から現れてくるのだ。影の言葉は、明らかに私の肉声の響きを立てていながら、私は夢遊病者のように、転げ落ちはしないかと不安にかられながら壇上に立っている……。紙上に再現するのは難しいが、この影の言葉の跳梁こそが政治的なもののエッセンスなのだと感じられた。ハンナ・アレントを引き合いに出してもいい。「人間としての人間は、言論と活動の中で自らの姿を現し、自らを確証する。そして、これらの活動力は、なるほど物質的には空虚であるにしても、それ自身の記憶を残す以上、それにふさわしい耐久性を持っている」(『人間の条件』)。ここで言論とは、行動選択を迫るアゴラの内での言い合いにほかならない。そこにかりそめの政治空間が立ち現れる。西部邁はアゴラの政治空間におけるアジテーター西部だった。

こうした経験は幾分かは世代的なものだと思う。戦後の少年少女時代に、私たちは「先生から」ではなく「先生と一緒に」民主主義を習った。民主主義など、先生だって心得がなかったからだ。学級会から生徒会まで、平等の者どうしの言論と説得が本当のこと、正しいことをあぶりだし決定することができる。半ばそう信じられた。民主主義というより議会主義の理念である。そしてこの流儀を私たちは全学連に持ち込んだのである。クラス討論から始めて学生大会の決議を勝ち取る。決議が明日の行動を拘束する。これは学生運動のスタイルのルーチンだったが、やがて、五月十九日深夜の国会裏集会のような瞬間が訪れる。自分たちの言論が作り出したものでありながら、不意に私たちを襲い翻弄する影の言葉の到来である。その後、西部邁は短い六〇年安保体験を「空虚な祭典」「狂気の沙汰」と笑い飛ばすのが常のことになる。そうだったであろう。だが、言い訳すればするほどアジテーター西部の立ち位置が垣間見えた。何しろアジテーションは西部の吃音を治したのである。

不在の聴衆の前で

やがて、西部邁は私の視界から消える。安保六・一五闘争の判決公判後の会議で、「世の中、すべて俺の言う通りになる」と、捨て台詞を残して立ち去る西部を私は記録している。そこから一九八〇年代に飛ぶ。唐牛健太郎が北海道から上京してきて、ときに同窓会が持たれることがあり、西部とも席を共にするようになった。革命の文体を変えるべく先に私は「叛乱論」(一九六八年)を書いた。その主題の「大衆の叛乱」にたいして、西部が『大衆への反逆』で論壇に登場するのがこの頃である。長崎が沈黙し私が喋り出したと本人が言っている。だが、直に言葉をぶつけ合うアゴラはもうない。陰口は聞こえてきても、「異議ナシ」「ダンコ反対」と応答する者たちはもういない。そればかりか、学者知識人たちがもっぱらそれぞれの仲間内で、仲間の評判だけを気にしながら書く時代が始まっていた。当時、哲学者たちの集まりで「うちの業界」などと、ためらいもなく発言されたのを私は聞いている。

要は言論の崩壊である。そうした中で西部は喋るのでなく書き始めたのである。それが「批評」である。かつて跳梁した影の言葉を取り押さえて、批評の言葉として形を与えなければならない。いやそれ以前に、自分の人生を支え言語を繰り出す思想とその方法を鍛錬しないわけにはいかない。猛勉強の日々が始まった。そして、記号・言語論を方法とする社会批評へと導かれていったという。ここはいずれ本格的な西部邁論が解きほぐしてくれるだろうが、ともかくも、言説の差異を競う言論の場で、しかも唯一の教条に準拠するのでなく、相対主義をひけらかすのであってもならない。選択の絶対的基準など見つかるわけもないことだが、絶対を遙かに遠く望みつつ絶対的基準の模索を続けねばならない。絶対の探求は、尾根道を辿るような言葉の芸当を必須のものとするであろう。小林秀雄ではないが、生きることは文体である。そのようなものとして、社会批評の独自のスタイルを作り出さねばならない。何事であれ、ものの言い方ということがあろうじゃないか。私はいつもここに、かつてのアジテーター西部を見てきたように思う。

評論家西部邁がこうして現れた。学者・専門人ではない。哲学的思想に関わるという意味での批評家に止まることはできない。「時局を日常感覚に引きよせて裁断してみせる」評論家たらんとする。書くだけではない。ＴＶや講演さらには家庭や酒場の片隅の社交にいたるまで、書くことはどう喋るかということに直に繋がっていた。自覚的にまた辛抱強く、西部は評論家を演じ続けた。

ファシスタ西部

その最晩年に西部は『ファシスタたらんとした者』を刊行して、幼時からの思想遍歴を回顧している。それにしてもファシスタとは穏やかでない。かのファシストや果てはナチまでが連想されることを、著者は拒んでいない。ファシスト西部。だが、ファッシとはもともと束ねるという意味であり、イタリアファシズムも統一団結運動のことであった。わざとこんな自称を使ってまで、原子論的個人主義を相互的個人主義に、権威的集団主義を開放的で自発的な伸縮的集団主義に変容させたい。そのためには「国民社会《ナチ》の伝統にもとづく統合《ファッショ》が必要だ」と言うのであった。一人で評論家を演じ続けた西部の言葉の先には、いつも共同と集団が幻視されていたのである。いまや不在の聴衆に向けて、アジテーター西部を演じていたのだ。

最後に、少々私的な感想を残したい。西部邁の文章を読むたびに、ひとそれぞれの気質の違いといったことに思い至らずにはいられない。実は同じことを西部も述べていた。「長崎の書物を読んでいると、また長崎と話していると、人間の気質というものがいかに決定な、しかし屈折した、影響をそのひとの人生および文章のスタイルに与えるものであるか、という平凡な事実にあらためて思いいたる」（『六〇年安保　センチメンタル・ジャーニー』）。私についてはこれは才と芸の限界にすぎないのだが、それにしてもひとは人生のどこかで自分の気質といったものに遭遇する。気質を抜けようとして気質に敗れるほかはない。西部の場合はことに『妻と僕』など、北海道で育ったころを想起する文章の達成は、哀惜の念を呼び起こさずにはいない。私などが到底真似のできない文章なのであった。

同じ全学連出身でも、西部邁は右で私は左などと言われることがある。こんなことを信じたことはないし、信じるに足りない。西部自身が同定している。「実は、長崎の叛乱論と私の保守論（あるいは大衆論）はほとんどホモロガスなのである、つまり同型」だと。

ならば、いまはただ同志として、さようならを告げたい。

Ⅲ　私事を語る

ブントと島成郎

佐藤幹夫（飢餓陣営）——島成郎さんについて、ここ四年ほど取材を続けてきました。基本的には沖縄での医療活動を中心に、そこで一緒に仕事をされた方にお会いしてきたのですが、とりあえずひと段落かなと思いました。取材を進めながら、島さんの医療活動を考えるとき、ブント時代の島成郎を知らなければ、もうひとつ深いところへは進めないのではないか、という問いが出てきたのですが、ブントや六〇年安保については全く不勉強で、分不相応、恐れ多いことだ、という気持ちが拭えませんでした。

結局、腹を括り、関係者の方にお会いしようと決めたわけですが、長崎さんに白羽の矢を立てさせていただいたのは、直接には、ご著書『叛乱の六〇年代』『叛乱論』などを読ませていただいたことです。六〇年安保を突き放し、ご自身の体験である以上に、歴史の考察対象として突き放して見ておられる。いってみれば思想の対象としてできるだけ客観的に考えようとしておられる。そのように感じたのです。

当時のデモという現場の臨場感や、微妙な党派間の軋轢に対して含まれるだろう政治的メッセージのなんであるかを理解することは、私にはできませんが、七〇年の全共闘運動への接ぎ木もなさっていて、この点も興味を惹かれたところでした。

私の問いは、ご本の内容を繰り返すことになりますが、振り返って、ブントあるいは六〇年の安保闘争をどう考えておられるか。一つ一つについてはすでにレジュメをお送りしてありますが、この点が一つ。もう一つは、島成郎さんについて。どんなふうに島成郎と出会い、別れたか。島成郎との出会いと別れですね。この二点を中心にお話しいただければと思います。よろしくお願いします。島さんのお別れの会については、ご記憶にあることはどんなことですか。

「六〇日の教訓」と六〇年六月一五日まで

まずお別れの会のほうから話しましょうか。島さんが亡くなったのが二〇〇〇年ですね。そのお別れ会は青山で開かれましたが、実は私がその司会をしているのです。私ともう一人誰か、司会がいたような気がします。これは実はおかしな話で、島さんの『ブント私史』を読んでも分かると思いますが、私は、島さんにクソミソに弾劾されているブント東大細胞の一員だったんです。彼にとっては唾棄すべきグループの一人だった。

結構わだかまりがあったと思いますが、八〇年代のはじめくらいになってからブント同窓会が開かれるようになり、ときどき顔を合わせるようになったのです。その契機は唐牛健太郎が北海道から東京に出てきたときです。彼は八四年に亡くなりますが、たしか八〇年くらいに最後に上京するんです。それを契機にして昔のメンバーが初めて顔を合わせるようになっていくのですが、その辺りから、私から見ると島さんなどとも一種の和解が成り立っていった。そんな感じです。

二〇〇〇年六月一五日に島さんを中心にして、樺美智子の没後四〇周年記念の集会をやっているのですが、この司会も私と奥田（正一）がしているのです。奥田は亡くなりましたけど、早稲田のブントで根っからの島派の一人です。誰の差し金かは知らないけれど、島派の彼と、かつての反島派の私が司会をやったということですね。そしてこの後、非常に丁寧な礼状が島さんから届きました。沖縄への帰途六月一七日に博多で倒れたことも書いてありました。しばらくして私が返事を出したときにはもう最期の病床にあり、読むことはできなかったと、ひろ子さんが言っていました。「あなた、なにしてるのよ」ということでしたが、最後は親しみといい感じをもって、私は別れることができたのです。

ある人に言わせると「島がブントを作り、長崎がブントを壊した」という（笑）、笑い話があるくらいです。私もそのことを意識していないわけではないですが、その話は後でしましょう。

第一次ブントが「共産主義」という機関誌を、第一号から七号まで出しています。最後の七号に島さんが、「六〇日の教訓」という長いレポートを書いているのです。いかにも当時の高揚した島成郎らしい生地を丸出しにした文章です。当時の上り坂のブントと島さんがどういう感じだったか、よく分かります。

「六〇日」とは一九六〇年の一月一六日の羽田闘争までの時期。始まりが前年の一一月二七日です。一一・二七というのは、初めて安保反対の統一行動が国会構内になだれ込んだときだったのです。この六〇日間が、言ってみれば結成されたばかりのブントの上り坂だったのですね。

上り坂という意識を、島さんはじめ我々下っ端ももっていたのです。全学連の行動を梃子にして、具体的に言うと組合の中の戦闘的な労働者部分を割って全学連との同一行動に導いていく。この六〇日の闘争ではそのきっかけが生まれて、ブントはその実現に全力を傾注していく。そのためにこそ全学連を突っ走らせる。その方針がとてもうまくいったのです。そういう意味で高揚期だったのです（*）。

もともとブントという組織自体が左翼反対派です。社会党や共産党の指導が真正の革命を裏切っているとして、統一行動のうちでこれに反対するのが左翼反対派です。ですから、労働者階級に影響をもっている社会党・共産党の指導から、労働者階級をこちらに奪い返していくことによって革命に近づいていく。簡単に言うとそういう戦略です。マルクス主義の労働者階級革命論内部の左翼反対派。そういう位置づけです。

左翼反対派はトロッキスト以来、ロシア革命以来といってもいいと思いますけれども、昔からあるカテゴリーで、それを踏襲したということです。この左翼反対派がもっている色々な問題点が露呈していくのが、六八年になってだと思います。中核派とか革マル派とかいわゆるセクトの問題ですね。この左翼反対派の戦略モデルが、「六〇日」のブントの上り坂によく現れているのです。

具体的に言うと、三菱重工長崎造船所の共産党細胞がそっくりブントに移る。もう一つ同じく日共港地区委員会がブントに移る。それが二大トピックスで、まさにこのモデルに合っていたわけです。島さんの得意の話が「おい、もうすぐブントのなかの労働者メンバーが三ケタになるぞ」というもので、そういう雰囲気だったのです。ブントとはそういう組織だったのです。

我々全学連の大衆運動をやっている者は、全学連書記局とともにこの左翼反対派路線のためにこそ学生運動で突っ走る。もっと簡単に言うと学生運動はそのための手段だと考えるのです。当然、学生運動自体が革命への本筋ではないわけです。そういう思い込みで、第一次ブントという組織の盟約が成立していたのですね。

（＊）島成郎『ブント私史（後編）』より。

「闘いは私が予期したよりはるかに早く、そして大規模に爆発した。／十一月二十七日、国民会議第八次統一行動の国会デモで、先頭に立った全学連の学生たちは都教組などの労働者とともに、例の如く流れ解散で終ろうとする指揮者の指示を無視、正門前を固める警官隊の厚い壁を突き破って初めて国会内に入ったのである。／（略）／全学連清水書記長は装甲車に飛び乗って、マイクをきられひきずりおろされながらも断乎座りこみを続けるように訴える。一度は幹部の指示で帰りかけた人々もまた座り込みに加わる。／約五時間にわたってあの国会玄関前広場が民衆によって占拠されたのだ。／まさに既成左翼指導部をのりこえた大衆行動が、日本政治の象徴である国会の場で全国民注視の中で現出したのだ。／（略）／この国会デモによって、それまで「順調」に進んでいったすべての「スケジュール」が破られ、安保闘争はそれまでとは質的に異なった民衆闘争に転換する。／そして私たちのブントはこの日を境にして現実の政治闘争の渦のなかにおかれ、予期されざる主役として登場する。／私もまたこれから一九六〇年六月のあの日まで大衆運動の真っただなかに身をおき文字通り不眠不休の活動を続けることになる。」（二〇一〇年・増補改訂版・九五－九六頁）

安保闘争の本番は四月から六月

ところが安保闘争は「六〇日」で終らない。むしろ安保闘争は、翌年の四月から六月にかけてピークを迎えるわけです。先ほどのモデルというのは、島さん自身が『ブント私史』に細かく書いていています。その頃、総評傘下の東京地区評議会（東京地評）が総評の中の一番左派だったのですが、そこが全学連と一緒に行動する、つまり総評の統一行動から分離する可能性が出ていました。焦点になったのが翌年の羽田闘争です。ところが、その動きが社会党と共産党と総評幹部の締め付けによって挫折するのです。そのため最終的には、一月一六日の羽田闘争は全学連だけの単独行動になるわけですね。

こうして、島さんの「六〇日の教訓」は、最後は「敗北の教訓」です。岸首相が安保条約調印のために羽田から飛び立つのを阻止するべく、前の日から全学連が羽田空港のロビーを占拠する。ところが、八〇人近いブントと全学連の幹部が逮捕され、組織が大きなダメージを受ける。そういう意味でのメルクマールだったのです。

次の四月、第四回のブントの全国大会がもたれる。ここで例の島さんの伝説、「安保が潰れるかブントが潰れるか」「虎は死んで皮を残す、ブントは死んで名を残す」というセリフが出たというのですが、要するに、ブントの組織を安保闘争に賭けるんだ、という島さんの大アジテーションが行われるのです（*）。実は私はこれに参加していないものですから、具体的には知らない。しかし、島さん自身が感じておられますが、これでブントが四月から組織をかけるぞという方向には固まらなかったのです。多田靖の証言があります（『60年安保とブントを読む』、一一四頁）。そして、微妙な雰囲気がこの大会で生まれてくるわけです。

考えて見れば明らかなことで、先ほど言ったように安保闘争というのはブントモデルでは革命への手段なわけです。一つの大衆運動に組織を賭けるということは、左翼反対派の綱領下にあっては本来あってはならない考え方です。この党組織論をその後もセクト的に保持していくのが革マルです。革共同ですね。ことにブントの労働運動の指導的メンバーのうちで、そういう革共同的な異論を生み出していく芽が、そのときにすでに生まれていた。そういうことだと思うのです。

当時、私はブントの東大の本郷細胞にいたのですが、ちなみにその頃の東大本郷細胞のメンバーは百人弱くらいでしょうか。全員が活動しているわけではありませんが、教養学部を除く本郷の全学部の自治会を掌握している。七学部があって、そこに配置されているブントの学生たちは、一学部一〇名として七〇人になるわけです。普通は必ず代々木系（共産党系）がいて、それとの対立関係がシビアだった。たとえば東大でも教養学部はそうですすね。ですから島さんは口を開くと「東大本郷の連中は」と言いますが、この〝連中〟の学内へゲモニーは一党一派で固まっているのです。その固める役の一人が私だったわけです。

その東大細胞の代表がブントの四回大会に参加します。今言った革共同的な組織路線から島さんに対する違和感はあったと思うのですが、東大細胞代表はこれとは別のセンスでの違和感を持って帰ってきたのです。理論です。ブントの理論、経済学でいうと青木昌彦の「国家独占資本主義論」が綱領を支える経済分析だったのですが、東大細胞から代表で出た二人が、二人とも経済学部だったということもあって、青木理論に対して大変に批判的な見解をもっていた。それがためにブントが安保闘争に組織を賭けるといっても、その方針の理論的位置づけができていない、という印象を持って帰ってきた。そして私にはこんなふうに言うわけです。「安保闘争が終ったら、ブントの本格的な分派闘争を始めなくてはいけない。ブントという党組織を変えていかなければいけない」。そういう結論をもって帰ってきたわけです。

これは現場活動家にとっては大変なことで、その頃から島さんを中心としたブント中央に対する妙な違和感が、東大細胞の上の方に植え付けられた。そういう発祥地点だったのです。それがあって、島さんが『ブント私史』で言っているように、四・二六の国会前闘争になるわけです。このとき、東大の教養学部と本郷が中心になって、学生が装甲車を乗り越えて国会前に殺到していくことを、むしろ阻止するようになった。言ってみれば、公然たる反対ですね。しかも学生の前で演じた。学内でまだ運動が初期段階にあるという政治的配慮があった上に、反中央の姿勢がこうしたミスを生みました。

島さんに言わせれば、先ほどの「六〇日の教訓」の続きで、この四・二六で国会通用門前の装甲車を乗り越えて進むという戦術を、彼一人が発案して全学連幹部と拠点大学とを説得して回った。唐牛であり、後で革共同に行く陶山（健一）であり、篠原浩一郎であり、これらの第一級のアジテーターをそろえて、車の上から学生に対する猛烈なアジテーションを続ける。これはじつは島さんがやらせたのです。

その結果として、我々の制止を振り切って学生が国会前に殺到する。その代償に、出所してきたばかりの唐牛健太郎、九州出身の篠原、そういう幹部が警察に持っていかれてしまうわけです。つまり羽田闘争の二の舞になるという犠牲を払うわけです。

しかし同時に、私の安保闘争を通じてのショックとしては、制止したにも関わらず、学生に乗り越えられたことです。しかもそれがブントの方針の分裂として、衆目にさらされる。これが安保闘争での私の最初のトラウマになります。私にとっての島さんとの関係は、そこが発祥になっているのですね。「主力東大細胞がいつもガンになる」（『ブント私史』、一一七頁）というわけです。

（＊）『ブント私史・同』より引用。

「十一月以降の闘いの総括のあと、私は胸の内にあった独断的見解をそのままぶつけた。／「……われわれは一つの政治勢力として登場することに成功した。／四月〜六月段階では、戦後最大の政治闘争のなかで各党派との死闘が展開されるだろう。／ブントはこれらの諸党派と原理的に異なった闘い方をしなければならない。／すなわち権力を奪取することをはっきりと目標とする党として登場しなければならぬ。／（略）／広汎な大衆のエネルギーが爆発したとき、あらゆる意味で鍛えられた真のプロフェッショナルな革命家が三千名存在するならば権力獲得は不可能ではない。／（略）／保守政権を根底から揺がす政治危機をつくりだすことなくして「安保条約破棄」などといっても画餅にしか過ぎぬ。／ブントはたとえ全員検挙されても、一時的に組織が崩壊するようなことがあってもこの闘争をやりぬく。もし敵の心臓を脅かす闘いを行いうるならば、ブントは死なず、新しい革命の党がその中から生まれるだろう……」」（一一〇 - 一一一頁）

「乗り越えられた前衛」

これが発祥地点になって、しかも東大細胞だけではなくブントという党自身が、学生のみならず一般市民に乗り越えられていく。五月から六月までの国会周辺の安保闘争です。それまでは、国民会議の第何次統一行動というようにスケジュールを決め、国会に労働者と学生がデモにいって、そのなかで全学連が跳ね上がるというかたちを繰り返してきたわけですが、もはや連日、国会前が人で溢れ返る。統一行動もへちまもないような、一種の首都圏市民の叛乱状態が、連日くり返されることになった。

これは私にとっても、また「労働者階級が革命の本体」だと考えるブント全体にとっても思いもよらぬことで、荻窪商店街の人たちが店を閉じて国会に来る、そんなことが広がっていく。これがいわゆる「声なき声」ですよね。要するに一種の発狂状態になるわけです。暴力的な意味ではないですけれどね。それが連日続きます。我々はせせら笑っていましたけれども、自民党などの議員の中には「これは革命だ」ということでオタオタしていたといいます。岸首相は、自衛隊の出動を赤城防衛庁長官に要請して断られた。とにかく学生も労働者も市民もウンカのごとく集まってくるわけですね。そうしますと、全学連の統制も跳ね上がりもクソもないわけです(*)。

四月二六日までは統一行動のスケジュール闘争ですが、各大学ごとにブントの統制は完全に取れていました。何人動員して、どこでどういう行動をやるかということは、細部に至るまで我々は把握できたのです。それが崩れてしまう。象徴的だったのは、東京大学新聞がレポを書き、

「乗り越えられた前衛」とブントのことを評したわけです。もちろん「乗り越えられた前衛」というのは、ブントが共産党に対して投げていた言葉だったのですが、それがこちらに振り向けられた。

たとえば五月二〇日のことですが、全学連書記長の清水丈夫が国会の前で、宣伝カーの上から、「これから全学連は新橋デモに移る」と提起したけれども、ヤジり倒された。統制がきかないわけです。国会前に連日人は集まりますが、それから何をすればいいかという展望が全く出ないわけですから、この人たちに濃淡の差はあれ、焦りと欲求不満が蓄積していくわけですよ。全学連では現場活動家がひしひしと感じていたことで、ここを打開しないと先に進めない。そういう状況に追い込まれていくのです。島さんは書いています。「全学連指導部・東大細胞などは「安保は国会を通過してしまったのだからもう終わりだ。大衆行動の盛り上がりのなかで組織整備をはかるべきだ。全学連大会を開いて幕を閉じよう」などといい出したのだ。なんという感覚」。しかしいくら何でも、私も現場活動家ですから、「安保は終わりだ」からその後すぐ立ち直って、国会デモを連日組織しました。しかし、この群衆をどうすべきか、どうできるかが分からないのです。

私は『叛乱の六〇年代』で、六〇年安保闘争というのは国民革命だったと書いていますが、経験的にはそういうことだったのです。メルクマールもいくつかあげています（内閣を倒した、戦後未曾有の大衆運動となった、国民と知識人が勝利した、近代日本百年を総括した、六八年の第二革命につながった）。同じことは現場活動家だけではなく、島さんを始めとしたブント中央（政治局といっていましたが）にも、反映していくわけです。もう、総評の地区組織を割って、全学連といっしょに国会に連れてくるなんていう方針は成り立たない。総評の請願デモ自体がすでに崩れてしまっているのですから。

とすると、無方針のままで、とにかく国会に抗議に行こうという形でしか労働者細胞を指導できない。とりわけ五月一九日から六月一八日まで、それが一か月間続くわけです。この一カ月間というのは安保条約の自然承認の期間で、五月一九日に衆議院で強行採決によって批准する。一か月放っておけば、あとは新安保条約は自然承認されるのです。これで安保成立の展望が開けたと岸内閣としては思ったのですが、逆説的なことにこの一九日を契機にして、国会周辺の叛乱状態が連日繰り返される。

典型的なことは、そのときにスローガンのすり替えが行われたことです。「安保改定反対」ではなく「平和と民主」「岸内閣打倒」というように。労組学生中心の安保反対統一行動がそこで転換するのです。だから叛乱は安保や日米関係に対するものではなく、戦後民主主義の頂点としての叛乱状態であり、それを私は国民革命と言ったのです。この点でも日米関係における日本資本主義にダメージを与えるという、ブントの安保改定阻止の方針自体がはぐらかされてしまった。

安保でなく民主だと言いだしたのは例えば竹内好です。「民主か独裁か、これが唯一最大の争点である。そこに安保をからませてはならない」というわけです。デモのスローガンが「キシヲタオセ」一本になる。この意味でも「六〇日」のブントモデルは失効します。しかも、これが「国民革命」だったといっても、ブントの思い描く革命とは似て非なるものだったのは言うまでもないことです。現場で翻弄される私たちにも島さんにとっても、ブントという「党」のこのジレンマが安保闘争の一番の肝になるというのが私の見方なのです。これが現場活動家の偽らざる考えですね。

ブント中央の解体状況を象徴的に示していると考えられたのは、樺美智子が亡くなった六月一五日のデモの二日くらい前だったでしょうか。島さんと青木を交えて、六月一五日の全学連の戦術会議を開いたとき、教養学部を代表した西部邁と本郷を代表した私が強力に主張したのは、もう国会突入という方針を公然と実行しない限り我々はもたないということでした。島さんと青木がこれにどういう形で反論したかというと、国会に突入するんなら国会に火をつけないとだめだ、構内ではなく国会内に乱入しなければだめだ、と言うのです。つまり、できもしない極左方針を対置する形で私たちの主張を抑圧しようとした。私はそういう印象を受けたわけです。しかし結果は島さんたちの意見を押し切って、出席していた全学連のメンバーが六・一五国会突入方針で固まったと思って、我々は帰ったわけです。

この会議では北小路敏が、唐牛は逮捕されていないですから、京都から呼ばれていたのです。彼は会議のあいだずっと眠っているのです。こいつ現場で大丈夫かと懸念しました。ところが、当日の国会前では我々の主張をそのまま見事なアジテーションにして、学生に向けてアジった。大衆政治家として天性の男の一人ですね。当時の全学連にはこういう才能の持ち主が何人もいたんです。

北小路たちに煽られて当初の決意通り、しかも生田（浩二）さんたちが門の防備を壊すペンチやら何やら持ってきてくれたものですから、それを使って国会構内になだれ込んで行く。それが六月一五日です。こんなふうに詳細をどうして述べているかというと、この安保闘争のどん詰まりの経験が、七月のブント第五回大会に持ち越されるのです。

（＊）『ブント私史・同』より

「5・26、再度の大規模なデモが行われその数は十七万人に達した。全学連は辛うじて首相官邸への突入をはかろうとするが、この大群衆のなかではもはや闘いの性格を変える衝撃力をもたない。／(略)／しかしブントも例外ではなかった。こともあろうに全学連指導部・東大細胞などは「安保は国会を通過してしまったのだからもう終わりだ。大衆行動の盛り上がりのなかで組織整備をはかるべきだ。全学連大会を開いて幕を閉じよう」などといい出したのだ。なんという感覚。「大衆運動主義」をもって自らを任じるブントが、日本政治史上初めてといってよい大規模の大衆がそれまでの左翼の枠をはるかに破って怪物のように動き出したその瞬間に「闘いは終った。組織を固めよう」というのだから空いた口がふさがらない。／(略)／すでに四月以来ことある毎に続いたブント内部のチグハクな意志の亀裂とその修復に苦しみ、そのたびに即席フラクを組み凌いできたのだが、この闘いのいわば極限状況でのあまりに大きな落差に、私は絶望に近い異和を感じないわけにはいかなかった。」(一一八‐一一九頁)

激しい政治局批判が沸き起こった第五回大会

四月以降の安保闘争の転換、盛り上がり、そしてブント中央の解体状態を、五回大会でどうやって総括をしたらいいのか。あまりはっきりしないいまま、島さんも全学連書記局も、この大会に臨んだ。まして我々現場活動家からすると、「党というもの」について訳が分からなくなっている。訳が分からなくなっていることの表現が、中央批判になります。

政治局とブント指導部は安保最盛期に解体していたという一点に絞って、あなたたち「党」はわれわれに対して何をやってくれたのか。そういう一種のないものねだりの追求が一気に始まります。というか、私たち現場活動家が始めたわけです。島さんと全学連の総括提案が終ったあと、一番に発言し、全面的に批判演説をしたのがじつは私なんです。変な話なんです。自分の言っていることが、反面では信じられない。島さんが怒ったことの一つですが、六月一五日に続いて最終日一八日に再度国会構内に突入すべきだったのに、ブント中央の解体の故にできなかったと、東大細胞が中央指導部を責めたことです。その実、東大の運動では六月一五日の国会突入がもう限界の限界だったということを、私たち現場活動家が一番よく知っていたのです。一八日の再度突入などできっこなかった。それなのにひっくり返して逆のことを言うという、自己欺瞞的に極左的な総括ですね。島さんはそのことを非常に怒るわけです。これには弁解できません。ただし、全学連の運動にも大学により、また東京と地方とで温度差があり、六月一五日からがむしろ上り坂という大学もあったのです。運動内部のこの意識の差をうまく組織して（選手交代して）、十八日を壮大な幕切れに終わらせない工夫をブント政治局がすることもできたはずなのです。でも実情は「党中央」などなかったのです。「夜を徹し抗議の座り込みを続けた人々も、空が明けるとともに潮が引くように散って行った。／明け方の国会前で私は反吐を吐きながら蹲っていた」と島さんが『ブント私史』に書いていますが（一〇三頁）、背景には以上のような安保闘争の終わり方があります。

こういう背景のもとでブント第五回大会が始まります。本来の党組織なら、あるいは前衛党の伝統から言えば、学生細胞の現場の跳ね上がり分子の発言なんか、その場で弾圧しておけばいいわけですよ。それができなければ、どこが前衛党なのかということにもなるわけです。だから、私たちは政治局批判を展開しても弾圧されるだろうと半分諦めていました。だからこの大会が終った後で、本格的な理論的バックをもった前衛党をつくるための活動をやろうともう一度確認して、第一日が終るだろう。そう思っていたのですね。

ところがここで思いもよらないことが起ったのです。私たち学生の発言を引き取るようにして、ブント中央は無方針で、なにも方針を出さなかったじゃないかという批判が、五回大会に出ていた虎の子の労働者細胞からいっせいに起こるのです。学生のブランキズムを組織労働者が弾圧するどころではなかった。学生と違って彼らはしつこいですからね。いつまでたっても追及を止めないのです。

中心になったのが元の日共港地区委員会です。先ほど言った「六〇日の教訓」の中でブントに移行した旧共産党細胞です。ブントの中央の特に労働者対策メンバーは（この親分が古賀康正さんですね）、もう坊主懺悔するしかないわけです。六月一五日に学生が何をやるかは、労働者細胞にすら知らされていなかったじゃないか。そう追及するわけで、これにはひとたまりもないわけです。

五回大会をまとめようとしたのが、労働者細胞出身でブント副委員長だった山崎衛さんです。

元日共長崎造船細胞のキャップだった人です。彼が提案している途中で、労働者自身によって中断させられてしまうのです。私たち学生はもうびっくりして聞いているしかないんですが、でもそういうふうに労働者細胞が突っ走ってしまった。こうして、島さん自身も収拾できないまま大会は終わったのです。本人も書いておられますが、喘息で具合が悪そうだったですね。

安保闘争敗北と第一次ブントの崩壊以後

ということで大会が終わって、ブントの分派闘争の八月九月の二カ月になっていくわけです。この時期の島さんの状態は、『島成郎を読む』の日記によくでていますね。「六〇年の秋のノート」ですか。分派闘争から早々に脱落したということと、どうやって生きていくか行き先が混沌として見えないということを、くり返し書いていますね。本当に正直なところだったと思うのです(*)。

多かれ少なかれここで、我々現場活動家も含めて、ブント全体が、そもそも何が問題なのかがわからないという混迷に陥るわけです。ですから分派闘争と言ったって、自分で何をやっているのか、自問すれば分からないようなことになるわけです。本当のところ確信が持てない。大衆運動の指導のことというより、そもそもが「党とは何か」が問題だったからです。

確信犯がいたのかといえば、「戦旗派」から革共同に移る連中です。これは組織論ですから、はっきりしているわけです。理論的には反島の色彩が一番はっきりしている。前衛党組織のあり方という点で、労働者対策部と全学連の主要な幹部を惹きつけたということになると思いますね。

島さんには到底受け入れられない路線です。

私自身は、東大のブント細胞を中心として「革命の通達派」という分派活動を、この期間にやるわけです。都内の学生細胞の殆どを掌握することができたと蔵田計成が書いています。といっても、中心メンバーが本当のところ自信を持っていないわけですから、上の方から脱落していって自然消滅していきます。

もう一つの分派が、学連書記局細胞を中心とした清水丈夫と青木昌彦などの「プロ通派（プロレタリア通信派）」です。青木を除いてこのメンバーの中心が、最後には革共同に行くわけです。後には清水丈夫などが革共同分裂から中核派を作ってしまうのです。安保闘争とともにブントは潰れたわけですが、中心メンバーが革共同にトレードされて中核派と革マル派を残した。ことに中核派を作ってしまった。セクトの問題、これがブントの潰れ方が六八年にまで残したブントの禍根だというのが私の意見です。

以上の三つの分派のいずれに対しても島さんは、これは違うと考えていました。しかし自分で島分派を組織する方針も確信もない。最低の状態に沈んだということを書き遺していますね。多かれ少なかれブントの現場活動家にとってもそうだったのです。こうしてブントの解体が進んで行きました。

私自身のことを言っておくと、なぜ革共同に行く気がなかったかというと、一つは五月六月の首都圏の叛乱状態のなかで翻弄されたこと、この経験に何かがあるはずだという感覚ですね。もう一つは、私はもともと共産党ではなく、大学入学当時から黒田寛一を知っていたんです。彼自身は私を弟子の一人ぐらいに思っていたかもしれませんが、私には黒田哲学を含めて戦後の主体性派マルクス主義が克服すべきターゲットでした。その先に黒田革命論をも捉えていました。これを理論的に乗り越えるということが私にとっては大きなテーマでした。この点にある程度のめどを付けていたものですから、東大細胞と革通派は、革共同に行く理論的な理由が全然ないという方向で組織したと思うのです。こういうこともあって、革共同にはいかなかった。

島さんのことに戻ると、その後の、医療を中心とした島さんの活動はブントからの転身になるわけです。この転身、転向といってもいいですよ。このことを安保後の混迷状態のことも含めて押さえておいてほしいと思います。そういうことでブントの話をしたわけですね。

（＊）「未完の自伝5　1960年秋のノート」より

「約4日間のときが、続く。9月に入って、若干の人々と会ってから、一層の虚無状態に陥る。政治というのは無慈悲なものだ。俺の出る余地は、現在のところまったくない。俺の危機――10年ぶりの、強いていえば57年以来の、そして今後一生を定めるであろう――そんな時点にいることを感じる。／政治的に葬られるのは、不思議なことに全く苦痛を伴わない。しかし、俺が公然と攻撃され、反撃を出来ない状況にいるのに拘わらず、敗れたという感は全くない。」『ブント書記長島成郎を読む』（五七頁）

六八年の東大闘争と島成郎

――なるほど。そこに一つの考え所があるわけですね。よく分かりました。

次の問いに行きます。六〇年安保闘争の後、七〇年全共闘運動までの間、島成郎は政治活動から身を引いた、そうご本人が書かれていますし、多くの方の証言もありますね。また東大に復学した後、インターン制度反対闘争がはじまりますが、島成郎は前面には出なかった。これが東大闘争になって広がっていくといわれるわけですが、この六〇年代の島成郎さんについて、長崎さんはどう考えておられますか。

今のお話、私はちょっと違うと思っているんです。島さんの「1961年夏のノート」の九月一日に〈社学同再建要綱〉というのが書かれています（『ブント書記長島成郎を読む』）。一九六一年四月下旬に、「約半年の政治的な不活動状態からようやく脱し」とも書かれています。ここで社学同（社会主義学生同盟）とはブントなき後の反革共同の学生組織です。島さんはこの時期社学同の若い世代をオルグしようとしていたんですね。社学同の初代委員長だったけど安保闘争には関わらなかった中村光男なども誘い入れたようです。この再建社学同の一部に例えば「SECT6」のようなグループがあり、これははっきりと反前衛党主義を唱えます。安保ブントは六〇年に崩壊しますね。ところが共産党を経由しないで、いきなりブントで安保を闘った若手がたくさんいます。この世代が安保闘争だけでは燃焼不足だったのです。訳が分からないうちに安保闘争もブントも終ってしまう。山本義隆とか、『情況』という雑誌を創刊した古賀暹とか、柄谷行人もそうですか。みんな安保の時の新入生か二年生です。安保闘争は私の世代のように「これで終わり」とはいかないわけですね。

この人たちがとりあえずブントではなく社学同を再建して、都学連、全学連で革共同と対抗するのです。それが六一年です。そこに島さんが目を付けたのですね。紆余曲折はありますが、この再建社学同から第二次ブントと、六八年のブント系の流れが継承されていくわけです。インターン反対運動というより、全共闘運動につながるのはこれがメインだと思います。

たとえば石井暎禧という私と同世代の医学部ブントがいます。この石井が第二次ブントの創始者の一人です。彼はブント解体後も政治活動を続けるわけです。同じく、新潟を中心としながら地域医療を展開している黒岩卓夫。それにブントの港地区委員会にいた労働者上がりで高橋良彦などが、社学同を第二次ブント結成へとつなげていきます。私はこれにかんでいません。ただ、「共産主義」という機関誌を復刊するのが六五年です。再建準備号だったかな。私はその雑誌に『叛乱論』に収録した「戦後政治過程の終焉」というタイトルの安保闘争総括を書いています(*)。

後の東大全共闘の山本義隆も、広い意味で言えばこの系列になります。ここから東大闘争につながっていくし、中核系とブント系の分かれ目になります。中核派には清水丈夫がいる。こういう構図ですね。ところが、なぜか島さんは社学同との関わりを中途で止めたようですね。何が契機だったのか島さんは書き遺していませんし、私も覚えていません。本格的に医学部に入り直すということがあったんでしょうか。いずれにしても、一時ですが島さんはいいところに目をつけましたね。私はさすがだと思います。今回、改めてそう思いました。

今説明したようにブントを第二次ブントにつなげたのが医師の石井であり、これが青年医師連合のインターン反対運動にも密接に関係するのです。青医連のブント系学生が続いていくわけですね。首都圏では東大と東京医科歯科大ですか。この連中が企んで六八年六月一五日にブントの記念日だということで、東大安田講堂を占拠するわけです。これで東大全共闘運動に火がつきます。

このように安保闘争のブント若者組、アンちゃんブントといっていましたけれども、アンちゃんブントを通じて、全共闘運動にも青医連運動にもつながっていった。これも皮肉な話ですよ。島さんもそう思ったと思いますよ。

このため私自身も国会前でわけが分らずに経験したことを、全共闘運動の中でもう一度反芻しながら政治思想に仕立て上げていく。そう思って、「叛乱論」を書いたのです。

（＊）「戦後政治過程の終焉」において、六〇年安保闘争は次のように総括されている。「安保改訂で、日本の支配層は戦後過程の彼らの総括の第一歩をふみだした。労働大衆への攻勢といっても、この意味でこれまでの民主主義をめぐるものとは全く性格を異にする動向であった。安保改訂は五〇年以降の経済建設の成功の表現であり、ブルジョアジーはこれに一本立ちした資本主義国として国際舞台へのり出していく自己の姿勢を託したのである。平和の問題にしても、これまでのように脇にとりのけておいて聞こえのいいことをいうといった立場をやめて、米国の軍事的同盟者の地位に自己の利益をみいだすべき独自の立場を明らかにしたのである。総じて、安保改訂は日本の支配層が戦後史を総括し、これに訣別せんとする最初の歩みであったのだ。」（一二七－一二八頁）

地域闘争と島成郎の地域医療

運動・組織論的に言うと、島さんが目をつけた社学同の流れは、端的に言えば前衛党主義反対、大衆運動主義です。ブントは、実践的には反前衛主義だったけれども、組織論的にはその芽が残っていたというのが、社学同一派のブント総括の肝になります。

この社学同に対抗したのが革共同です。戦術主義的に、しかも六〇年安保丸出しで戦闘的な部隊を作って対抗する前衛党主義、これが清水丈夫なわけです。私は革共同をブントとのアマルガム（化合物）に改鋳したのが清水丈夫だと思っています。革マルだけだったら性格がはっきりしており対処の仕方があったんですね。中核派が全共闘運動のセクト問題を複雑にしたのです。ブントの分裂の仕方が後に残した問題点が六八年に継続されたわけです。

私はこういう見方をしているんだけど、おそらく島さんも、これに賛成してくれると思います。たしかに青医連運動が一九六八年の六・一五記念日の時計台占拠につながったという流れはあるのですが、それよりももっと大きな流れは、社学同から第二次ブントです。このへんのことを一番具体的に書いているのは、石井の『聞き書き〈ブント〉一代』（世界書院）です。

そんなわけで、島さんの医療活動については、私は接触も関心ももたないままにきてしまったのです。でも、こういうことはいえるでしょうか。全世界的に六八年は「新しい社会運動」という個別運動に引き継がれていきました。カウンターカルチャーまで含めてそうですね。アメリカは滅茶苦茶です。たとえば、オカルト結社の「ザ・ファミリー」とチャールズ・マンソン。シャロン・テート（ポランスキーの奥さんですね）を殺した悪名高いコミューンですが、これは六九年です。そのルポが最近ハヤカワ文庫になったので読んでみたのですが、日本では真似のできないオカルトコンミューンですね。このようにありとあらゆる種類のカルト・共同体が誕生して、その流れも含めて新しい社会運動に六八年が受け継がれていく。

たとえば私の友人たちですと、工学部や理学部の航空と空港の専門家が三里塚反対闘争の顧問になっていくとかですね。土地収用問題の専門家が法律的なアドバイスをする。要は、自分が専門家でありながら地域闘争で専門知識を生かしていく。そういうかたちで、とりわけ医学部も含め理系の全共闘運動が、地域闘争に引き継がれていきました。狭山で殺人事件があり、狭山闘争というのがずっと続きましたけれど、私の友だちの土木の専門家が現場の足跡の鑑定をした。そういうこともありましたし、いうまでもなく、七〇年代の公害反対闘争ですね。公害問題がピークを迎えますが、七〇年がちょうど公害国会になります。これもいうまでもなく理工系の連中が専門家として関わります。その一環として地域医療というのを見ることができるとすると、島さんの活動はその先駆となる。そういう見方もできるのではないでしょうか。もともと医者というのはギルドですからね。

激しくなる分派闘争

島さんとの関連で少し唐牛健太郎の話をしましょうか。

彼は、本当はかわいそうだったのですよ。四月二六日に篠原と一緒に逮捕され、出てきたのが一一月ですね。だから先ほど言った安保闘争のクライマックスもブントの解体も、彼は知らないのです。たんなる浦島太郎として娑婆に戻ってくるのです。しかも理論というよりは、実践面での才能を持った人でしょう。出てきたときには、その才能を使う場面はもうないわけです。

そこに清水丈夫がつけ入ってといっては悪いですが、唐牛、篠原という全学連の花形が一時的ながら清水丈夫の誘いで革共同に入るわけです。六一年の一月くらいですが、これが島さんの社学同再建オルグと絡むのです。そう思います。

というのも、島さんの意向が入っているかどうかは分からないのですが、唐牛と篠原が革共同に入った時に、次のような策謀を始めたのです。マルクス主義学生同盟、略してマル学同ですが、これは社会主義学生同盟（社学同ですね）の革共同版です。唐牛と篠原の二人がこの二つの学生組織を「共産主義学生同盟」（共学同）なる新組織に合同させようとしたのです。もしかしたらそういうかたちで、革共同をもう一度割って共学同をブント再建につなげていくという目論見があったとしても、おかしくはないわけです。

そうすると、革共同の生え抜きは、これに猜疑心をもつのは当然のことですね。ここで、クロカン（黒田寛一）が上から介入して、清水、唐牛、篠原たちの共学同路線を粉砕してしまいます。それで嫌気がさして、二人は革共同を辞めた。この年の七月です。島さんが政治から足を洗ったのはこの共学同問題と唐牛たちの挫折と関係があるかもしれません。これは推測です。そうすると黒田寛一の下に革共同の組織論が純化する。ブント主義を放り出すことができたのですが、ここに清水丈夫が残った。ブント主義を放逐しきれなかった。ブント出身の清水と本多延嘉がくっついて、革共同中核派を作る。革マル主義とブント主義のアマルガムが中核派だというのが私が描いている物語です。というのももうひとつ、唐牛たちの共学同路線はほかならぬ再建社学同の諸君の猛反発を受けるのです。黒田寛一の猜疑心がなくとも共学同はうまくいかなかったでしょう。安保最盛期の「大衆ブント」の欲求不満を唐牛が経験していないことが裏目に出ました。逆に、清水の方は彼らにたいするブント主義的なセクト闘争の鬼になっていくわけです。

島成郎はなぜ「沖縄」の基地・政治・戦争を語らなかったのか

――島さんが沖縄で医療をされている間、まったく基地の問題、沖縄戦の問題、日米安全保障条約の問題など、政治的な話を封印しているのです。どなたに聞いても、ほとんど聞いたことはないと答えます。なぜ沖縄だったのかということも含め、長崎さんのお考えを聞かせていただければと思います。

沖縄の前に、島さんが一切の政治的発言と政治活動を断ったという問題ですが、善しあしは別としてこういうこともあります。やるんなら組織的にやる、党活動としてやるというのが、我々の世代までの運動に対する関わり方としてあったのです。革命のための運動をするのであれば、何かに参加するなどということではなく、自分を投げだすことのできる組織活動をやる。反面から言えば、党や組織がなければ何も実践しない、やってもしようがない。そういうことがあったのです。

安保闘争でも、我々の多くは共産党からブントに来たわけですね。最初から、大衆ブントの世代とは違って、安保闘争に〝参加〟するのではなく、組織としてブントの運動を作るという、大衆運動を組織対象として見るわけです。学生運動の活動家でも、「党と大衆」という対象的関係に立つことを自明なものとして考えるわけです。だからこの区別が叛乱状態の中で見失われた時、党というものが訳が分からなくなったのです。ブントの多くが学者になったり、すっぱり政治的発言や政治活動を止めたことにはこうした事情があった。逆にこれを言い訳にしたのだと思うのです。

たとえば私は、自分のことを全共闘運動の当事者だとは思ったこともないし言ったこともありません。半分は言い訳になりますが、当時私が拠るべき組織がなかった。私は第二次ブントには足場がなかったですから。そうすると、共産党の東京都地区委員までやった島成郎にしても、同じような気持ちがなかったとはいえないだろう、というのが私の推測です。どうですか。

もう一つは沖縄の問題ですね。『叛乱の六〇年代』という私の本に、「アメリカ、アメリカ――安保闘争と日米同盟」（『情況』一〇年六月号）という一文がありますけれど、端的に言って、六〇年安保なかんずくブントにあって、「沖縄」は影も形もないのです。なんでだったんでしょうね。その前に内灘という反基地闘争があって、清水幾太郎なんかを通じてその系譜を引きずっているはずなのに、どうしてなんだろうと思います（＊1）。

一つは、反米闘争をやると共産党と区別がつかなくなる。それが幾分かはあったと思うのですが、基本は眼中にないですね。島さんにも「沖縄」があったとは思えません。だから、政治的発言と政治闘争を一切断った後に、医療運動を始めたときに浮上してきたテーマではなかったかと思います。

――米軍基地は、砂川闘争の後に沖縄に集中していきますね。反基地闘争は、砂川闘争の後はほとんど見られなくなっていきます。

とんじゃっていいますね。全学連は砂川闘争から始まったと言っていいくらいなのですが。あれは五六年ですが、私は大学一年で、学生運動の洗礼ですよ。いやあお巡りさんが怖かった、という感じでしたから。全学連はここから政治運動に取り組む方向に転換していくわけです。砂川闘争が終焉をむかえる、激突の局面はいったん終わるのです。内灘もそうだと思うのですが、ですから反基地闘争が一段落した、次は安保だというつなぎ目があったんじゃないでしょうか。発祥地点ではあったんだけれども、安保闘争のときには、みんな忘れていたんでしょうね。私だけかもしれませんが(＊2)。

(＊1)「アメリカ、アメリカ――安保闘争と日米同盟」より
「ブントと岸首相の相補関係、つまりは日米関係を置いてきぼりにして、平和と民主の国民運動が堰を切った。そこに表立っての反米意識はない。そして何よりも、国民は安保闘争に勝利して「戦後」を忘れ、心おきなく高度経済成長へと傾れていった。国民意識の上で、安保闘争は高度成長と

一連の出来事と見なされねばならない。戦後の混乱期を終らせ国民が国民として受肉する儀式が安保闘争であればこそ、戦後のアメリカ体験の恥辱を忘れることができた。忘れるという自己欺瞞こそが高度経済成長の享受を可能にした。逆説的にも、アメリカ的生活を追いかける六〇年代の大衆消費社会がこうして出現した。」（二四六頁）

（＊2）「安保闘争をもって日本国民が初等的にアメリカを卒業したことにはもう一つの側面がある。この闘争にいたる時期にはいうまでもなく一連の米軍基地反対闘争があった。ブントの結成を促したきっかけも砂川基地反対闘争であった。ところが、安保闘争は基地闘争の延長上にあったのではなく、かえってこれと断絶したところで盛り上がったのだった。かくてこれは国民が米軍基地の存在を忘れるための儀式になった。安保闘争は結果としてアメリカ大統領の公式訪日予定に泥を塗ったのだし、本国ではこれは反米の「東京暴動」だと報道された。日米関係、とりわけ在日米軍基地の将来に、アメリカ政府は警戒を深めたに違いない。こうして本土の主要な基地からの米軍撤退が進むとともに、逆に米軍占領下の沖縄へ基地が集中していくのである。「沖縄は紛争の火種になりかねない非常に微妙な問題だ」とライシャワー大使が来日早々に書いている〈六一年八月〉。大使の心配をよそに、安保闘争は米軍基地を本土から沖縄に、そして東アジアに放り出し、かくて国民はアメリカの記憶を消去する契機としたのである。」（二四八頁）

島成郎とは

――最後の質問です。「島成郎はどんな人物ですか」と問われたとき、長崎さんは、どんなふうに応えますか。

熱血漢の左翼でしたね。表裏のない感じを与える人でしたよ。そういう意味で人気がありました。だから組織と理論はだめだという暗黙の認定もあったかもしれません。いつも熱血的なアジテーションで、全学連大会で「ああ、また感情的になっている」と思った覚えがあります。学生ブントというのは頭でっかちだったんでしょうね。島さんからクソミソに悪口を書かれた当事者ですが、人間的に対立するとか嫌悪したということが、一度もないのです。晩年に和解の雰囲気になったときには、ちょっと嬉しかったですね。遺恨は、全く残っていないです。齢の力ということももちろんあったでしょう。

（二〇一七年四月一〇日　埼玉県朝霞市にて収録）

［付記］

ブントの第五回大会とその分派闘争については、当時の私のメモがある（「ブントと革共同」、『日本の過激派』所収）。また、ブント政治局通達（六〇年九月二五日）が「五会大会以来の党内闘争の経過と現状」を「出来るかぎり客観的に報告」している。（『季節』5、エスエル出版会、一九八一年、一二一頁）。

革命から叛乱を解放する

安藤歴（カモノハシ協会）

1　長崎さんは、ブント、東大助手共闘等の活動において六〇年安保闘争、七〇年安保闘争に関わり、その後は地方党の結成などの活動をしており、成田闘争のような住民闘争にも関わっていたが、そもそもマルクス主義または「左翼」との出会いや運動に関わることになったきっかけは何だったのか？

一九五六年という年

もう昔の話になりますけれども、まずは一九五六年が日本ではどういう年だったかを思い出すことから始めます。以降の理解の助けになると思います。一九五六年は私が大学に入学した年です。その二月にフルシチョフによるスターリン批判がありました。それと直接に関係して、ハンガリーで反ソ暴動が起こる。ハンナ・アレントが「政治的な活力がまだ衰えていない」証拠だと書いたのがこれです。日本の場合には、「もはや戦後ではない」という有名なスローガンが政府の経済白書の題名になりました。つまり、この年を境にして戦後復興にようやく目処がついて、それ以降の経済高度成長社会に邁進していくという宣言が政府から発せられた年です。ですから、敗戦直後の一種の革命的な混乱時代を抜け出していく、そういうメルクマールになるのが一九五六年のわけですよ。それと対応するかたちで、前年の五五年には保守党と社会党がそれぞれ合同して、自由民主党と社会党の二大政党がここで初めて成立します。日本の政治学者が言うところのいわゆる「五五年体制」です。そして、そこから非常に特異的な戦後政治過程が始まり、六〇年の安保闘争につながっていく。

特異な戦後政治過程

この戦後政治過程は端的に言って、革新の側が平和と民主あるいは戦後憲法を「守れ」というスローガンを出す。それに対して、この政治過程では岸信介に代表されるような戦前からの保守政治家がまだ存在している時代です。戦後憲法の理念から言えば「逆コース」と批判されたように、彼らは戦後政治過程の巻き返しをやろうとしている。中心は進駐軍に押し付けられた戦後憲法の改憲、そして再軍備です。その前提に日米安保条約の改定が追及されます。すると「逆コース」の策動があるたびに社会党・総評を中心として「憲法を守れ」の反対運動が起こる。保守が戦後体制の革新を、革新側がこれを守れと言う。こうしたねじれた対立を特徴とする戦後政治過程が五五年からスタートして、それの延長上で安保闘争が闘われる。この特異な戦後政治過程の特徴をまずはおさえておきたい。

そして結論だけ先に言えば、安保闘争に日本の国民と知識人が勝利します。安保闘争後に至ってようやく、特に保守党、自由民主党で、戦前の政治家から戦後の政治家への交代が起こるのだと思います。岸信介の内閣が倒されたのが、それを典型的に表している。その意味で、五五年から六〇年までの政治過程が重要だと私は思います。五五年体制とは五五年から保守と革新の政治体制が崩れる九〇年代までのことだと、政治学者は言ってるけれども、私の意見は違います。六〇年で一区切りつけないと、それ以降の万年保守と万年野党の体制の成立ということがおさえられないと思っています。これが政治過程のことです。

全学連学生運動の再建

次に学生運動です。戦後政治過程とともに全学連の政治運動が再興されます。その最初のメルクマークになったのが、一九五六年の砂川の米軍基地闘争。基地返還闘争ですね。これに全学連が参加し、私もこれで学生運動を初体験します。

私のことを言えば、私はもともと物理学者になろうと大学に入ったものですから、入学してすぐに「自然弁証法研究会」略して「自弁研」という物理学者たちの研究会に参加しました。そこに所属して主として科学史および科学哲学からマルクス主義にも接近するというふうにまずはいくのですね。これは多少特殊なコースかもしれません。それに関連して、マルクス主義にも技術論から入っていくわけですね。武谷三男という素粒子論物理学者がいまして、この人が戦後に有名な技術論を提起します。この技術論は「もはや戦後ではない」という戦後社会における科学技術の振興につながっていく性格のものですが、しかしマルクス主義の装いで技術論を展開した。同時にこの技術論に大きな影響を受けて、いわゆる戦後の「主体性派唯物論」の一派が形成されます。ソ連と日本の共産党による公式の唯物論に対する批判勢力ですよ。その代表格が梅本克己さんとか黒田寛一さんということになります。自弁研というのは、そもそもが必ずしも日本共産党に同調しない雰囲気を持った研究会だったんです。実際、黒田寛一とか、その他の戦後主体性派唯物論者を招いては話を聞くというようなことをやっていた。ですから、日本共産党というよりも、反スターリン主義、トロツキズムの系譜からブントへと、私はそういう経緯です。

地主の末裔たち

それからこれはエピソード的になるんですけれども、日本の場合には、特に戦前は地方地主の家系の息子がアカになるという典型がありましたでしょう。その戦後の最後の例が、私なんかも含めて、この時代の全学連の指導的メンバーだったということです。田舎から子弟を大学に送り出すことが珍しい。だから学生がまだそういう意味でエリートだった時代の最後ということでしょうか。例えば全学連幹部の一人の話では、東大入学のために四国の村を出る時、村人が旗行列で峠まで送り出したそうですよ。まるで出征兵士の見送りです。これは地主の息子だったかどうか知りませんが、大江健三郎なんかも四国の山の中の出ですよね。あの人の初期の小説を読むときはそういうバックも読まないといけない。

全学連と日本共産党

安藤 六〇年当時は保革という対立で、社会党共産党系の人と自民党の人達で社会党系の人たちが「左翼」って言われたというお話ですけれども、全学連だとまだ共産党支持なんですかね。どういう感じで自分達を規定してたんですか？

全学連の幹部たちは日本共産党の学生党員です。そしてこの人たちが、例えば東大で言うと東大の共産党学生細胞というかなり大きな組織の一員だった。したがって当初は全学連再建も共産党の方針の一翼としてあって、そこから学生党員たちがはみ出て行くという経緯ですね。聞いたことがあると思いますけれども、五六年以前は日本共産党の青年運動自体が非政治化していたわけですね。よく「歌と踊り」の路線と揶揄されます。大学の片隅で人を集めてコーラスやるとか。このように、日本共産党はおよそ政治的な指導を学生運動に対して放棄するようになっていた。共産党は五五年までのいわゆる戦後の混乱期に、武装闘争でこっぴどく失敗するわけです。これに対して自己批判したのが、いわゆる「六全協」というやつです。間違ってましたと坊主懺悔をする。この流れに全学連の幹部達も巻き込まれて、そこから反省して立ち上がってきて、全学連で政治運動に取り組む。こういう経緯です。

2　日本のいわゆる新左翼とはどんな運動であったのか。旧左翼からどんな問題を受け継ぎ、その問題をどのように克服できると当時考えられたのか。新左翼にはどのような可能性があったと考えるのか。自身の思想を新左翼の関係でどのように位置づけるのか。

ブント（共産主義者同盟）

一九六〇年の安保闘争のほぼ一年前、五八年の暮れに共産主義者同盟が結成されます。そして、全学連の主要なメンバーがその中心になる。その後の全共闘時代の新左翼のイメージとはずいぶん違うんですけど、当時は前衛党は各国に一個だけ存在すべきだという教義が暗黙に信じられていたわけです。唯一の前衛党です。日本共産党はその後もこの教義に固執していきます。宮本路線です。そうしますと唯一の前衛党の内部で何か路線なり方針なりに反対する時って、いわゆる党内闘争と言いまして、党内民主主義を要求して前衛党をその内部で変えていくということが、せいぜい許される批判的な動きだった。ところが、ブントは「別党コース」といいまして、組織を割って出ちゃったわけですね。これは初めてのことで、今では想像ができないでしょうが当人たちにとっては大変なことだったのです。そして新しい前衛を作るんだと標榜して小さな組織をスタートさせた。したがって、六〇年安保闘争の直後までそうですけれども、当時は「新左翼」という名称は自他ともにありませんでした。もっぱら「新しい前衛」とか「新しい前衛を目指す」という風に言われていた。このことが今言ったことに関係するわけです。つまりは幻想的な話ですけれども、共産党にとって代わって唯一の前衛政党にわれわれがなるんだということです。

これが組織的目的であり、私などブントの学生同盟員の盟約もこの点にあったのです。その後の六〇年代になると、新左翼諸セクトが乱立し、もう「唯一の前衛党」にとって代わることなど事実上関係がなくなる。日本の新左翼運動を見る時、この違いは大切なポイントだと私は思っていますので、あらかじめコメントしておきます。

左翼反対派としてのブント

では「新しい前衛」は、日本共産党のどこを批判してスタートしたのか。ブントの綱領に縷々書いてありますが、今となればこの点はたいして重要な論点ではありません。一口で言うとすれば、失われていた古典的なマルクス＝レーニン主義を復興しようということ。ただ、結成したばかりのブントはすぐに戦後政治過程の頂点、六〇年安保闘争の渦中に身を投じることになります。このためにブントを結成したのではないのに、安保が革命につながるなどと夢思っていないくせに、また当時のトロツキスト革共同のように「喫茶店オルグ」だけしていればいいのに、「アンポがつぶれるかブントがつぶれるか」と唱えて安保闘争に没入していきます。そこにどんな衝動が働いていたのでしょうかね。これもその後の私のテーマになります。

ともかくも、安保闘争の先端を走ろうとして、「新しい前衛」と現実の大衆運動との折り合いを付けないといけない。そこで掲げられたのが「労働運動の左翼的再編」というスローガンです。そのために全学連の学生運動をも過激な手段として位置付けるということです。これは特徴的な言葉として記憶すべきだと思います。つまりこういうことです。労働運動は当時の社会党と総評それから共産党の指導下にありましたから、このままでは労働者階級がブントが考えるような革命に進む目処はない、進む可能性はない。しかし他方で、あくまでも労働者階級が革命の主体だという古典マルクス＝レーニン主義に従うのであれば、どうしてもこの体制内化した労働者階級とその指導部との関係に「左翼的な再編」を創り出していって、労働運動をブントの側に獲得しないといけない。ロシア革命でメンシェビキに支配されていたロシアの労働運動をボリシェビキがひっくり返して革命に近づいていくというイメージ。これを「左翼的再編」と言ったわけです。

歴史的カテゴリーとしての左翼反対派

実はこれは歴史上珍しいことでもなんでもないんです。言い換えれば、共産党（あるいはスターリニスト）と社会民主主義者社会党に対して、あくまでその革命運動内部の「左翼反対派」として自らを位置付けるのです。左翼反対派として活動しながらいつか自らが「唯一の前衛党」へ成長することを目指すのです。私はマルクス主義における「左翼反対派」というコンセプトを、その後の新左翼運動を理解するためのキーコンセプトとしてずっと使っていくことになります。

歴史的に言いますと、二〇世紀の初めにかけてドイツを中心としたマルクス主義の労働者運動が、いわゆる社会民主党化して体制内化していきます。これに対して、ローザ・ルクセンブルクとかルカーチとかレーニンなどが反対派を形成して、結果的にいわゆる「革命か改良か」という第二インターの分裂をもたらした。これがマルクス主義の革命運動の二〇世紀的なスタートになるわけです。これ以降、第二インターの修正主義がヨーロッパ社会民主主義として定着していきます。スウェーデンを始めとして、社会民主党が政権を担うことが普通の時代に入っていき、福祉国家を形成するということです。第二インター以降、マルクス主義の革命論ではこのヨーロッパ社会民主主義が何といっても主流であって、マルクスはヨーロッパで「勝利した」のです。これが私の見方です。ロシアではスターリニストが革命を簒奪している。それに対して、プロレタリア独裁にまで革命を推進すべきとするもう一方のマルクス主義者はどうなるのか。労働者階級革命論に則っている以上は、そして労働者が当面は社民ないしスターリニストの指導下にある以上、どうしても「左翼反対派」の位置に立たざるをえない。そういう一種の歴史的宿命がここで生まれるわけです。カテゴリー的必然性と私は言っています。

だからどこの国でもヨーロッパ型の社会民主主義があって、これに飽き足らない連中は意識しようがしまいが、この「左翼反対派」というカテゴリーの位置に立たされるということが起きます。ハンガリー革命でルカーチの立場もこれですし、ドイツでは独立社会民主党とスパルタクスが追い込まれた立場でありますし、どこでもそうです。その典型が言ってみればレーニンのロシア革命になる。そしてさらには、後進国革命で中国革命にまで至る。あるいはカンボジア革命まで至る。労働者階級・社民など存在しないのだから、彼らはもう事実上左翼反対派でもなんでもないのに、マルクス主義革命論のカテゴリーではそうなってしまうのです。

六〇年安保闘争、戦後政治過程の頂点

社民・スターリニストにたいする左翼反対派というカテゴリー、その日本における初めての現

れとしてブントが誕生し、六〇年安保を闘ったんだという、そういう位置づけです。そして、左翼反対派というカテゴリーが安保闘争の中でブントをこづき回し惑乱させ、その解体に至るという物語です。少し具体的にお話ししましょう。

六〇年安保は先ほど言いました戦後政治過程の頂点として闘われ、同時にこの過程にピリオドを打つことになります。安保闘争はその総称として「国民運動」と呼ばれたように、全体としては社会党・総評の主導のもとに国民各階層を束ねての統一運動だったわけです。その機関が「安保改訂阻止国民会議」でした。全学連も正式加盟しておりました。そうすると、この国民運動の中で全学連がマルクス＝レーニン主義的な革命復興路線に固執する限り、その立場は必然的に「左翼反対派」の立場になる。これが、第一次ブントの誕生でした。一九六八年頃の新左翼セクトが置かれた立場と、この点が根本的に違う。歴史的に押さえなければならない点です。

六八年には新左翼諸セクトは、もう労働者階級とも社民ともスターリニストとも離れたところで独自に、いわば勝手に大衆運動を過激化していきます。労働者同盟員まで根こそぎこれに動員しました（反戦労働者）。その分また、六〇年と違って六八年が日本の政治過程にほとんど影響を与えなかったことにつながります。それでいて、左翼反対派の自己意識は払拭できないでいる。「反帝・反スタ」という自己規定が典型的にこれを表現しています。この自己矛盾が「新左翼」の内実であり、この意味では六〇年ブントはそもそもは「新左翼」ではなかったのです。それでいて、六〇年代新左翼の出発点をなす、このねじれた関係はなかなか理解がいきにくいかもしれません。

叛乱としての安保闘争

ところが、六〇年安保闘争のどん詰まりの時点で、左翼反対派ブントが現実の試練にかけられます。戦後政治過程における国民運動はスケジュール闘争による動員形態でしたが、安保闘争も一九回にわたってこれが繰り返されました。ところが、一九六〇年の五月一九日という日に、岸内閣が衆議院で改訂安保法案の批准を強行して可決してしまう。条約ですから三〇日後に自然成立することになりますが、五・一九から六・一八に至る最後の一か月に安保闘争は頂点を迎えるわけです。けれど、五五年以来の戦後政治過程の延長という性格が、ここでガラッと変わってしまうのです。

安保改訂阻止国民会議はその頃までに一六三三団体がこれに結集して文字通り国民運動といえるものになります。五・一九をきっかけにして、最盛期には五八〇万人が動員されるという日本では空前絶後の大衆運動です。首都圏では毎日国会の周りが人で埋められるという事態が起こるわけです。これだけの人数のデモが国会を取り囲んで、国会の社会党、共産党にプレッシャーかけることで、直接に政治過程に影響を与えるということになりました。

ジレンマに直面するブント

こうした中で、全学連とブントはどうなっていたか。国会の前に動員した膨大な学生大衆をどこかに向けて先導していかなきゃいけないわけですね。ところが、「キシヲタオセ」と叫ぶ国民大衆に取り囲まれて身動きも取れない。ブントが「労働運動の左翼的再編」という時の具体的な戦術目標は労働組合を国会デモに連れ出すことでしたが、五・一九以降はそんなのは当たり前の現実になります。総評・労働組合も国会にはせ参じて岸内閣の暴挙に抗議デモをする。言ってみれば、この状態の中で「左翼反対派」としてのブントの位置、古典的マルクス＝レーニン主義者としてのブントの位置づけが効力を失ってしまい、ブントは事実上の大衆前衛となってしまいます。国会周辺の毎日の叛乱状態のうちで、その先端を切らねばならないのです。これがブント学生同盟員の言い知れぬ焦りになります。なぜかといえば、ブントの革命のコンセプトと現実の大衆運動とが齟齬をきたすということが起きます。つまりマルクス＝レーニン主義的な労働者階級を主体とした革命のイメージと、安保闘争で国会を取り巻いた国民大衆のそのまた先端を走らねばならない。そこにギャップが生じるということです。党と大衆とはどう違うのか、そして党の分裂とはどういうことだったのかと、自己認識の動揺がデモの渦中のブントを捉えることになります。つまり、自分たちが目指していたのとは全く違う叛乱の渦中に投げ込まれて、しかもその先端を走ってこれを貫徹するという、内心と自分の行動主義との乖離を経験します。まあ言ってみれば魂と身体のギャップです。こんなことが一カ月続く。これが以降、私の原体験になるということです。

国民革命としての安保闘争

以上の次第から、六〇年安保闘争というのは日本で初めての国民革命だったのだと、私は思うようになりました。市民革命と限定しても結構です。規模が前代未聞でしたし、日本の歴史では極めて珍しく大衆運動が内閣を倒しました。米国大統領の訪日を阻止しました。この安保闘争という国民運動に国民が勝利したのです。具体的に言いますと、その後の社会党の躍進につながり、いわゆる革新自治体の成立が普通になります。何よりもここで初めて、日本国民が戦後政治過程を自ら卒業して、戦後の日本国民として受肉することができた。自覚的に国民になることがこの闘争を通じて初めてできた、いわゆるアイデンティティーというやつですね。同じことが知識人についても言えます。この運動を先導することによって、戦後日本知識人というコンセプトがここで初めて確定する。日本国民と知識人、この両者が組んで、その後の六〇年代の経済の高度成長と大衆消費社会が、国民自身のもの、知識人自身のものとして血肉化することにつながっていきます。安保闘争にもまして、高度経済成長は「戦後最大の思想的事件」だった。私はこんな風に後に思うようになりました。この意味では明治維新が目指した日本の近代化が、百年経ってようやくこの時点で大衆的な意味で完成した。それが六〇年安保闘争だというふうに総括できると思います。

安保闘争とナショナリズムの経験

スモール［Houston Small、カモノハシ協会］旧左翼スターリン主義の問題はナショナリズムと言われていますね。そして新左翼の一部はその面でスターリン主義を批判してたじゃないですか。当時のブントに参加している活動家は自分の闘争と他の地域における闘争とのつながりについてどう思っていましたか。

　スターリン主義をナショナリズムと仰ったけれど、これは一国社会主義ということですね。日本における反スターリン主義にはもちろん、一国社会主義への批判が含まれていました。しかし、もっと重点が置かれていたのは、やっぱり前衛党論なわけです。つまり、革共同、トロツキズムの特徴として、スターリンのような前衛党ではない前衛党の主張を前面に押し出しました。プロレタリア独裁が今のソ連社会では成立していないという、ソ連共産党とソ連社会の現状に対する批判が全般的な反スターリン主義の中身です。ブントの見方にも同じトロツキズムの系譜なのでそういうことがもちろん含まれている。そうなんですが、先ほど言ったのは、安保闘争に至る闘争の渦中で、その先端を駆け抜けることによって、言ってみればその教義、ドクトリンがすっ飛んでしまうという経験をするわけです。安保闘争の国民運動の中で反スターリン主義なんて言ったって何の関係もないような、そういう大衆運動の経験を現に踏んでいるということになりますね。それが先ほど言ったことです。あくまで経験的な地盤に日本の左翼体験を据えたいということで申し上げています。

　これは欧州の新左翼と違う特徴ですが、五〇、六〇年代の日本の新左翼は理論左翼に止まらずに独自の大衆運動を作ってもいたのです。トロツキスト革共同とブントの違いにもなります。この経験のことを抜きにして日本の新左翼の綱領とか、マルクス・レーニン主義理解の程度とかをあげつらっても意味がないと私は思ってきました。

「アンポハンタイ」から「キシヲタオセ」へ

安藤　国民運動、安保闘争におけるナショナルな運動をその当人たちは、でも戦後体制を倒すという意識はやっぱりあったんですか。例えばブントの人たちは戦後民主主義を批判するという意識や議論を持っていたんですか。

ブントに限って言うとそうではないんです。これも奇妙な点です。ブントは安保条約改訂反対にあくまで固執していた。何故かというと、岸内閣による安保条約の改定は日本資本主義のアメリカからの自立の証である、つまり条約に反対しこれを粉砕することは、そのまま高度経済成長をもって復活していく日本資本主義そのものの打倒闘争だというわけです。それが革命につながる。つまり、経済的下部構造から政治の目標を位置づけるという古典マルクス＝レーニン主義の公式に沿っていた。さらに言えば、これが岸内閣の意図でもあったわけです。岸内閣がなぜ日米安保条約の改定に固執したか。破棄とまではいかないですけれども、これの改定に固執した。これまでの安保条約が日本の義務だけ規定してアメリカの日本の防衛義務がないという片務的な性格を持っていたのに対して、相互的義務という両方向からの同盟条約に変えないといけない。これが岸内閣の条約改正への意気込みだったということです。したがって、岸内閣としては、日本資本主義の自立の政治的な表現と言ってもいいほどに、安保条約改定に対する意気込みは半端じゃなかったんですよ。岸は安保を改定して憲法改正と再軍備につなげたかった。しかもこれが絵空事でなかったのは、安保闘争以前では、憲法改正賛成の方が世論調査では反対よりまだ多い時代だったのです。

岸内閣の姿勢に対応して、安保反対闘争の底流にも、アメリカにたいする従属から少なくとも半独立になろうという国民意識が存在していました。日本国民は必ずしも自覚してなかったけれども、六〇年安保闘争は戦後の歴史で唯一ナショナリズムの運動だったともいえるのです。安保闘争に勝利して、日本国民は「中学校程度にはアメリカを卒業した」と私は言っています。大体アメリカではこれは反米の「東京暴動」と呼ばれていました。ただ当時、反米民族闘争をもろに出していたのが日本共産党だったのです。共産党と喧嘩してるブントとしてはもろに反米とは言えないんだよね。言えないんですけど、それを岸内閣の日本資本主義自立路線に対する反対と言い換えて岸内閣に対決する。ねじれたナショナリズムというものがそこにあったでしょうね。しかしとりわけブントの私どもとなると、反米意識とナショナリズムはぜんぜんなくて、世界革命意識しかない。その点でもうソ連や中国の共産党の言うことなど聞かない。日本国民の叛乱の中で、岸内閣への向き合い方がブントはずれてしまう。アンポに固執する点で、ブントと岸内閣とは奇妙に孤立した対峙の関係にあったのです。

それというのも、六〇年の五・一九から安保闘争が絶頂に向かうわけですけれども、その時に、安保改定の是非に拘泥してはならないと、竹内好を筆頭として戦後知識人グループが言い出すのです。アンポでなく「民主か独裁か」だとテーマのすげ替えを提唱するわけです。その影響は大きかった。叛乱する大衆のスローガンが一夜にして「アンポハンタイ」から「キシヲタオセ」に転換するのです。これには驚きました。言ってみれば、「民主か独裁か」と国民運動が叛乱状態となるなかで、安保に固執する岸信介とブントとが置いてけぼりをくらうということですね。両者が主役から外されてしまった、ということが事実として起こったということじゃないでしょうか。

3 『1960年代　ひとつの精神史』では階級論から大衆蜂起へ、科学から思想へといった問題構成の変化を指摘しています。この著作で指摘された変化をどのようにとらえているのか？この変化の中で、それに違和感を覚えたと書いているが、それはなぜだろうか？

叛乱論

ここからはブントのことでなく、私の思想問題に話を移しますね。マルクス＝レーニン主義に代表される革命論のパラダイムからの転換を、私は「叛乱論」で期せずして果たすことになります。そう思っています。「叛乱論」を読んだら分かると思いますけれども、労働者階級とか、前衛党とか、プロレタリアートの独裁とか、あるいは綱領と戦略戦術、そういうタームが全然出てこないでしょう。当時としては、こんなものは左翼の文献としてありえない。むしろ、「叛乱論」がこういう形を取ったという意味でも、一九六八年は政治の文体を変えたと私は言っています。「叛乱論」は政治論の中身ばかりか、政治の文体の転換を提起していたのではないでしょうか。

まず、資本主義でなく近代世界とか近代社会とかをターゲットにして、「近代への叛乱」というテーマを立てる。叛乱を革命から切り離して位置づけたという特徴です。また、「労働者階級と前衛党の指導」という革命運動の構図を、「アジテーターと大衆」という関係に切り替えています。先にも指摘しましたが、資本主義ではなく近代というタームを使いました。これも大きな用語転換だったんですね。もとより資本主義は存在しないとか終焉したとかではありません。後の話題になると思いますが、これにはルカーチとかハイデガーとかの思想の影響が関係していますす。さらにもうひとつ、階級というコンセプトを大衆という用語に一回ばらしてしまったということがあります。これには二つの側面があります。ひとつは、もともと叛乱というのは兵士とか階級とかに限定されない言葉です。もともと労働組合の一員であったり全学連の一員であったとしても、人びとが叛乱に決起する時はそれぞれのアイデンティティーが一度は清算されてしまうわけです。ただの人として叛乱に決起するのです。その意味で、近代における強力な人間の社会的規定性、学生なのか、労働者なのか、知識人なのかというアイデンティティーがひとまず放棄されます。近代社会の根幹をなすアイデンティティーが無化する集団行動が叛乱だと定義するのですから。

もうひとつは状況的なことです。この時代になりますと、階級とか階層の規定が事実散逸して、みなが大衆というありかたをする。マルクスならルンペンプロレタリアと呼ぶであろうような、アイデンティティーと歴史とを失ったデクラセ大衆の存在です。実際、今日の世界各地の街頭蜂起はこうしたものです。叛乱を主題にすることが、階級から大衆への主体のコンセプトの転換を要求しています。もうひとつ、これまでは叛乱は民衆暴動に終わる、そうでなくともありうべき革命過程の最初の段階と位置付けられてきました。革命とはプロレタリア独裁による国家権力獲得だとして、その一里塚としてでなく、これとは独立に大衆叛乱そのものを扱ったのです。

科学から思想へ

それから科学的理論という言葉から思想へのタームの転換のことです。かつて理論と言いますと、日本ではどうしてもマルクス主義の科学的理論を指していました。「理論と実践」のその理論です。あるいはマルクス理論との関連が問われました。私に「思想」という言葉はなかったのです。ところが、六〇年代を通じて、思想という思考が私にも侵入してきます。たとえば、安保闘争の後にマルクス主義のおさらいをするわけですが、当時は資本主義あるいは帝国主義の経済学の理論が中心を占めるべきだとされていました。宇野経済学とかその発展とかです。私はしかし六〇年代の半ばにこれを止めます。科学や理論の代わりにそこに思想という言葉が入ってくる、その違和感のことを覚えています。私の『１６６０年代』に思想という言葉の珍しさの感覚のことを書いた理由です。しかしじきに、資本主義の理論というより近代思想をターゲットにするようになり、そのことを思想という言葉で考えるようになったということです。「自立の思想的拠点」といった吉本隆明の言葉遣いの影響もあったかもしれません。科学的な「より正しい理論」

を探す、あるいはこしらえるというより、この私の孤立した思考の営みを名指したい。中身はともあれ「思想の態度」が問題なのだと。それが思想ということです。

しかし以上はたんに私の私的な、時代的な体験ということで別に深い意味はありません。党についての綱領的思考を棄てることに付随して経験されたことで、後には私は思想でなく思想の態度が問題だということを、むしろ嫌うようになります。「思想の自立を妨げた思想家」などと、吉本さんの追悼文に書いたりしました。「思想という魔語」に囚われた最後の世代が全共闘です。

日本の1968と叛乱論

「叛乱論」のことに戻ります。後から振り返ってみると、あの時点でよくこんなものが出てきたと思います。これはもともと六八年の前に書かれたものなんです。東京大学の占拠されている時計台で、ちょうど創刊間もない『情況』の編集長に会いまして、何かないかって言うから、二〇〇枚あるよと言って渡したものがこれです。言ってみれば全共闘運動が起こる前の私の思考を、全共闘運動に部分的に合わせて書いたという性格を持っている。結果的に、私の感触としては全共闘のノンセクトラジカルとブントの一部にこれは受け入れられたと思いますが、新左翼諸セクトにとっては総じて受け入れられることはなかったと思います。

それともう一つ、「叛乱論」は一部に受け入れられたとは思うんですけれども、その反面として、叛乱のアナーキーの中で、政治とか党とかいうコンセプトが逆に不分明になってしまうことが起きるわけですね。だから、六〇年ブントの経験者としては「叛乱論」を書いた後にこれではまずいと思いました。叛乱がもともと持っているアナーキーな性格はアナキズムとは違う。政治とか党とかいう概念はなしでいいのかっていう問題を残してしまったと私は思いました。それで「叛乱論」の後すぐに「叛乱と政治の形成」という評論を書いて、私自身の論点を移していこうと思いました。それが『結社と技術』になるというそういう流れです。

4　『結社と技術』において、ルクセンブルクの『大衆ストライキ、党及び組合』やルカーチの『歴史と階級意識』を議論しながら、当時の左翼を批判し、自分の組織論を展開していく。六〇年代にルカーチやローザ・ルクセンブルクといったマルクス主義者をどのように読んでいたのか？　また、日本のマルクス主義者たちの議論については誰をどのように読んでいたのか？

ルカーチとハイデガー

「叛乱と政治の形成」という問題を立てて、アナキズムに話を回収するのではないとしたら、これまでのマルクス主義理論の経験の中で何が参考にできるか。六〇年代に私に影響を与えたのがルカーチです。それから、レーニンでしょうか。レーニンの場合どうしても目の上のたん瘤になるのは、その前衛党論と国家論です。『何をなすべきか』と『国家と革命』。その山を越えないといけないわけですね。まずはルカーチを通じて、近代世界の批判という点で突破していく路線を取りました。

なぜルカーチが参考になったかと言いますと、ルカーチは『歴史と階級意識』で近代世界の物象化というテーマを挙げて、あらゆる分野で物象化を徹底化したのが資本主義的近代だというわけです。革命運動が、科学が、マルクス主義理論が物象化している。つまり、近代にある限り何ものも物象化の趨勢を免れえない。そのもととなったのが、マルクス主義が原点とした労働という人間の最も本源的な活動です。それをルカーチは対象化という活動の下に捉えるということですね。後に言っていますが、ルカーチはまだマルクスの自己疎外という主張を知らなかったんです。もちろん、ヘーゲルのことは熟知してましたが、マルクスの『経済学・哲学手稿』を見ていない。だから、もっぱら対象化という概念で物象化を捉えていた。つまり例えば、労働を通じて自然を対象化するということ。自然を人間化し、技術の対象にして利用し繁栄していくわけでしょう。人間が使えるモノに万物を取り立てていくという近代の基本的な営みとして、労働の対象化を捉える。下手するとマルクス主義から離れてしまうようなコンセプトから、ルカーチは近代を定義していく。マルクス主義から見ると非常に危ない。そういうものとして私は読みました。

労働の批判へ

ただし、ルカーチをこのように読んだのは、実はハイデガーの影響です。ハイデガーの近代批判は、近代というのは労働という活動による世界像の創出だというものです。つまり労働という活動が本源だとするのは基本的にブルジョワ的世界観だ、というのがハイデガーの近代批判だと思います。私は「ヒューマニズムについて」を一九六三年に読み、これにショックを受けて、ルカーチにつながっていきます。それから、六〇年代になりますと、ホイジンガの『中世の秋』だとか、ボルケナウの『封建的世界像から市民的世界像へ』など、ヨーロッパ中世を好んで読むようになります。それから例えばパスカルとかも好んで読みましたが、パスカルにおける近代科学の始まりではなくて、彼が一時期魔女に取りつかれて狂ってしまったという挿話に関心を持ったり、ニュートンについても晩年錬金術に凝ったとか、そういう反動的なところを見ることを通じて、気分的にも近代批判に重なります。理論の嗜好が変わるんですよ。ということで、叛乱とは近代にたいする叛乱だとして、「叛乱論」になります。

評議会運動としての全共闘

運動の組織論では、叛乱の組織論の素材になったのは全共闘運動です。全共闘という組織と運動が現れて眼前に展開している。これは一体何なんだということです。私は六〇年安保闘争の絶頂期に大衆の叛乱状態を経験したことを思い出しました。つまり、これは叛乱ではないかということですね。そして全共闘という組織は叛乱が必ず自ら作り出す組織です。一般に評議会と言われますね。ソヴィエトと言われたり、コミューンと言われたりしてきました。労働者評議会もありますが、一般的に叛乱が作る自己権力としての組織が評議会です。評議会として全共闘を見ること、これを基盤としてそこから組織論をスタートさせることで、私は組織論の立論をレーニンから元に戻すことを意図しました。叛乱におけるアジテーターと大衆の関係そのものから集団形成を論じることです。アジテーターですから組織論には言葉の問題が本質的です。レーニンの革命期の著作を読むときも、そこに「言語の永久革命」を読むことです。

そうした中で、叛乱の組織にとって政治とか党とかというコンセプトは絶滅するどころか、かえって独自のカテゴリーとして浮かび上がってきて叛乱に反作用を及ぼすことが見えてきます。レーニン・スターリンの前衛党論を解体する論点をここに据えたのです。こういう目から見ると、ルカーチの組織論はいかにもヘーゲル的で倫理主義的です。ルカーチ批判は後に『革命の哲学』で、長いルカーチ論を書くことになります。

結社の組織論

それから、ローザ・ルクセンブルグですね。エンゲルスの予言したとおりドイツ労働者階級が強力な勢力になる二〇世紀初頭に、彼女は組織労働者から大衆、さらにはマルクス的意味でのルンペンプロレタリアにまで、革命の主体を拡張します。こういうかたちでレーニンの『何をなすべきか』の革命論・前衛党論に対抗しようとした。しかし、彼女らの叛乱は潰えてレーニンが国家権力を握るという結果です。ローザやルカーチにたいして、私が持ち出したのは結社というコンセプトです。これはふたつの理由からでした。

ひとつはブランキを生かしたかったんですね。「私のブランキ」という文章を書きました。自分に与えられた素材を使って何かを形作っていくということ、叛乱大衆に形を与えることを純粋に体現した人物としてブランキを捉える。芸術的な感覚と言ってもいいようなものかもしれません。もうひとつは、先ほど、自然科学に関連して技術論に対する私の関心に言及しました。技術という人間の活動は自然素材をある形にしていくということで、ギリシア的にはテクネーですね。

テクネーというと芸術作品まで含まれるわけで、人間の側から目の前の混沌とした素材を形にしていく営みとして技術を捉えます。すると、叛乱大衆のアナーキーに形を与える集団が結社ではないかと。「死と再生」の入会儀礼を伴うブランキの結社じゃないかと。そういう意味で結社という言葉を使いました。

宇野経済学と戦後主体性派唯物論

それから、そのころ日本のマルクス主義として何が相手だったのかというご質問に簡単に触れます。ひとつは圧倒的にマルクス主義経済学、それも宇野派経済学です。宇野さんの『経済原論』を隣に置いて資本論を読んだわけですね。ですから、私の「叛乱論」でも宇野経済学、というより宇野派に対する批判が出ていると思います。この流れの中で一九六四年に岩田弘の『世界資本主義』が出て、ブントの一部がこれに強く影響される。現代帝国主義論を基礎にして、前衛党の革命戦略を考えなければいけない。マルクス＝レーニン主義のコンセプトに忠実な古典的革命論の復活が第二次ブントの中で起こりました。岩田さんも宇野派ですね。私も宇野経済学の影響を強く受けた者ですが、岩田弘については断固反対というかたちで宇野派から離れていくことになります。どうやって離れたかについては、言い出したら長くなりますので質問があれば応えるということにします。

それからもうひとつ、マルクス主義の哲学では、私は最初から梅本克己とか黒田寛一とか、戦後主体性派のマルクス理解に捉えられておりました。そのマルクス主義から脱却していくうえで、先ほどの近代批判が関連します。人間主義という意味でのマルクス主義に底流するコンセプトですね。この人間主義はハイデガー、ルカーチ的近代批判と抵触するわけですよ。戦後主体性派マルクス主義は、マルクス主義唯物論の人間無視に傾いた姿勢に対して、もう一度人間の主体性を回復していくんだと強調した。その中にも潜んでいる近代批判の欠如、それがゆえに戦後技術論を中心とした生産力主義・近代主義的マルクス主義から抜け出ることができない。これが批判のポイントになっています。この批判は「叛乱論」でも生かされていると思います。

唯物史観から叛乱論へ

こうして、反近代の叛乱論では、資本主義批判から社会主義へという史的唯物論の発展史観がなくなっていくわけです。反近代と言ったって、唯物史観のように未来を展望するわけじゃない。ここに歴史意識、時間意識が基本的に転換する、そういう底流がありましたね。というのも、革命と叛乱を対比して言うと、マルクス主義の革命というのは、その基本に進歩する時間というコンセプトがあるわけでしょう、史的唯物論ですから。プロレタリア独裁による社会主義の将来社会は歴史法則の必然であり、この法則貫徹の契機として革命がある。ところが、叛乱は事実として大規模なものから地域の小さなものまでありますが、その時間概念の基本的な特徴は、時間あるいは歴史の概念を超越しているということです。時間のことを忘れちゃってるんですね。いまここに、自分たちのユートピアを実現するんだということにかまけてしまう。一瞬のユートピアというかたちで時間概念が無化される。これがまた叛乱の強さと脆さのもとにもなります。叛乱のそこに政治と党の概念が招き寄せられるのです。また、革命とか叛乱とかのコンセプトの基底にまで降り立つならば、そこにフランスのポストモダン思想が批判したような近代思想全体につながるテーマが潜んでいるのではないでしょうか。これが私の見方です。

反スターリン主義と叛乱論

スモール

唯物論の話ですが、スターリン主義の影響で社会主義は必然的な将来とされましたが、スターリン以前のマルクス主義者はそのように考えていなかったと思います。つまり、社会主義は必ず起こるということではなく、もし社会主義に移行しないで資本主義のままだといろいろな仕方でわれわれは苦しむ。つまり、必然的に課せられる問いですね。資本主義に生きてるわれわれはいつも資本主義に生み出された問題、例えば失業に直面する時に、その問題がある可能性を指し示しているけれど、われわれが何かしないとこの問題は解決しない。だから、唯物論に対する反発はスターリン主義の歪曲された唯物論への反発だと思います。

そこは少し微妙なところです。例えば「プロレタリア独裁」から「社会主義革命の達成」という意味での永続革命論、あるいはエンゲルスが言う「次の革命は恐慌に伴って必然である」とか、『ドイツ・イデオロギー』から『経済学批判』に至る史的唯物論の発展史観を考えると、現状批判の鋭さということとは別に、歴史法則の必然という展望がマルクス・エンゲルスになかったというのは言い過ぎでしょう。また資本論のマルクスに生産力主義がなかったかどうか。それに、マルクス主義の名のもとに経済危機論から革命情勢の到来をアジる危機論は昔も今も後を絶っていません。

それからもうひとつ、革命は必然だからといって待っていれば来るというものじゃないんだと、レーニンが強調していた。だから前衛党の指導とプロレタリア独裁が必要だと言うわけですね。前衛党がなければ、必然性は必然に転化しないことになります。マルクスの『共産党宣言』の段階では共産党の役割は永続革命ですが、革命を永続させる階級的物質的な根拠をやはり求めていた。以上はマルクス主義革命論の歴史として微妙な点があり、腑分けして振り返る必要があります。

歴史的必然か歴史批判か

スモール

そうですね。マルクスやレーニンの時代において、楽観的な態度を取ることは理解できることだったと思います。楽観的というのは、その時には大衆的な労働者運動が存在していましたね。現在には、そういう大衆的運動が存在しないから、社会主義は必然的に起こるという箇所を読む時に、われわれはマルクスやレーニンのような楽観的態度を取ることができないと思います。

今思い出したんですが、私は六〇年安保闘争の後にマルクス主義の総括を迫られたわけですが、その結論を「マルクス主義は歴史批判である」とまとめたことがあります。つまり、あなたが先ほどおっしゃったように、歴史批判のバックになるような論点が資本論にあり、その他の著作の中にもたくさん見いだせるわけですね。これは今でも参考にできるし、参考にすべきです。その意味で、「よみがえるマルクス」というかけ声がアメリカでも日本でも盛んに唱えられているわけですね。歴史批判、歴史的現代に対する批判としてマルクスは古典として大いに使える。使わなければいけない。私はかつて「マルクス葬送派」と呼ばれましたが、そういう意味で私はマルクスを否定していません。ただ、以降の私のターゲットはただマルクス＝レーニン主義の革命論、そういうことです。

物象化とニヒリズム

スモール
もうひとつ質問です。「批判」という言葉が出てきました。マルクスやルカーチがやっているような「批判」とハイデガーのやっている「批判」。ルカーチだと物象化によって、物象化を克服するという意味ですね。ルカーチのヘーゲル主義、これはレーニンのことばだと資本主義に基づいて資本主義を克服しなければならない。それはハイデガーの「批判」とだいぶ違うと思います。どのようにつながりがあると思いますか？

おっしゃる通りです。ルカーチの場合には、近代世界における物象化の徹底そのものがマルクス主義的革命につながるという構成になっています。ヘーゲル的ですがそうなっています。マルクスにこういう言葉がありましたでしょう、現状の肯定的評価を通じて、現状の否定を押し出していく。つまり、資本主義の徹底から資本主義の否定を導くのがルカーチ、この意味でハイデガーと違います。

ハイデガーはどうかといえば、ニヒリズムです。ヨーロッパのニヒリズムの到来ということが、私の書き物のみならず、六〇年代以降の日本社会の底流にあって時々顔を出す。そしてナチ革命もニヒリズム革命と見る。この点では、ハイデガーがナチに入れあげたことが問題にされてしかるべきです。第二次大戦では若い兵士たちが背嚢にハイデガーの一冊を入れて戦地に向かったと証言している人もいますね。それほど、第二次大戦のドイツの戦争に関して、ハイデガーが悪い働きをしたんですよ。なぜなのか。例えば『存在と時間』はその後半になると、なぜか民族とか共同体の歴史的運命の高唱につながっていく。私は「アナルコ・ニヒリズム」と呼んでいますが、ナチの革命にも一九六八年の叛乱の底流にもこれがあったんですよ。おそらく今も。

それから、批判という点でのルカーチとハイデガーとのつながりです。これは労働の批判です。先に申上げたとおりです。

5　新左翼の歴史について聞きたい。長崎さんは六〇年の安保闘争と六八年の安保闘争を連続したものとして考えるが、それは何故か？　新左翼の初期と後期の間にどのような違いがあるのか？　両闘争の違いを強調するのではなく、その同じ点を取り出すことで何が見出されるのか？

左翼反対派の継承と断絶

正確には継承かつ断絶と見たほうがいいですね。継承について言いますと、安保ブントが六〇年の夏に内部の論争を経て解体します。ところがブントはこれで死にきれずに、人的にも社学同それから第二次ブントに継承されていきます。同時に、安保ブントの中心的メンバーが革共同にトレードされていきました。そして、これが革共同の分裂、中核派と革マル派の分裂の直接的な契機になっていくわけですね。安保ブントの路線的で人的な継承関係です。

綱領と戦略など理論的継承関係もありますが、ここでは省きます。新左翼とは何であったかと問うとき、むしろ組織性格の継承と断絶が重要です。安保ブントがマルクス主義の「左翼反対派」の位置にあったことは前に申しました。けれども、六八年になりますと新左翼諸セクトのそういう位置はもう解消されています。つまり、六〇年安保闘争のような、社会民主主義が主導する国民運動内部での「労働者左翼反対派」という位置がもう霧散しています。確かに、革共同なんかは労働組合に影響力がないわけではなかったけれど、革マル派は別ですが六八年には労働者は組合の外部に反戦青年委員会というかたちで組織されます。また、反戦労働者として街頭闘争に動員されます。六八年のセクトはもう「労働者本隊」から独立した存在になっていて、社会民主主義は無関係、共産党民青は初めから敵という配置になっています。党派闘争も主として新左翼諸セクトの間の競合となります。

しかしにもかかわらず、この時代になって、六〇年にはなかった「新左翼」という名称が使われる。しかも、自分たちが新左翼という「左翼反対派」ではなくなっていることを自覚しないという逆説です。安保ブントを人的理論的に継承して、新左翼セクトの綱領戦略も自己意識も左翼反対派のものだったからです。もう「唯一の前衛党」の主張などありえないのに、たてまえとしてはわが党は唯一の前衛党を目指すと言う。唯一の前衛党を目指す諸セクトの競合体が新左翼と意識されていました。排他的な自己主張のために競合が暴力沙汰になっても、だからいつまでも「内」ゲバであって、外ゲバという戦争になりえないのです。戦争なら戦争の論理に従って内ゲバを途中でやめることができるはずです。

全共闘運動と新左翼諸セクト

したがって、六八年になりますと二つの運動潮流の競合あるいは野合が起こっていくわけです。ひとつは全共闘運動に代表されるような学園占拠の闘争ですね。もうひとつは、新左翼諸セクトが主導する七〇年安保闘争です。セクトにしてみれば、全共闘が個別学園闘争、自分たちが全国政治闘争だという分け方をするわけです。とりわけ革共同がそうだったですけれど、当初、全共闘運動の独自性などセクトの眼中にないのです。主眼はあくまでも七〇年安保闘争を革命的危機へ、それに向けての街頭闘争の過激化です。両者が別々にあったわけではありません。全共闘からすれば大学の占拠を拠点にして、同時に進行する街頭闘争に実際に参加するし、セクトのヘルメット部隊に拍手を送ったりします。諸セクトの方では全共闘の中で全共闘の一員として活動したり、その主導権を争ったりするというかたちで相互に依拠しながら、日本の1968が闘われました。

それから、全共闘はよくノンセクトラジカルと言って、セクトと区別されますけれど、全共闘運動では両者の境目は揺れていたのです。その揺れを見ないと、全共闘を評価して対照的にセクトを戯画化することに陥りかねない。逆に、セクトの政治路線を重視する側から言うと、全共闘運動は政治闘争になっていないと捉えがちになる。典型的な例は小熊英二の『1968』ですね。その後この五〇年間はセクトの衰退ということもあって、あの時代に新左翼セクトが何だったのかについて論じることが、日本では圧倒的に欠けています。当事者それぞれがそれぞれ回顧録をぼちぼち出しているという現状で、新左翼論は不幸な状態のままです。

大衆消費社会への不適応

日本の1968は、フランスなどと違って、日本の政治過程に影響することがほぼ皆無でした。全共闘の叛乱とセクトの街頭闘争が、六〇年安保闘争のように国民運動をバックにして闘われなかったという限界です。それればかりか、全共闘あるいはセクトの全国評議会ができなかった。統一戦線が個々の闘争を支えるという叛乱の編成ができず、結果としてその後、武装闘争となりテロとなり、爆弾闘争という形で孤立していきます。六〇年安保闘争から大衆消費社会へという日本の国民革命の定着と、現在でも見られるような国民と知識人たちの変質、そうした社会のなかへと六八年の運動が全共闘もセクトも追い込まれていったということだと思います。全共闘運動は基本的に大衆消費社会に対する反発あるいは不適応を動機としていましたから、この運動が継承されるとすれば大衆消費社会あるいは福祉国家への異議申し立てになります。実際、世界的に「新しい社会運動」と呼ばれたのがこれです。しかし日本ではこれも八〇年代の半ばに終わっていきます。

六〇年ブントが残した禍根

以上が、日本の新左翼の歴史とは何だったのかというご質問への私の見方です。この歴史をさかのぼっていくと、どうしても六〇年ブントの潰れ方が残した禍根ともいうべきことに突き当たります。安保闘争が最後に大衆叛乱の状況を呈したことは先に話しました。ブントが主役の一人として自ら作り出したのがこの叛乱だったのに、ブントにはこれに対処する備えというものがまるでなかったのです。叛乱から革命へという戦略的備えのことではありません。戦後政治過程の卒業としての国民革命、そんな理解に及ぶはずもなかったのです。

ですから安保闘争の直後から、「総括」論争が過熱しました。典型的には労働者左翼反対派、もうひとつが武装闘争路線の主張です。この二つの分派が当時の革共同にトレードされたわけです。そして前者が革マル派、後者が中核派として革共同分裂の引き金になったようです。前者は左翼反対派だとして、後者の中核派とは何だったのか。1968になると中核派は全共闘運動に目もくれず「七〇年武装闘争」に突っ走っていきます。同時に、ブントの組織的いい加減さとは対照的に前衛党の組織体質を護持しています。私は中核派をブント主義と革共同主義のアマルガムだと評しています。六〇年ブントの叛乱への思想的な備えのなさ、それでいて肉体的に叛乱の先端を走ったこと、このねじれが中核派という化合物を生み出したのではないか。六〇年ブントの潰れ方が、こういう化合物を後に残し、それが1968のセクトの中心になるのです。

ですから六〇年安保闘争も1968も、叛乱の中の党とは何かという問いを積み残すことになりました。繰り返しますが、これは前衛党の綱領戦略のレベルの話ではなく、私自身の経験も含めて「新左翼の歴史」のなかに、党の問いを根付かせないといけないことだと思っています。日本では全共闘以降五〇年間、運動のブランクを生み出し続けています。これも新左翼の歴史の功罪をおいては理解できないことに違いありません。

6　『結社と技術』や『叛乱論』は当時の運動を背景としながら、組織についての理論的考察を行っており、そこで結社や党という主題が論じられている。六〇年代から七〇年代のブントやセクト、その他の組織の活動をどのように捉え、どのように自身の考察に取り込んでいったのか？『結社と技術』を書くことでどのような活動を批判し、左翼におけるどのような変化を生み出そうとしていたのか？　それを評価するならば、どのような成功またはどのような失敗であったのか？

大衆の党――綱領・戦略の前衛党論を棄てる

『結社と技術』(一九七一年)では、叛乱の自己権力としての評議会の組織論を論じました。前衛党の路線主義、つまり綱領・戦略・戦術の理論から街頭闘争の過激化を革命につなげるという路線と対比して、叛乱とその組織化の問題を取り上げたことは、これまで申しあげたとおりです。そうした中で、私は党を二つのカテゴリーに分けて捉えるようになりました。私の言葉では「大衆の党」と「固有の党」を区別するということです。叛乱の自己権力としての評議会はソヴィエトもコミューンもそうですが、その中に様々な政治潮流を含んでいます。これは避けることができないし禁止すべきことでもない。評議会という枠組みを守りながら、各々の党派が論争と多数派工作をやっていくというのが評議会内部の実情です。叛乱の評議会における諸潮流や党派のことを私は「大衆の党」と名付けます。大衆の党とはだからもともと複数存在する。党というものはそれぞれの党派性に従って、まずは評議会において叛乱大衆にまみえて、他党派との党派闘争も含めて、ヘゲモニー闘争をするものだとして、これを「大衆の党」と考えるのです。

そうしますと、「大衆の党」はまず叛乱の自己権力、つまり評議会をどうやって強化し叛乱の目的をどう実現できるのかということに、その活動が制約されているわけです。党派闘争も限定されます。だから、そこをはみ出してプロレタリア革命とか前衛党の指導だとかのイデオロギーを持ち込めば、評議会の分裂をもたらしかねないわけですね。実際に、全共闘運動に対して、六八年のセクトの介入の一面はこうしたものだった。この限界をわきまえて、評議会の中で論争とヘゲモニー争いをしていく「大衆の党」として自己確認すること、党自身が大衆の党をこのように規定しなければだめだということです。これが「固有の党」の役目です。

叛乱の全国評議会

評議会はその強度が増していくと、地方評議会から全国評議会へと結集していきます。そうしないと内部分裂を抑え叛乱として力を発揮し、個別問題を政治的に解決し、持ちこたえていくことができませんからね。でも、全共闘運動の場合には全国評議会の結成には至りませんでした。確かに全国全共闘は結成されたんですが、これは一時的なセクトの野合であることは、当事者には周知のことだったのです。逆に言いますと、個々の評議会、東大全共闘ならば東大全共闘など、個々の評議会の目的を達成するために全共闘の全国評議会がこれを助けるという構図が働かなかった。つまり助けを受けられないんです。だから、各大学の全共闘は自分の大学の時計台を占拠して、独自の課題だけを追求して潰れていきました。全国的な展望のもとに拠点独自の課題を政治的に解決し、叛乱として勝利することができなかった。

固有の党

私は叛乱の自己権力の形成と発展に従属する党派活動を「大衆の党」として捉えます。大衆の党はですから政治的にも倫理的にも叛乱内部に同化して活動します。ところが、党というものがこれにつきる、大衆の党で済ますことができるかというと、そんなことはありえない。歴史的にもまた理論的にもありえないことです。歴史的には、前衛党が叛乱の視野の狭さを批判して、全般的な資本主義批判とこれに根差した新しい社会の展望、そのための戦略の下に叛乱を捉えよと主張する。この方向に叛乱の評議会を指導したい。「全権力をソヴィエトに」というボリシェビキ・レーニンですね。この観点で叛乱の中の大衆の党と区別されるもう一つの党があります。こうした党は禁止したって避けることができない。この党からすれば大衆の党とは叛乱の中の出先機関（フラクション）ですからね。マルクス＝レーニン主義であろうが極右の党であろうが、避けることはできない。この党はもともと叛乱の以前から存在しており、これも多党の在り方をしています。こうした党のコンセプトを大衆の党と区別して、私はとりあえず「固有の党」と名指ししました。

しかしもっと重要な区別は歴史的というよりカテゴリー的なことです。大体、大衆の党というコンセプトを提起するのは誰なのか。大衆の党は叛乱とともに不可避的に揺れ動きます。叛乱と叛乱の中の党のこの動揺を通じて、それこそ「政治的なものの概念」が呼び寄せられ叛乱の内部に跳梁するということが起きるのです。敵との敵対だけでなく、とりわけ叛乱の諸集団のせめぎ合い（分裂と再団結）から、本人たちをも超越して政治がそれこそ析出されます。叛乱の強度とともに強度を増して政治が出現します。叛乱はこの政治をこなすことが必要になりますが、当事者である叛乱と大衆の党はそのための政治的経験と能力を欠いています。史上数々の叛乱がこうして政治的に潰えて行きました。

例えば、東大全共闘では一年近い全学ストライキと校舎の占拠の圧力により、その当初からの個別要求を大学当局がほとんど受け入れるという局面を迎えました。交渉も妥協もボス交も、またもちろん決裂もありという状況です。運動のこれからを見据えれば難しい選択を迫られました。個別学園闘争としては珍しく、学内闘争が政治を生み出したのです。全共闘運動は「青春の自己確認」だった、などとは次元の異なる政治の瞬間です。例えばこの段階で、にわかに意識に上らざるをえないのが固有の党というコンセプトです。跳梁する政治を取り押さえる党というイメージです。これが固有の党です。現実には組織も名前すらなくとも、また右であろうと左であろうと、カテゴリー的に存在する党のことです。

倫理的共同体と党

固有の党は倫理的共同体という組織性格を排除しなければいけない。前衛党であってはならない。というのも叛乱の集団も大衆の党も、倫理的共同体という組織性格を免れないからです。つまり、あるべき仲間の在り方、あるべき生き方、あるべき私という倫理的命題を全部包含するのが叛乱ですから、それに対応して「大衆の党」も倫理の色に染まる。例えば新左翼セクトでも革共同など、「プロレタリア的人間による強固な共同体」のごとくに自己規定するのも、もともとは叛乱の記憶から来たものなのです。それがいまでも叛乱の中の目立った組織体質として残ったものです。固有の党でなく大衆の党としての性格です。

これに対比して、「大衆の党」を通じて叛乱の自己権力に影響を与えようとする「固有の党」は、倫理的共同体であってはいけない。むしろ、徹底的に政治的であることが唯一の倫理的な自己確認だとして、大衆の党から自己を区別する存在でなければならない。概略こんな風に「大衆の党」と「固有の党」を分けるわけです。

もちろん、実際は難しいですよ。昔からフラクション理論、つまり党は大衆団体にフラクションを設ける。このフラクション理論を「固有の党」と「大衆の党」の区別と分離として、まずは概念化するのです。革命とは大衆自身の事業であるという革命の原イメージを、党の側からこうして徹底しなければならない。政治的にも倫理的にも強調して確保しなければいけない。そういう思いが１９６８の後にですが強くなっていきました。それで『叛乱論』と『結社と技術』を準備作業と考えて、『政治の現象学あるいはアジテーターの遍歴史』を書いて、自己権力の形成史と党論を議論したのです。

叛乱のアナーキーから結社の組織論へ

それからもう一つのご質問ですが、『結社と技術』と『叛乱論』を出してどうだったのか。ノンセクトと第二次ブントの一部に届いたと言えるのでないでしょうか。今でも初めて会う人には「叛乱論の長崎」と紹介されることが多いですよ。この二冊の評論を書いた時、私が実際に見聞きしていたのは東大の全共闘運動でした。これについては党との関連で先にも少し触れました。話は前後しますが、党ではなく叛乱の自己権力の組織化が『結社と技術』で考えたことです。マルクス主義的革命の歴史で、組織論あるいは階級形成論と呼ばれた論点には大いに問題がある。私はこれを前衛党の指導の問題であるというより、叛乱そのものの性格からアプローチしようとしました。軍隊の叛乱と違って、大衆叛乱は大衆のアナーキーから始まりますからね。主観的行動主義から倫理主義まで、あるいは商店の略奪から暴力まで、何でもありの放埒沙汰を呈する場合だってあるのです。叛乱の組織論はそういう放埒をそれこそ与件として立てられなければならない。ルカーチのレーニン論にある「革命の現実性」という与件の下で組織論を考える。それを結社というコンセプトで論及しようとしたのです。ただ、党の在り方の論点にまでは深入りしていません。「大衆にたいしてストイックな党」として、ブランキやレーニンに触れたにとどまっています。ただ、レーニンの『何をなすべきか』の前衛党論が終始ターゲットだったことに変わりはありません。その自然発生性と目的意識性の対比の議論を、ひとまず徹底的に「自然発生」の現場に差し戻そうと意図したのです。

さてこれが、時の全共闘運動や党派活動にどれほど影響を与えたか。「成功したのか失敗したのか」とのご質問です。成功したとは言えないでしょう。私としては全共闘運動におけるノンセクトラジカルとセクト活動家の接点、その境目に向かって書こうとしていました。日本の1968には日本独特の新左翼諸セクト、その力量というより歴史的遺産としてのそのカテゴリーが、なお強く残っており全共闘運動もその解体、克服ができなかったということです。せめて六〇年ブントの生き残りとして伝えたい、そういう思いはありましたね。

アナーキーとアナキズムは違う

安藤

アナーキーとアナキズムの関係はどういうものでしょうか。

叛乱がアナーキーだというのは、構成主体が階層でも階級でもないということから、組織的にアナーキーだということですね。軍隊の戦争や叛乱、あるいは労働組合のストライキなどと違って、内的整合性を欠いています。大衆の放埒沙汰です。これまでに縷々述べたとおりです。加えてもう一つ、叛乱というのは心的にアナーキーですね。叛乱は無時間的なユートピアとして高揚するので、自分たちのアイデンティティーにたいする自己否定であるとか、千年王国の形成とか、ユートピア的な未来を描きます。未来への戦略とか政治だとか、道筋だとか段階だとか、そういうものはふっとんでいきなり未来の幻想を抱きます。そうであるがゆえに、かえって叛乱の強度を高めていくわけですから、これはアナーキーですよね。このようにアナーキーであることが叛乱についてまわる基本的な性格であって、第二インターの分裂からレーニンら革命主義者が直面したのも、実はこのアナーキーだったと私は見ています。ロシア古来のアナキズムがそれを代表してきた面もあります。ボリシェビズムというのは、叛乱のアナーキーに対比して性格付けられるし、ボリシェビキの一党独裁への変質過程もこのアナーキーに対する態度の問題として推移する。これがロシア革命だったという見方です。

アナキズム再生か

次に、アナーキーに対比したアナキズムのことです。最近はアナキズムの再評価のような論調が見られますね。的場昭弘が『未来のプルードン』を書きました。ちょっと前には、大窪一志が『アナキズムの再生』と言う本を書いていますがこれもプルードン再評価を含んでいます。それから、協同組合という意味でアソシエーションの評価も盛んであり、これも集産的あるいは個人的アナキズムの流れに位置するかもしれません。全共闘以降の新しい社会運動がここに展望を見出しているかもしれません。

とはいえ、アナキズムの教理にしたがった集団や運動は日本ではマイナーな存在であり続けてきました。それがいま復活再生するでしょうか。私は懐疑的ですけれども、アナーキーでなくアナキズムという雰囲気があるのでしょうね。その分、叛乱とか叛乱における党と政治の問題が事実上散逸してしまっています。アナキズムとアナーキーとは別のことなのです。アナキズムは政治を忌避し、アナーキーは逆説的にも政治を招き寄せます。アナキストたちの政治拒否はかつてスペインの内乱など、数々の革命の悲喜劇を経験してきました。

私はたとえばグレーバーの著書をみてアナキズムの最近のバージョンをうかがうことができ、少々驚いたことがあります。グレーバーは二〇一一年のウォール街占拠闘争の主宰者の一人だったようですが、オキュパイ闘争の組織と運営の仕方を示しています。集会での演説は参加者全員が平等に行うなど、細かい規則を決めてとにかく運動の作法を全員に守らせることに腐心している様子がうかがえます。脱中心化です。要するに、細心の注意を払って「政治」の発生を予防しているのです。「予示的政治」という名のもとにです。演説会でも誰かがアジテーターになることを予防する、アジテーターと大衆の関係から政治が発生することを恐れているようです。バクーニンなど、元祖アナキストからずいぶん様変わりしています。最近のＢＬＭのデモを見ても、同様な全員の様式化の映像があります。トランプ大統領派に対抗する民主党左派のこうした振舞いに、私はかえって関心を寄せています。

プルードンと労働のアソシエーション

ところで、先ほどのプルードン再評価のことです。バクーニンの集産主義と違ってプルードンのアナキズムは個人主義ですね。自由で差異性のある労働者を主体とする労働と交換のアソシエーションなんですよ。「労働、労働、またしても労働だ」と本人が書いています。具体的には雑多で手工業的な労働者を主体とした労働の協同組合を構想します。しかしその後は、労働が産業労働に組織されていくというのが、ヨーロッパ近代の資本主義の歩みです。ここに社会民主主義的マルクス主義が根付いて、プルードンでなくマルクスが勝利します。近代の労働というコンセプトの問題が、現在のプルードン主義にもついて回るわけです。実際、労働主体のアソシエーションをやっている人たちって、まず今いないですよね。生産ではなく流通だということで、生活協同組合とか社会的資本が現代におけるアソシエーションになる。

労働の在り方の変容

スモール　労働に基づいていない社会関係は存在しますかね。近代社会に生きているわれわれはあらゆる活動を労働の社会関係として理解しているじゃないですか。マルクス主義の目標は労働そのもの、労働の社会関係を克服することですけど、失業の問題を解決しないと労働の廃止の話を始められないと思います。失業している労働者に対して、賃労働を廃止しなければならないということを言ってしまえば聞いてくれないと思いますね。

それはそうですが、労働にもとづく社会関係というのが、つまり労働のあり方に、今は大きな変化が起きています。産業主義的、フォーディズム的近代労働のあり方が解体している。労働者は「搾取さえされていない」（ロベール・カステル）、収奪されているだけと言われます。資本と賃労働のその労働のカテゴリーが失われて、非正規労働と失業、デクラセ・ルンペンプロレタリアートの労働です。労働は人間の本源的活動であり、労働は生産的で労働こそが人間の主体的活動だというイデオロギーが信じられなくなっています。労働の悲惨な現状に対して、本来の労働の復権を唱えることができないところに追い込まれています。「労働の自己疎外論」でなく人間疎外論が押しなべて叛乱の衝動になっている所以です。私は後者を俗流疎外論と呼んで、前者に比べてかえって評価しています。

スモール　それが資本主義に対する批判の根源だと思います。産業革命の後に資本主義は労働の保障という約束を全員に提供することができなくなった。資本主義は自らの原則、原理を実現できないから、克服しないといけない。

少なくとも福祉国家が維持されていた限りは、労働と労働者階級という位置は確保されていたわけですよね。ですから今、アナキズムことにプルードンの再評価があるとすれば、差異性のある自由な労働の共同性をゼロから再建しなければならないという状況のせいかもしれません。時代はマルクス・エンゲルスの時代から一巡しています。

7　『結社と技術』において、様々な歴史的時期が触れられている。それはブランキの一九世紀半ばの時代、ルクセンブルク・ルカーチ・レーニンの二〇世紀初期の革命期、そして戦後の日本である。その論文において、「ブランキへの回帰」を推奨しようとしたと言えるならば、どのように戻ればいいと考えたのか？　ブランキのような結社は一八四八年の革命期に生じたボナパルティズムという新しい問題にどのように向き合っているのか？　マルクスによると、ボナパルティズムは社会主義革命を引き起こせるような大衆的社会主義党を必要とした。この必要性はまだ残っているのか？　一九世紀と二〇世紀におけるそのような党を作る試みは――

そして60年代に「前衛党」を作る試みも――失敗したと言わなければならないと思うが、その失敗を認めながらその必要性を主張できるのか？

ブランキスト

ルカーチやレーニンの話は前に出てきましたので繰り返しません。ブランキについても、「ブランキに帰れ」というのではありません。彼の秘密結社の思想、運動を形作るという芸術的制作の観念を生かしたい思い、その意味で私はブランキが好きだったということです。むしろ今はブランキズムをどう考えるかですね。マルクスとエンゲルス、とりわけエンゲルスの晩年には、青年時代のブランキズムを清算するということを大きな声で言って、このかけ声がドイツの社会民主党を今日の社会民主主義、福祉国家主義に転換させます。第二インターにおけるマルクス主義の大きな転換点です。六〇年ブントやその後の新左翼にたいする非難も、ブランキズムの廉でなされました。主観的行動主義をブランキストだと非難したのです。しかし、ブランキストで何がいけないのか、トロツキストと呼ばれるよりはよっぽどましだと、私などは思っていました。では、「青春のブランキズム」をエンゲルスのように清算しないとすればどうするのか。

私の考えでは、叛乱というのはただ在るんですよ。否定しようが肯定しようが、洋の東西を問わず、規模の大小にかかわりなく、時期を選ばずただ在るのです。聖書の文句を用いて、「暗夜の泥棒のように訪れる」とブランキが言っています。そして私の関心から言えば、叛乱が起こるたびに政治が呼び寄せられるのです。その都度、叛乱の政治体、評議会の強度と力量が問われ、同時に党とは何かが現実問題として浮上します。今回お話しした通りです。

問題をこのように立てるとすれば、マルクス＝レーニン主義という革命論の歴史をせめて現時点で清算しておかないといけない。先祖返りの道を少なくとも理論的思想的に断ち切っておくことが必要だと思います。そうでないと、叛乱のたびにまた起きるに決まっている問題です。前衛党が必要だなどといって新・新左翼のセクトが登場します。

永続革命論

ところで、青春のブランキズムと呼ばれたのは、マルクスの場合はその永続革命論のことですね。私はマルクスの政治論で一番好きなのは、一八四八年革命渦中で書かれた文書です。『共産党宣言』もそうですが、マルクスがジャーナリストとして書いた文書があります。その頃のマルクスは精彩がありました。六〇年安保の後にマルクスを色々読み直すことをやりましたが、私が論じたのは結局マルクスの永続革命論のことだったですね。

実はこの間ある機会がありまして、この当時のマルクスの記事をもう一度全部読み直すことをやってみたんです。その時に一番関心を引いたのはマルクスの階級論の性格でした。マルクスの永続革命論は時の諸階級のシーソーゲームとして捉えられています。ブルジョワジーとプロレタリアート、その間の民主主義派の小ブルジョワジー、農民そしてルンプロです。ところが、言うところの階級とは実際に誰なのか。経済的にも社会的にも、階級なるものが存在してなどいません。だから諸階級の区別も明瞭ではないわけですよ。例えば、プロレタリアートと言ったって、その頃は組織された産業労働者などいるはずもない。農民を没落する小ブルジョアジーといったってそれなりの集団があるわけではない。ブルジョアだって産業労働者に対抗して階級形成されているわけではない。要は、現実の政治過程の諸勢力・集団のたんなる名辞なのですよ。経済的下部構造に根差して階級を名指ししたのでなく、現にある政治勢力や集団にプロレタリアートなどと名前を付けただけなのです。資本論を書いているイギリスでは、これと違って工場労働者の組織化が始まっています。晩年のエンゲルスでは言うまでもなく、ドイツ労働者階級が労働組合として組織されて眼前に存在します。当時は労働組合費といっしょに社民党の党費も納めていた。私の大学入学のときには、学費と一緒に自治会費が徴収されていたことを思い出します。学生だって学生階層に組織化されていたのです。

階級闘争か叛乱集団の抗争か

ロシア革命でレーニンが固執して止まなかった「階級的立場」も同じことです。労働者階級の立場に立つなどと言っても、たんにノミナルな言明です。それでいて、プロレタリアートの名前で名指しした集団や傾向は、ロシア革命の推移で現実に存在し、それが革命の帰趨を握ってもいたのです。トロツキーの『ロシア革命史』になりますと、これが革命のダイナミズムと呼ばれ、その名の通りに精彩ある記述になっています。レーニンの政治文書だって、プロレタリアートの経済下部構造にこだわらなければ、結構ダイナミックに読めますよ。要するに、政治集団の競合という意味で、私はマルクスの永続革命論が好きなのです。現に運動に直面してその中の諸勢力を色分けし、そこに仮に名前を付けたのが階級の名によるマルクスの永続革命論ということです。

ただ、マルクスはこれを反省し、革命運動を駆動する恐慌そして工場労働者に注目して、『資本論』という作業に没頭していき経済学批判を作り上げていく。言ってみれば永続革命論から逸れていきます。たしかにそうした中で一八七一年にパリ・コミューンに遭遇します。ここでまさしく、叛乱と叛乱の組織体である評議会コミューンの自治が地域的に組織されました。これに最大限の評価をマルクスが与えるでしょう。けれども、マルクスの当時の経済学的な問題意識からすると、マルクスはパリ・コミューンに「ちょっとよろめいた」んですよ。四八年の永続革命論からマルクスはいわゆる階級革命論とその経済的な根拠に関心を移す、その道筋に本来パリ・コミューンは位置できるものではなかったという意味で、コミューンの突然の出現によろめいた、寄り道した。エンゲルスから言えば、これは清算すべき対象ですよ。

レーニンとコミューン

レーニンの場合も同様です。『国家と革命』、つまり一〇月革命のさなかでレーニンはマルクスに従ってパリ・コミューンの継承を宣言しました。これがまた、レーニン自身をジレンマに追い込んでいく。レーニン自身もコミューンに「よろめいた」わけです。彼の前衛党革命論からすれば、全権力をソヴィエトへ、ソヴィエトの自治と自己権力を称えるのはアナキズムでしょう。ソビエト政権がパリ・コミューンより一日だけ長く生き延びた日に、わざわざそのことを演説で指摘したくらいです。だから、アナキストたちを含めた諸集団をソビエトは包含することもできたわけです。ところが、権力を取って一年かな、特有の困難がロシア革命を襲ってくる。ロシアのように遅れた国だけでプロレタリア革命などありえないのに、ドイツの労働者が助けに来てくれない。白軍との内戦を戦わなければいけない。遅れたロシアで労働者階級はどこにいるのだ。こういう沢山の困難に直面して、党の指導と独裁、分派の禁止、ネップへ寄り道と、ソヴィエト国家建設路線に転換していくわけですね。そういう意味では、パリ・コミューンの存在はマルクス＝レーニン主義の一種の鬼門として存在した。「マルクスは死んだ、マルクス万歳」と同じように、「革命は死んだ、革命万歳」と若いマルクスは言っていますね。ここを通ると後には戻れないという、聖書の言葉通りの関門にパリ・コミューンがあった。

8　「叛乱」の「以前」をどうとらえるのか？　二〇世紀初期の「叛乱の時代」は急に起きたわけではない。一八七一年のパリ・コミューンから二〇世紀初期の革命期までに第二インターの成長は西欧資本主義の発展を加速化し、その発展はロシアにおける急速な資本主義化をもたらした。これは一九〇五年に始まった革命期の前提条件となった。叛乱のない時代においてどんな活動を取るべきであろうか？　叛乱の「準備」はどうすればいいのか？

1968の終わり

ご質問の前半に関しては、先ほど話したことですね。パリ・コミューンがマルクス、レーニンにとってどのような位置を占めたかということでした。では、叛乱のない時期にどういう活動をすべきか。日本の場合は、この五〇年間のブランクをどう考えるかということになると思いますけれど、この間に世界資本主義の加速化が極限に達している。産業労働者と社会民主主義の福祉国家が終わりを告げた時代ではないかと思います。日本だけではありません。この半世紀は六〇、七〇年代とは別の時代に入っています。その意味で、学生層を主体とした全共闘はいわば最後の学生運動になりました。学生運動がこれからはもうなくなるという意味ではなく、「一九六八年の世界革命」（ウォーラースティン）を一時代の終わりとして認識しておく必要があるということです。

オルグ集団

もともと「叛乱はただ在る」といってもゼロから始まるなんてことはないのですよ。いつの時代どこにおいても、必ず叛乱を組織する集団があります。現在もあるでしょう。このような活動家集団をオルグと昔は言っていました。最近、ある若い人たちの勉強会でいま必要なのはオルグだと言ったのですが、オルグという言葉が通じませんでした。オルグはもう死語になっている。別に学生運動だけではなくて、日経連が経団連に変わり、総評が連合になった時、それぞれがオルグをなくしたそうです。かつてはオルグがブルジョアと労働者の階級形成のために全国に派遣されていました。総評がオルグを持っていたのは当たり前ですけど、日経連にもオルグがいた。経団連と連合になるときにそのオルグを廃止したのです。だから、連合という組織は文字通り労働組合の連合であって、全国の労働組合運動をオルグして束ねる中枢組織ではもはやない。経団連は日本ブルジョアジーの司令塔ではない。オルグって言葉が死語になった社会が、この五〇年間です。

学生運動だって同様でしょう。昔は学生が無償のオルグとして働いたわけです。総評と違って賃金払わなくてもいいわけです。だから、全学連におけるブントの「私」というのは、ブントのタダ働きオルグだったんです。オルグは何をするかといえば、全国の自治会を回って学生運動を組織し、運動を過激化する。ブントの労働者オルグであれば「労働運動の左翼的再編」を推し進める。そのためのオルグだったわけです。こういう意味で、学生活動家をタダのオルグとして使えるというのがその頃のセクトの特権でした。学生活動家がブントというセクトに盟約して結集する時の核となるものもここにありました。学生運動だけが目的でないわけです。運動も叛乱も無から始まらないとはそういう意味ですね。

だいたい、日本のことだけを見るとまちがいます。欧米諸国を例にとっても少なくとも二〇一一年からは、大衆の街頭蜂起が世界的にどこでも起こっています。例えば、今タイでも連日のデモが起きていますね。あれは安保闘争のタイプで全共闘運動のような叛乱じゃないですよね。特に二〇一九年は、香港の運動など、全世界でちょっと枚挙にいとまがないほど民衆蜂起が発生しました。それぞれの地域性や国民性に拠りながら、目的も形態も雑多多様です。それぞれが蜂起しては消えていくように見えます。運動がこういうサイクルに入ったのかもしれません。日本でも数年前になりますが国会前デモが繰り返されました。

西欧社会民主主義と資本論に反する革命、そしてポピュリズム

マルクス主義の革命運動は第二インターの分裂とロシア革命を契機に二筋に分かれます。ひとつは西欧の社会民主主義です。他方ではロシア革命から一連の後進国の革命が、中国からカンボジアのポル・ポトまでというふうにつながります。グラムシに言わせれば「資本論に反する革命」です。マルクス主義の歴史では、国家権力を独裁したのはこれら「資本論に反する革命」だけなんです。そしてこれら社会主義国家権力も、結局は近代革命の一変種、奇形の近代国家を残して終わったというのが事実です。社会主義世界体制の崩壊とはこのことです。

他方では、西欧の社会民主主義と福祉国家が今ポピュリズムの台頭に直面していますね。米国のリベラル民主主義もそうです。この福祉国家は西欧マルクス主義とブルジョアジーとの階級的合作、妥協の産物として形成されました。ブルジョアの第一勢力と労働組合を中心とした第二勢力と私は呼んでいます。福祉国家の危機とは第一第二勢力の連合としての社会国家が、第三勢力とも言うべきいわゆるポピュリズムの抬頭によって左右から攻撃されている。時代は「第三勢力の徘徊」だというのが私の見方です。二〇一一年以降の大衆の街頭蜂起も第三勢力の叛乱です。ただ往時と異なり、第一第二勢力自体が階級的力を失っていますので、対抗する第三勢力もなかなか組織化できていないのが現状でしょう。ファシズム化しないし、蜂起しては消えていきます。大衆蜂起の「強さと脆さ」が指摘されるのもこの点です。この点で注目すべきはスペインの地域に根付く地方党とこれを基盤にしたポデモスです。何しろバクーニン由来の集産主義的アナキストの故郷ですからね。

先ほどはボナパルティズムの話が出ました。二大勢力の対立の間隙を抜け駆けして勢力を強めて権力を握る者、これがマルクスの定義ですね。ブルジョアジーとプロレタリアートの対立の隙間に、小農民を基盤にボナパルトが大統領になりクーデタを決行した例です（いや、小農民でなく労働者だった、というのがプルードンの見方です）。この意味では今日の第三勢力の蜂起もボナパルティズムの性格を持っています。ただ、第一と第二の階級的勢力が弱化した時代ですから、ボナパルティズムもボナパルティズムたりえていない。右からの場合も、かつてのナチ党とヒトラーのようにファシズムになれない。情勢がなお混沌としているのはこのためです。

さて、ということで、右であれ左であれ第三勢力をオルグすること。理論的にはマルクス＝レーニン主義の革命から叛乱のコンセプトを解放する作業が残っていると私は思っています。叛乱の準備はどうすればいいかというご質問についての、これが私の応答です。

9　「叛乱」の「後」についても聞きたい。歴史とその経験の関係はどうなっているのか？　叛乱の帰結としてさまざまな新たな活動が生み出される。では、叛乱の経験において何が学ばれるのか？　何を学ぶべきなのか？　何を学ぶことができるのか？　それとも、各叛乱はその叛乱に特有の組織しか生み出すことができないのか？　レーニンとルカーチ——そして長崎さんも——は、ロシア革命の経験の誤った絶対化について第三インターに注意を与えた。ルカーチの言葉を借りると、長崎さんはある特定の政治形態——特に前衛党——の物象化に対して注意を与えようとしたと言えるであろう。しかし、レーニンとルカーチは、この教訓を保つために、党が必要であると主張した。われわれは大衆叛乱から学んだことをどう保持できるのか？

新しい社会運動と地方の叛乱

ご質問のだいたいはこれまでに触れてきました。大衆叛乱の自然発生性という弱点を指摘して党が必要だと言われます。話は逆で、大衆叛乱がかえって党を呼び寄せるのです。政治がこれに応答する形が党というものであり、これまでの前衛党論は全部立て方をひっくり返さないとだめです。でも、繰り返すことは止めにして、ここでは叛乱の後のことに話を持っていきましょう。

一九六八年の世界的な学生叛乱が終わった後に、むろん前衛党が国家権力を握ったわけでもなく、しかし結果として近代二百年を終わらせた「成功した世界革命」だと評価もされます。この意味で社会主義の崩壊以上に重大な画期だったというのがウォーラースティンの評価です。私たちはこの世界革命の後の世界に住んでいます。しかし他方では、一般に１９６８は「新しい社会運動」に引き継がれたと言われていますね。差別反対闘争や環境保護運動、地域運動であるとかです。これには二つの特徴があります。ひとつは労働者ならば工場、知識の生産点と言えるとすれば大学、この生産点での闘争ではないというのが新しい社会運動の特徴です。つまりサンジカリズムではない。全共闘運動がこういう形で世界的に引き継がれたといわれて、現在では新しい社会運動とその評価について様々な言論と研究が出ています。欧米でもそうだと思いますが、この新しい社会運動をどう考えるかということが、叛乱の後のひとつのテーマだと思います。新しい社会運動は第三勢力の運動として組織化されるべきですし、欧米では事実そうした働きをしています。ＢＬＭだってそうでしょう。ただ日本では、第一第二勢力の階級意識と階級形成が先鋭でないために、対抗して第三勢力の意識も育たない。

叛乱後の運動のもうひとつの趨勢として、もし叛乱が力ずくで鎮圧されないとしてですが、大衆叛乱が個別化していきます。例えば、全共闘運動の後には水俣問題、三里塚闘争、公害反対闘争、それに学園の民主化に精を出した人たちもいます。当時の回顧録を読むと、叛乱がばらけていく様子がよくわかります。多様化あるいは雑多化するわけです。同時に、内ゲバのような犯罪を残すことも起きます。叛乱というのはうるわしい革命でも何でもない。うるわしい革命などはないのであって、革命はいつもその息子たちを喰らって進みます。

体験と普遍史

このように全共闘世代の体験記を読みますと、各人がそれぞれに引き裂かれていきます。そうであれば、それぞれが置かれた分野で新しい社会運動に精を出すだけでなく、かつての体験を経験として歴史化してもらいたいと思います。それを仮に「体験と普遍史」という風に「と」で結ぶとします。「普遍史」というのは、もともとはユダヤ・キリスト教の救済史、世界史を救済の歴史として歴史化することです。この救済をキリスト教ではなくて革命と言えば、マルクスの歴史観になりますが、これを世界史の法則と言わないで「普遍史」と言う。かつて叛乱の中で体験したのは、「普遍史」を信じた上での体験だったわけですね。だから、どんなに個別的で小さな叛乱だったとしても、そこにかかっているストレスというのはこの「体験と普遍史」の「と」

だったのです。つまり、「普遍史」からのストレスを受けながらの叛乱です。このことが忘れられたら困ります。最近の回想録を読んでの感想です。もう一度、この「と」の緊張を運動の中でまた回顧録としてよみがえらせてほしいと願っています。そのための思想が要求されます。前衛党や新左翼という言葉は今では死語となっていますし、これは決してよみがえらせてはならない。過去を敬意をもって葬っておくことが大切だと思います。もし一九六八年の叛乱の経験が今の若い世代にも何らかの教訓になるとすれば、あれは「世界革命だった」ということです。この世界革命ならではの叛乱を「体験と普遍史」として歴史にすること、とりわけこれが全共闘世代に残された課題だと私はくり返し言っています。したがって、叛乱が新しい社会運動に発展的に解消したみたいな見方は違います。新しい社会運動から逆算して六八年叛乱を位置づけるという歴史観が、現在若い世代の研究者から出ています。これは日本の場合でも一九六八年の問題を矮小化することになります。

経験の世代間継承

安藤　組織、人間の集団で経験し、次の世代や違う人に伝えていくことがあると思うのですが、人間集団の中で受け継がれていく話があると思います。集団において前の世代の経験を次の世代に何らかのかたちで伝えていく。そういうものとしての組織は必要だと思いますか。

オルグの集団が必要です。問題はオルグの言葉、他者を説得して組織化する際の言葉です。六八年は政治の文体を変えたと私は言いました。端的にいって政治文書が「われわれ」でなく「私」を主語として書かれる。しかしだからといって、この私が集団的私でなくただの個人だなどと受け取ってはいけません。私は私を、そしてわれわれを「説得する」言葉を吐いているのです。説得することがオルグの言葉です。では世代間の経験の受け渡しはどうなりますか。六八年世代は酒場で武勇伝ばかりと、若い世代は言います。この五〇年間のブランクを思えば、世代間の交流は絶望的にも思えます。せめて、古い世代は自分の体験の語りを作り出さないといけないと先に申しました。この五〇年間を歴史にする、歴史の物語にすることを通じて、世代を超えて経験を伝え共有する語り方をしなければならない。六八年世代もこれからはヒマができる年代です。ことにかつての新左翼セクトからの発言が欲しい。セクトの物語がまだ圧倒的に乏しいままです。

党が語るということ

体験の語りという点では、集団の交流でなくともよいではないかと言われれば、それはその通りです。集団的な経験の継承、実はこれはセクトの重要な仕事だったのですよ。いや、セクトというよりは、党というものの仕事です。例えば、レーニンは一九〇五年の革命を経験した後に一二年間ジュネーブに亡命していました。一九一七年に革命のロシアに返ってきます。一二年間この人は何をやっていたんだといえば、その間にボリシェビキの育成を続けていたわけです。狭い亡命者仲間のうちでセクト的な党派争いを続けていただけという評価もできますが、党というコンセプトを受け渡していたとも言えるわけです。党を「大衆の党」と「固有の党」に分けて考えるとして、この「固有の党」というのは、「大衆の党」と違って叛乱にいつも先立って存在しています。そういう性格を持っています。つまり、かつての叛乱経験者の集まりです。それに対して、「大衆の党」は現にある叛乱の中で党派活動する人たちの集団です。そして、この集団のうちには古い世代、一二年間亡命して帰ってきた人がいます。人物として存在しているというより、コンセプトとして党が受け渡されるわけです。これが「固有の党」なのです。ただし誤解のないように、前衛党なのかボリシェビキなのかではありません。カテゴリーとしての党というもの、名前のない党のことです。党が隔てなく語りかけています。今日の若い世代の集団のうちにも、党というコンセプトが回帰して吟味にかけられます。そうと意識されずとも叛乱と同様に、党はただ在るのです。もちろん大衆は忘れています。忘れることが大衆の特権なのです。

10　七〇年代になると、都市における運動だけではなく地方における闘争も重要になってきた。これはなぜであったのか？　当時の団体はどのようにその必要性を感じたのか？　長崎さんの思想とどう位置付けるのか？　この変化を長崎さんはどのように捉え、評価しているのか？　長崎さんが関わっていた地方党の活動は、この潮流とどのように関わるのか、どのような問題意識を当時抱いていたのか？

地方の消滅へ

当時、七〇年代後半の私たちのスローガンは「第三勢力と地方党」というものです。この意味を申し上げますと、まず七〇年代は日本から地方というコンセプトが消滅する時代なんです。地方が自分のエゴを主張することが同時に政治的でもありえた最後の時代だったのです。例えば原発反対運動は、もちろん地方を守るというエゴでもありましたが、政治的な意味を持って運動としてあったわけです。三里塚空港反対闘争もそうです。自分の農地を守るというエゴには違いないが、それが全国的な闘争にまでなる。戦後政治過程の時代が地方では七〇年代まで後を引いたと考えたらいいと思います。それ以降のことを考えると、よくも日本の高度経済成長社会は地方を絶滅したものだと感嘆します。六〇年安保闘争の市民革命が残した禍根でもあるでしょう。この絶滅期に地域闘争が各地で頻発しました。ただし、頻発するんだけど戦後政治過程は安保で終わっています。将来の政治的展望があったわけではないところで闘われました。そのように、例えば公害反対運動が各地で頻発したけれども、企業及び国家の努力により公害が完全になくなったわけではないですが、一応は終焉する過程が進んでいったわけです。

地方党の経験

そういう時代に、新左翼をもうやめにして都会を捨て、最後の「地方」を闘おうと、私のグループは思いました。地方に出かけて行きました。私もつてを頼って地方各地を回って、地方の闘争の人たちや戦後労働運動や農民運動の生き残りの人たちのところを巡回して、地方党を作ろうよとオルグして歩きました。地方にとって最後のチャンスだったと思いながらやったことです。ひとつ個人的に面白いと思ったのは、もう一度日本の歴史と思想に目を向ける機会になったことです。例えば、私は茨城県で茨城地方党という組織で知事と参議院の選挙をやりました。すると行く先々で地方の歴史にぶつかります。愛郷塾関係者と五・一五事件の三上卓以来の水戸右翼の人びと。それから、親鸞以来の常陸門徒がまだ部落として残っていたりします。左翼の側では、常磐炭鉱の大ストライキが炭鉱閉鎖の時にあったんですが、その生き残りが県北にはおられました。日立市で演説した印象から、「プロレタリアートはいないがプロレタリアはいる」と書いたこともあります。それから県南には常東農民運動という戦後の農民運動としては極めて戦闘的な農民運動があったわけですが、この当事者たちとも地方党を一緒にやる必要がある、などなど。地方が保存してきた叛乱の記憶に触れたわけです。この記憶に助けられて、地方党を第三勢力として作っていこうと。当時は自民党と社会党がまだ万年与野党として存在していた時代ですから、その両方に反対する意味で第三勢力と自らを捉えてやったことです。ただし、地方が絶滅する趨勢ですから、長続きはしませんでした。

地域闘争から自己権力へ

七〇年代の三里塚闘争についても基本的には同じ関わり方です。ただし、三里塚闘争は当時特別な位置を持っていた。１９６８の人たちのその後の結集場所になったということで、それが七〇年代いっぱい続きました。六八年と七〇年安保の代替戦場というような機能をはたしました。ポスト全共闘で三里塚闘争に関わった人たちは非常に多いです。私なんかが茨城県に出かけて行ったのとは違ったあり方をしていたようです。ですから、三里塚闘争は特殊に長引きました。ただ私たちには、三里塚反対同盟の青年行動隊の中心メンバーに、昔の全共闘でブントだった人がいるというつながりがありました。反対同盟は地域の自己権力として自立すべきだということ、三里塚を「テロと治安」の舞台にしてはいけない、その時期に来ているという方向で政治的な助力をする形で介入したのです。三里塚反対同盟と自民党政府との交渉を仲介することを、七〇年代の末にやりました。地方の問題、地方における運動と私自身のかかわりは概略このようなものです。

第三勢力としてのポピュリズム

今世紀に入ってからですが、私はわざと何十年も前に唱えた「第三勢力と地方党」をもう一回持ち出しています。先にもお話ししたように、第一勢力としての資本家階級、第二勢力としての労働者階級を代表する政治勢力が組んで、福祉国家の国家権力を戦後長いこと維持してきましたが、その福祉国家が衰退していくわけですね。日本の五五年以来の社会党と自民党の万年与野党の関係もそうです。この体制が冷戦の後に解体の兆候を見せて現在にいたっています。

そういう中で、左右のポピュリズムが欧米を中心に起こっている。これは政治的な第三勢力の誕生だと捉えて、「第三勢力の徘徊」という論文を書いたことがあります。昔唱えたのと意味も時代も違っているのですが、現在の政治の基本構造についての私の見方はおおよそこういうものです。これに関連してようやく再度、地域の重要性が復活しているんだと見ています。というのも、選挙だけが手段でなくポピュリズムの中には地域性を持っている政党が結構あるんですね。とりわけヨーロッパではそうでしょう。バルセロナ地方党などスペインにはたくさんの地方党ができています。この地方党と組んだ全国的な政党がポデモスです。ヨーロッパ議会、それからスペインの国内政治の文字通りの第三勢力として登場して現在に至っている。この構図をモデルにして見れば、イタリア、ギリシア、オランダ、フランスもそうでしょう。ドイツでも州政治を基盤にして、キリスト教民主同盟と社会民主党ではない第三勢力が登場している。アメリカでもトランプを支持した人々はこれでないかと思っています。

そもそも叛乱が右か左かということは、少なくともその当初は叛乱の定義に含まれません。ポピュリズムは左でも右でも大衆蜂起という観点では叛乱の始まりです。ただし、多くの場合には、投票、選挙という手段に限られているので、地域に根差した叛乱の集団という性格をなかなか持てないでいる。私は左右のポピュリズムが対立しながらいかに土着していくことができるかということに、叛乱の趨勢を読みたいと思っています。これが地方党ということです。

11 現在、マルクス主義、社会主義や共産主義についてどのように考えているのか？ 長崎さんは「マルクス葬送派」の座談会にも参加していたが、その時点でマルクス主義のどこを批判しているのか？ マルクス主義の死が告げられた時以来、解放に向けて社会を変革できる勢力または運動が生じてきたのか？　六〇年代に旧左翼を克服したと主張した新左翼は八〇年代の非政治的左翼を生み出しそれは結局現在の左翼の弱体化につながっている。その流れに照らして、どのように新左翼を総括し評価すればいいのか？　現代に、結社のような組織問題をどのように捉えているのか？　現在、そのような組織問題を実践するとなれば、どのような形を取るのか？

政治と党のことばかり

今回は終始マルクス主義の革命と党、それに叛乱に関してご質問を出していただきました。最近では珍しいことです。それで私としても過去の著作を思い出しながら精々応答したつもりです。ついでに、七〇年代以降の私自身のことを申し上げておきます。七〇年代いっぱい政治と関わり、また関連した評論を書き続けました。ただ、様々な意味で食い詰めて、ちょうど一九八〇年に私は地方の大学に助手として復帰することにしました。たまたま職場が大学病院だったので、それとの連関で身体運動に関心を向けて『動作の意味論』という本を書きました。同時にたまたまのことですが、環境技術の普及活動に携わって地球環境問題に関心を持つようになります。実際に何やっていたかというと、環境問題に資する農業と環境の技術を農家を中心に普及して歩くという活動です。組織としては、まだＮＰＯがない頃ですがＮＰＯに類する機関を作って、そこでの普及活動をやります。私は退きましたがこの集団は今でも活動しています。

地球環境問題の再登場

こうしてはからずも地球環境問題に関与することになって、その理論問題を『思想としての地球』という本に書きました。今世紀初めのことですがそれから二〇年ほどの中だるみがあって、現在もう一度地球環境問題がトピックになっています。地球温暖化と気象異常です。中国が二〇五〇年までにガソリン車を廃止すること、これに伴う中国市場の帰趨がひとつ、もう一つは環境問題への配慮が資本の投資先に考慮されることです。異常気象の激化もさることながら、これらのブルジョア的関心のために地球環境問題の今回のブームは長続きすると思います。いざとなればブルジョアジーにできないということはないのです。加えて現在の新型コロナウイルス感染症のパンデミックも地球環境問題だというのが私の見方です。関連して最近「地球環境問題としての情報技術」と「コロナ小括」という文章を『情況』誌に書きました。

ポストモダンから歴史へ

一九八〇年を境にして、アメリカでも日本でもポストモダンの思想がマルクス主義に対する反動として一世を風靡することが起こりましたね。私は事実上この思潮から逃亡したというか、置いてきぼりを食った形です。フーコー以降は翻訳で読んでも歯が立たないし、「思想の土着化」と称してむしろ積極的に読むことを止めたということもあります。ただ、ついでに言っておくと、ブランショとジャン＝リュック・ナンシーについては「永遠の序章」という共同体論を書きました。

今世紀に入ってからは『情況』の編集者が代わったこともありまして、もう一度六八年以降の運動に関して、今度は自分の経験としてではなく、それをどのような語り口で歴史にすることができるかと意識しながら、何冊かの本を書いたというのが現在までの流れです。マルクス及びマルクス主義には、経済学があり、哲学があり、歴史があり、その他様々あって、それはそれなりに興味を持っていたし、若い頃には勉強したことがあります。でも結局のところ私が関心を持ち続けたのは、マルクスおよびマルクス主義の名による革命論の系譜なんですね。意識して選んだテーマというわけではないんですが、たまたまこれにこだわって書いてきたというのが、私自身について言えることじゃないでしょうか。

三里塚闘争、対政府交渉の顚末

松本礼二は一九七八年五月から一年余、三里塚芝山連合空港反対同盟（以下「反対同盟」と略す）と政府内閣官房（以下「政府」とする）との交渉を仲介する仕事に、ほぼ専念していた。この間、松本を含めてこの問題に関連して持たれた会議の回数だけでほぼ百回になるから、松本がこれに「専念」していたといっても誇張にはならないだろう。

この、反対同盟のいわゆる「話し合い路線」に対して、松本の政治的敵対者だけでなくその古くからの同志の中からも、中傷・反対・懸念の声が巻き起ったことはもちろんよく承知している。私がここに綴ろうとしているのは、しかし、これに対する松本グループの反論や弁明ではない。今や「歴史的事実」を明かそう――というのですらない。実のところ、この二点について、松本はすでに関係文書まで含めて公表しているのである。（これら「事実」にもとづいた「話し合い路線批判」というものを、これまでに私は知らない。）

私がここで記録しておきたいのは、右のことでなく、政治家松本礼二のこの間の仕事の事跡である。そしてさらにいえば、この手の交渉をめぐる政治集団の「技術」についてである。――大衆運動に対する「組織された不信」ともいうべき、この「技術」についても、誤解は解けていない。

松本礼二はひとも知るメモ魔の一人である。三里塚をめぐる交渉の一年余にも、詳細なメモが残っている。松本のメモは事実の記録というより、問題の進展ごとに自身の考えを整理し、翌日内外の政治的人士を説得する論点を固める——という性格のものである。そこに個人的感慨めいたことは見い出されない。

他方私自身は、この間松本のアタッシェの一人として「話し合い路線」を進めた者であるが、これに関連した会議の日時と内容とを簡単にメモに取っていた。三里塚問題のための交渉にこの時期「専念する」ことに、私にはある不機嫌の気持が付きまとっており、その腹いせのようにして「会議」の数を数えていたのである。交渉がほぼ終結と判断した七九年七月十四日の項に、「(この問題をめぐる会議の回数) 以上九二回」とある。

以下ではこれら二つのメモを使った。(松本のメモは《 》で、私のメモは「 」で示すようにした。) なお本文に入る前のこの段階で、一九七九年六月十五日付の次の文書を通読していただくのが好便であろう (別掲、付属文書㈠)。これは同盟と政府との話し合いのための予備折衝を集約したものである。以下の記録はこの文書への「註釈」という性格になるだろう。なお、松本グループではこれを「六・一五協定」と呼んでいた。私たちとしても多少の「趣味」を許してもらい、この協定の調印がブントの記念日に重なるよう、政府と同盟に「強要」したのである。

付属文書㈠

覚書

政府および三里塚芝山空港反対同盟（以下「同盟」という）は、両者の誠意ある話し合いによって、成田空港をめぐる過去十三年間の事態に終止符を打つため、以下の覚書を交し、その実行に合意する。

第一項

政府および同盟は、成田空港建設過程で「公共の必要性」と「農民の権利」の対立が、適正に解決される事無く、暴力的な紛争という不幸な事態を招くに到った過去の経緯につき、相互に率直に反省する。ことに、政府は空港建設過程において、関係農民の営農実態に対する配慮が不充分であり、また住民との誠意ある対話により事態を解決する努力が充分でなかったことを認め、今後は、同盟との話合いにより、問題を解決する方針を確認する。

第二項

政府は次の各項の実行を確約する。

（イ）第二期工事は凍結して話し合いにより解決する。

（ロ）土地収用法発動下の現状が、対等の立場に立った話し合い実現の障害になっているとの同盟の主張を認め、第二期工事予定地内の土地所有者、関係人、同盟員の土地については、土地収用法に基づく一切の強権発動をしない。

一坪運動については、同運動が解消された段階で同様の処置を講ずる。

（ハ）起業地内同盟員に関し、土地収用法適用下で生じた、あるいは今後生じる種々の不利益については、具体的事例に応じて、誠意をもって対処する。

（ニ）岩山地区等航空保守施設用地は、本来空港用地と機能的に密接不可分の関係にあることを認め、かつA滑走路にかかわる第二種騒音区域の現状が緊急避難を要求している点に鑑み、その処理については早急かつ誠意をもって結論をだす。

第三項

同盟は次の事項を確約する。

（イ）第五項にいう対話集会のあと直ちに政府との誠意ある話し合いに入る。

（ロ）話し合いは、成田空港の将来およびこれに関連する全般的諸問題を議題とする。

第四項

政府及び同盟は、空港予定地内および空港周辺の不正常な状態を正常にもどすよう、相互に努力することを確約する。

第五項

政府と同盟は、前記第一項の精神を確認し、かつ、第二項、第三項の確認事項を結論の一部とする目的をもって、公開の討論集会を実施する。

この集会において、政府は、関係農民をはじめとする住民の過去十三年にわたる苦労と、住民に対する説得が十分でなかったが故に、引きおこされた混乱の実態に謙虚に耳を傾けるとともに、双方は、今後の信頼関係の礎を確立する。

但し、右の対話集会は、国民の批判に耐えうる結論が導き出せるよう、あらかじめ、政府および同盟で、予備交渉を行い、手続き、内容につき、合意するものでなければならない。

昭和五十四年六月十五日

内閣官房副長官　加藤紘一

三里塚芝山連合空港反対同盟　島寛征

(一) 開港

一九七八年五月二十日、三里塚の成田東京国際空港はやっと開港にこぎつけた。過去十三年間の反対同盟の抵抗はもとより、二ケ月前の管制塔襲撃事件、そして開港当日の管制ケーブルの切断など、「過激派のゲリラ」をおしての開港だった。第一期工事分だけの部分開港という事実は別にしても、治安上でもなお欠陥空港のままでのスタートだったのである。

この開港の前後、反対同盟と当局との間で複数の交渉のルートが活性化したのは、だから時勢の赴くところだったといえる。松本の主導した交渉は、これら複数のルートを整理しこれを一本に絞ることとしてスタートした。たとえば当時、私たちが松岡ルートと呼んでいた交渉の経緯があった。東大宇宙航空研究所の松岡秀雄(以下敬称略)を仲介にして、五月十一日三塚運輸政務次官(以下肩書は当時)が現地入りし、石橋ら二期工事用地の同盟農民と話し込み、十五日には松岡立合いのもと三塚・島寛征(事務局次長)会談が行われた。同夜島と松岡は石橋以外に強行派の小川(源)を説得し、「この線で行ける」と考えた。しかし同日、反対同盟幹部会からこの話はマスコミにリークされて報道され、これに対応する形で幹部会は十七日「話し合い一切拒否」を表明したのだった。「この線」の目玉は「二期工事凍結」だった。

松本礼二は以上の経過に直接関与することはなかった。しかし他方松本グループでも、当時三里塚闘争を対政府交渉に乗せるべきだとの結論に達していた。五月六日いわゆる「三上卓系民族派」と呼ばれる「大昭会」との定期会談でもこの点を確認した。この会議には吉野詮と青木哲、松本一派からは「遠方から」派の「四人組」と批難されていた松本、石井暎禧、篠田邦雄と長崎とが出席した。席上、政府との仲介は四元義隆に依頼することとし、吉野と青木は十五日に四元の快諾を得た。また席上松岡の協力を得ることも決められ、九日長崎がこちら側の意図を松岡に伝えた。以降いわゆる松岡ルートが走り出すわけだが、これは私のメモによれば松岡の「独断専行」、こちらとしては手の下しようがないというところだった。

この松岡ルートの顚末は松本礼二に一つの危惧の念を与えた。五月二十四日に松本らがこの問題で初めて同盟側の島、柳川秀夫の二人と会談したとき、島が述べたように、松岡ルートの折衝は「やり方がまずくてどうしようもなかった」には違いない。だが「やり方のまずさ」とは何を指すか。松本の見るところ、第一には秘密厳守への注意の不足。第二に交渉当事者の「当事者能力」を吟味することの重要性である。当事者とは一方が政府そのものであるべきであり、これを空港公団・運輸省関係者とすることは危険だという判断である。後に四元のいった言葉ではないが、これらは「どうしようもないゴミみたいな連中」なのだから。もう一方の当事者は、いうまでもなく反対同盟とその支援グループである。

結果として松本の主導した交渉も、以上二点の破れ目をきっかけにペケとなるのだから、「どっちもどっち」という批判には弁解しない。ただこの問題の当初から、以上二点への注意がいつも私たちの意識にあった。当時の私のメモにこうある。「五月二十五日、松岡と打合せ。拙速を注意。こちらの補佐官が全権と交通整理のアクションを起すまで、松岡ルートの再開をみあわせることを了解さす。当局との交渉内容の詰めはお願いする、と。これで技術スタッフの構想はできそう。あとは当事者能力（の煮詰め）のみ。」こうしたことはいってみれば交渉の技術問題である。そして私は今回、松本とその政治家としての技術についてのみ記録すると初めに書いた。ただ話を次に進める前にこの段階で判断するのだが、革命の思想信条について論じることが好きな読者のために、松本がなぜこの交渉に乗りだしたかについて最低限の注意書きが必要だろう。

要点は二つある。「開港」という三里塚問題の大詰を迎えて、空港管制塔の破壊や管制ケーブルの切断など、セクトによるゲリラ・テロの戦術が三里塚闘争で行使されたこと。「五月二十日。『開港』。中核派による管制ケーブル切断。軍事＝ゲリラ戦へ（!?）。明らかに、一種の闘争上の思想の変化を表わしている。」――私のメモにはこうあるが、この「変化」に私たちは直面しているのだと感じられた。一口にいって、大衆的政治集団の自己権力化、これに対して国家そのものも国家権力として自己形成する、という革命の正道が、ここに「テロ（ゲリラ）対治安」という構図に疎外された。これはおよそ「政治」というものの存在を無に帰する転換であり、大衆と国家とを媒介する諸集団の解体、という社会状況に深く規定されて起ってきている。反対同盟という地域農民の政治集団による三里塚闘争も、ここに事実上「終焉」、転換を迫られている。

こうした認識については六月二十日付『遠方からの手紙』二〇号にくわしい。「権力と大衆の関係をテロと治安の関係に疎外する社会の構造そのものが、われわれの革命にとって根本的な敵である。」とすれば三里塚闘争をもこの構造から離脱させ、同盟を北総における農民の地域権力として自立させる道を開かねばならない。ここに、《成田闘争の「終焉」と「成田問題」解決への努力開始は大きな意味をもってくる》と、松本のメモは記している。また当時のあるメモには次のようなエピソードも見える。「朝日新聞高木正幸編集委員――ところで松本さんの気持を動かす（対政府交渉の）最大の動機は何ですか。松本――歴史的に見れば小さな事だが、元学生被告の救済です。高木――いや驚ろきました。松本さんは私が考えていたよりやさしいのですね。連中（中核派のこと？）も理解するかも……」

松本礼二が何故「話し合い路線」などに――という疑念に対して、以上が第一の註釈である。そして第二点は、篠田のいい草を借りていえば、「清水丈夫《シミタケ》との私闘」あるいは「中核派に対する深情け」ということが、ここ三里塚闘争と対政府交渉でも終始底流にあったことであろう。《(交渉の結果としての)「勝利宣言」に同盟農民とKp（中核派）の共通表現ができるようにすれば、Kpにとって二重の勝利宣言となる＝「三里塚」と「対カクマル」》。私のメモでは、「〝二重対峙〟に二重に勝利させる。新たなBB連合へのルート」とある（五月二十一日）。

（二）準備

五月二十日の開港以降、松本の要請で同盟から島と柳川が出た。「四人組」では松本と長崎が直接表面に出、篠田と石井が裏方に当る。元三里塚現闘組の今吉俊秀と大昭会若手の吉川誠が「島のお友達」として現地連絡に付く。吉野、青木は四元の対政府折衝の進行をプッシュする。以上に加えて「技術スタッフ」として松岡。彼は東大助手共闘以来の長崎の友人であり、東大闘争の後、空港の専門家として現地で島らの信頼を得ていた。また、常東、高浜入闘争以来土地収用法とその適用の歴史について、並々ならぬ執念をもって研究してきた針谷明が、ある時期から松岡と組むようになっていた。両人は特に三里塚への収用法適用の法律上の欠陥を強調しており、この点で葉山岳夫を中心とする同盟の法律対策に批判を持っていた。

以上のような自称「島のＰＴＡ」の布陣の構想は五月末には動き出していたのだが、いま一つ、私たちが「特別補佐官」と呼んでいたキャラクターの具体化が残っていた。この補佐官は「われわれ」と政府内閣官房の間に立って、両者の直接折衝への条件を煮詰める役回りとして早い時期から想定されていた。二つの顔を持たねばならないむつかしい役である。こちらとしては三里塚問題十三年間のこじれを彼に理解させた上で、こちら側のエージェントに仕立てねばならない、と思われた。

おそらく四元にはこの補佐官の役回りを、内閣官房の下僚やまして公団、運輸の官僚にもつていく気は、はじめからなかったのだろう。四元が福田首相、安倍晋太郎官房長官にこちら側の基本的要求をのませたとしても、彼の補佐官がそれを内閣の意志に煮詰めねばならない。だからはじめから「誰の」補佐官かという問いには、三重の回答が可能だったわけだ。

四元が選んだ補佐官は西村という。当時高知空港公団の理事で、同空港建設に際し用地住民の円満立ち退きに功のあった人物で、氏の昔からの同志でもあるらしい。この人選は四元の意のままになる人物を出したというより、吉田茂以来の「保守本流」のトップ・コンサルタントとして、政府の意志決定の実態を四元は良く知っていたせいであろうと私は思っている。政府の「当事者能力」を疑うこと。

一体に、対立する相手の実情を過大に評価しがちなのは、当事者によく見られる傾向である。ましして相手は「国家権力」「日本国政府」である。後の交渉の何時だったか、加藤紘一が「そんなことといわれても政府にはひとがいない」といったことに対して、「だって日本国政府じゃないですか」と反論して笑ったことがあった。交渉の大詰めで森山運輸大臣が同盟のメンバーと会談したとき、「鬼のような連中かと思っていた」ともらしたそうだが、これも向こう側当事者の弁として同様な性格のものであろう。ついでながらいささかさもしい蛇足を一つ。直接交渉が始まってから、ホテルや旅館の交渉場所の設定と費用負担は政府がやった。そのことが私にはめずらしい経験だった。喫茶店で閉店時間を気にしながら会議をしなくてもいいんだ、政府には少なくとも小金はあるんだ、と。

ともあれ、「補佐官待ち」の期間が二ケ月ほど続く。この間もちろん、「島のＰＴＡ」たちは、メンバーを少しづつずらしながら会議を重ね、見えない敵に対する「過剰防衛」体制が維持される。七月二十日、西村上京。四元を前にして顔合せと三里塚闘争についてのレクチャー。こちらは吉野、青木、篠田と長崎。「農民のための解決、三里塚問題で非は政府にあるという基本線」を確認した、とメモにある。「反対同盟を一本にまとめて交渉相手と考えうるかという西村の疑問。島のオルグと当事者能力の確認をこちらは終えている。」八月四日、松岡を加えて西村へのレクチャー第二回。「二期工事凍結」は開港の時点ですでに島と三塚の合意事項だった。「地権者円満立ち退きのための話し合いは絶対に不可（西村の高知空港の場合とは異なる、十三年間のこじれ）。」続いて同日、島に西村をひき会わせる。以下、この会談のメモからの抜粋——

西村——自分は誠心誠意ことに当る人間である。「先覚者」（四元）を通じて首相＝官房を代表しうる地位にある。以降の実践を見て判断してほしい。この前提のうえに、島・西村で第一次会談をしうる条件は何か。
島――条件は地権者の処遇と二期工事の問題だ。
西村――十七戸の地権者がその土地で農業を続ける意志は堅いのか。
島――そういう人間だけが残った。
松岡――政治屋的な「二期工事凍結」では駄目だ。これまでの政府の理非を知的に明らかにすることと不可分のワンセットだ。
島――過去を反省するという認識に立って、将来的解決策を出すことが大切だ。
松岡――西村氏は全経過を知っておかねば駄目だ。参考書は……。
西村はこの日の会談で自分は「首相＝官房を代表しうる地位にある」と言明したが、この段階では事態がそこまで詰っているわけではなかったようだ。八月十二日の会見で四元がいうには、「問題は当局側だ。どうしようもない、ゴミみたいな連中なんだ。こちらは一丸となって事に当り政府に意向をのませねばならない」とのことだが、四元としては官房の体制に西村をはめ込む背踏みをすると同時に、「こちら」の体制をも慎重に測っていたのだと推察できる。
私には今も、政府工作の四元の極意ともいうべきことがどのようなものか、解っていない。ただ大切な問題ではまず首相そのものの了解をとることから始め、これを宮房で具体化させるアクションに取りかかる、そのために首相との会談のタイミングを測るという手順を取るように思える。「(空港) 公団とやって農民が勝てるわけがない。農民が勝つためには意志決定権を持つ日本国政府とやらねばだめだ。そのことは百回言っても言いすぎということはない」と、四元は語ったことがある。

八月十二日、四元から対政府交渉のための「松岡試案」が見たいという要望が出た。これに応えて十七日、松本、長崎と島、松岡とで、同盟ごとに地権者と岩山地区農民を納得させられる最低線について具体的に詰める相談をした。その内容をまとめて長崎が四元に送ったのが次の文書である（付属文書(二)、本書では略）。私はこの文書が発送前に島、松岡の「検閲」を受けることのないようにした。四人で相談した内容の歪曲はしないが、私の文書では政府向けの「註」を加える配慮をした。四元はこの文書を持って八月三十一日福田首相に会い、これを一括了承させ、次に安倍官房長官に文書を渡し、合わせて西村の政府側での位置について相談をした、ということである。

この文書に盛られた内容について、九月五日付の松本のメモはこう記している。

《二項目（(1)と(2)）は結論としてワンセット。凍結（合意を得る為の努力の間＝合意のない限り進行ストップ）と、二期用地内へ（岩山の）移転を認め受入れる。（二期）用地内への移転を認めることは、法的、実態的に「十三年間」と事後の（収用法の）法的規制を外すことを意味するし、＝「二期工事中止」の出発点となる。ここで「凍結」＝「中止」という事実が明らかとなるが、現状の「玉虫色」表現は最終結論まで「玉虫色」で通す。二項目の性格決定は時間を必要とする。》

このように文書の一、二項は「ワンセット」には違いないが、このうち土地収用法の起業地計画に触れる部分は、最後まで明文化に政府側が抵抗することになる事項である。しかし、政府、同盟の合意内容の表現いかんにかかわらず、基本的に政府側の陳謝と二期工事凍結を内容とする合意が両者に成立するとき、三里塚闘争の歴史にそれがもつはるかに広い政治的意味は、また別の問題である。松本グループではこの後の点に関する配慮が、くり返し討論されていた。第一には中核派その他の支援グループに対する事前の工作。この時期、中核派へ経過説明の文書を渡し、砂川の宮岡への協力依頼などが行われた。第二に、政府側との秘密折衝が合意に達したとして、それを政府、同盟との公開の話し合いへ移していく段取りとそのタイミング。この時期、「九月五日仮調印、十七日以前に政府声明、十七日『勝利大会』。以降公式話し合いへ」というように、いささか急に九・一七をメドとしたスケジュール予定が考慮されていた。

この点について、松本は九月のメモで次のように書いていた。――

《(三) 来るべき第二段階

(イ) 八・四～九・七までの作業
　政府当局に決断を迫る予備交渉と輪の拡大

(ロ) 九・七と九・八　輪の拡大の力で決断への一歩

(ハ) 九・八　一週間以内に場を。一週間以内で部内工作と福田帰国了承の取付（政治決断と事務当局の調整）

(ニ)「場」の性格＝前提の了解＝オープンの準備討議。オープン日程とオープン状況づくりとオープン内容。

(四)現状と体制づくりと今後の課題

(イ)第二段階を迎える政治評価。М〈運動〉の評価。Мの力、Мの史的力、客観的社会状況の政治的駆動力。「結果」の評価。波及軸の形成。

(ロ)同盟内の緊張、支援との緊張とМ推進軸の形成。「岩山＋敷地内」＝同盟の中心的課題＝打開方針と打開闘争の基軸とМ勝利宣言と「勝利」の確定へ

(ハ)「支援」の対応の読みと対策

(ニ)「勝利」確定の基本軸

①農民生活、人間宣言の勝利。②農民による、地域による農業振興、地域開発。③政治的キャンペーンと具体化作業集団の形成。④関東内陸部開発、地域振興策の具体化と予算化。⑤「大政同」〈大衆的政治同盟〉、「地方党」Мとして。》

(三)会談

九月に入っても、島－西村を立てたこちら側の会議が続く。これは西村を「われわれの一員」として、政府に対するこちらの意向と体制を固める作業だった。他方でこの間、西村がこちらの意向を官房に伝え、四元が官房の意向を西村に代表させる工作が続いていたようである。九月七日、西村を官房参事官楠田某に引き会せ、楠田と安倍の意見調整。九月二十五日、楠田、もう一

度福田の意向を聞きたいと日和る。四元、安倍と会い西村を引き会わす、等。

こうした経緯を反映してか、こちら側の会議での「われわれの一員」としての西村の位置がぐらつき始める。気の毒なことだが、われわれ、四元そして官房の「補佐官」という西村の三重の定義が、うまく重ならなくなったようである。二期凍結と収用法起業地の変更とは専門家の意見によると矛盾する、後者は表現をぼかせないかという電話を〝私的に〟長崎にかけてきて、「答えはノー。官僚ベースでいく話ではない。政府の決断が両項だ」とやり返される。同じことを会議でむし返して、私たちとは別の意味で傲慢な松岡が、「あんた何のためにいるの」と詰問する始末だった。

こうして九月中には、内閣官房と島とが直接に折衝する方式が浮上していく。この間、四元と西村をプッシュする。かくて十月に入って官房では道正邦彦副長官を立てることが決定され、同氏は次官会議で一任を取り付けたようだ。十月十六日に第一回会談、こちらは島、松本および松岡、間に西村。


《十月十六日、道正と会見。(イ)双方の姿勢表明の後雑談風に。「二期と収用法」で道正ＯＫ。但し「話し合いが付く」解決の保証、(および)「政府としては二期開港」を期待する」旨の表明あり。今後、㊙で継続、内容詰めの担当は道正で、又日程については十一月中は？》

以下は私のメモである。「前提二条件ＯＫ。二期工事への「保障」がほしい。そのための要求があれば何項目でも出してくれ。こちら、二段階方式でなければ駄目。過激派と運動の論理を理解せよ。第一段階で闘争は〝終焉〟するのだ。」

当日は政府高官が初めて過激派と会見するということで、会場周辺は大変な警戒ぶりだったということである。右のメモにいう二段階方式とか第一段階とかは、われわれの間で八月以降構想されていた方式で、まず秘密予備折衝で「二条件」を中心とした基本的合意に達し、これを双方が徐々に対象を拡大しつつ根まわしをしたうえで、第二段階で将来にむけた「成田問題」(「成田闘争」でなく。――これは第一段階で「終る」のだ)の公開の話し合いに入る、というものだった。

この点については、「道正氏との会談へ」と題した次の松本のメモが説明している。(ここには松本メモの特徴もよく表われていると思う。)

《(一)「第一段階」を踏むことの意味を充分理解させること。

第一段階とは、

(イ)「過去十三余年、現地農民の生活、環境等を全く無視し、国の政策という大義で一方的、強権的に進めてきた『成田』が、農民の生活を破壊し地域社会を解体し住民個々の苦悩を拡大してきた」ことを痛苦に反省し、

(ロ)『国の政策』とは、住民の了解と協力を求め住民の生活の将来を確保するものとして提起され、努力するものでなければならない。」かかる「国政」の原点に立つとき、

(ハ)現下の「成田」は憂うべき状況であり、十三年の謝罪をこめた反省に立ち、政府としては

全面開港を念願し現地農民の理解と協力を期待するものだが、
(三)「覚書」を結び「真の話し合いに入る」状況づくりに責任をもって対処する。
(二)「第一段階」を踏むメリット
(イ)「成田闘争」の終焉と「成田問題」の始まり。
(ロ)治安等の「平常時」状態での警備検討、
(ハ)「話し合い」の始まり=行政能力、
(三)十三年間、為政者は「語し合い」をもつ能力がなかったが、「福田」にはできる。》

以上の「二段階方式」は、次に掲げる同盟島の「覚書(案)」の政治的構造を成すものである。(付属文書㈢、略)この文書は同盟島と政府道正との予備折衝で合意すべき案文としてまとめたものであり、第二回会談に提出して道正の見解を質すためのものである。これはさきに掲げた「合意案」(付属文書㈡)のこちら側の具体化であり、また最終的に「六・一五協定」書へと修正、合意される出発点であった。これと六・一五協定との差異のなかに、以降の対政府交渉のすべてが介在する。

「十一月二三日、西村とこちら側四人のメンバー(松本、島、松岡、長崎)。明日の第二回会談の準備。十二月一ぱい、現地一任取り付けの線でスケジュールを押すこと。自民総裁選とのからみは?(しかし)福田派の道正ならず。同夜、こちら四人築地ホテル泊。覚書案文の手直し、松岡による。島は〝超然〟。オンブにダッコ風。

十一月二四日、島‐道正会談。西村、松本、松岡出席。覚書案提示。（i）過激派は大丈夫か？（ii）対話集会は大衆団交ではまずい。（iii）政府当局の誤り、政治的には何でも認めるが、法的に非を認めることはできない。他は（道正）特に言及せず。二十七日中に覚書案修正を渡す。二十八日これをもとに第三回をしたい。こちらテンポ（十二月中）を強調。」

ところが、ここで予期せぬハプニングが起った。「十一月二七日、予想外。自民総裁選、福田第二位。本選挙立候補せずと声明。大平に決り。道正から西村へ。明日の第三回会談はキャンセルしてくれ。後継者にはよくバトンタッチする。」

本題からちょっとはずれるが、この自民党総裁選挙の顚末は私たちに強い印象を与えた。翌日の私のメモの余白にいう――「自民党のフレクシビリティ。党内に刺激を与え、しかし党は割れない。総裁選で党員倍増。〝地方〟の再編⁉ 地方党の危機⁉ 大変に絶望的。」

この選挙方式は「党の近代化、派閥解消」を掲げたかの三木内閣が作ったものだった。しかし今回、福田と大平の対立と田中軍団の活躍により、「ネコやネズミも」党員に登録する大騒ぎを全国にでっち上げ、こうして自民党は集団の活力を再生させる。戦後以降の政治がいまもすべて自民党という「国民政党」あるいは「地方党連合」の内部にかかえ込まれており、そこでめぐっている。「大変に絶望的」なのであった。

（四）交渉

明けて一九七九年、五ケ月近くの中断の後に、四月大平新内閣との交渉が再開された。政府からは新官房副長官、加藤紘一が出る。「俺のいうことは政府の言と思ってもらっていい」と加藤は私たちに言明した。再開に当っては再び四元が動いた。四月四日、前回福田に渡したのと同じ文書（付属文書㈡）をもとに大平首相の了承をとりつけたのだという。「福田が大平君にやられて（交渉が）中断したとき、僕は（鈴木）善幸に〝どうするのだ！〟というと、あの野郎担当者のくせに、〝先生、それは大平さんに聞いて下さい〟ときた。僕が腹を立てて大平君に直接いって加藤全権体制ができたんだ。結果はかえってよかったがな」とは、あるメモが伝える四元の話である。

四月十九日、加藤と顔合せ。同盟から島、柳川、そして松本、松岡、長崎（以降こちら側はこの五人が出席することになる）。道正と西村の立合い。「二月に鈴木善幸から三里塚の勉強をするようにいわれ、四月に大平からメモを渡された。三里塚問題は農民の体を刻むようなものだったし、政府として反省しなければならない。農林関係者が初めからタッチしていればこんなことにはならなかった」と、加藤は述べた。

というわけで、すでに道正に渡してあったこちら側の「覚書（案）」（付属文書㈢）につき、「すべて実質的に了承するが、このまま公表したのではぶち壊しだ」（加藤）という観点で、次回からただちに案文の協議に入ることになった。協議は六月十五日の島－加藤覚書（付属文書㈠）の調印にいたるまで、加藤との間で合計七回重ねられた。

覚書の内容をめぐる交渉の中心は、予想されたとおり、「土地収用法適用の非」を明記する第一項（ロ）だった。［「土地収用法にいう起業地計画から、第二期工事予定地を除外する法的措置を講じること。」付属文書（二）の第二項（ロ）に対応」島、柳川の現地判断からすれば、「二期工事凍結」だけでは「新味」に乏しいということで、最後まで原案に固執した。他方政府側からは法的処置の変更を公表することは不可である。（ことに事務次官会議——官僚出の道正は、法治国家の法的誤りを自認するような案文に強く抵抗した。加藤も同様だが、「三里塚だけならよいが他への影響を考えるとできない」といういい方をした。）「五月三一日。（ロ）項でデッドロック。島、加藤双方〝お家の事情〟で譲らず。」

他方、松本ら「四人組」は、この交渉の政治的意味からすれば、（ロ）項の案文は駆け引き材料としていいと考えていたと思う。五月三一日のメモに、「こちら（「四人組」）の会議。（ロ）項強行（固執）？　それより全体としては〝平和条項〟のほうが影響が大きい。」とある。松岡を説得（「覚書の文言を将来の言論宣伝で生かすことができる」）したうえで、六月十一日には協議をこちら側五人が中座して、島を松本が納得させるという一幕もあった。「夜中こちら側（四人組）打合せ。島動揺、次回も調印しないのでは。これができねばこちら手をひく」と、同日のメモにある。

さて交渉のもう一方の極には、さきのメモにいう「平和条項」の問題があった。いうまでもなく治安上の欠陥空港という事態を切り抜けることが、この交渉に政府がかけた政治的意図である（官僚側からすれば「二期工事再開」）。六月六日に提出された加藤の修正案には、次の二項が加えられていた。「同盟は次の事項の実行を確約する。（イ）成田闘争を終結させる。（ロ）空港予定地内および空港周辺の不正常な状態を平静な状態に復帰させるよう責任をもって協力する。」こちら側からすれば「これではぶち壊し」であることはいうまでもない。交渉の最終局面では、この平和条項とこちら側の（ロ）項とが水面下の駆け引き材料となった。

事の大小を問わずどんな「パリ会談」でも、交渉の代表者は各々のお家の事情をかかえての交渉である。（今回、加藤にとってのお家の事情とは、自民党内反対派でなく、主として関係官僚の抵抗である。）政治的仲介者としての松本は、もとよりそのことを知りぬいていたろう。「六・一五協定」調印の後に、これを双方の陣営内に拡大する手順の一つとして、島はじめ同盟員四人と森山運輸大臣との会談がもたれたとき、森山が一年間の「休戦」を提起し同盟側がこれをその場で黙認するという事件があった。松本は現地に出向いて島と、また選挙区から帰る加藤を羽田に迎えて、「覚書」からの逸脱は絶対不可と申し渡さねばならなかった。「三里塚闘争」は単に「反対同盟の」三里塚闘争だったのではない。全国の住民運動に対する《三里塚闘争の名誉》が守られねばならない。

官僚といえば、六月十一日の会談に加藤は上田運輸省参事宮（空港担当）を連れてきた。上田は官僚ペースの発言をしたりメモを取ったりでこちら側の憤懣をかい、加藤が釈明せねばならぬ有様だった。十五日には今度は上田だけでなく林大幹運輸政務次官が登場、覚書の文書であらかじめ運輸大臣を縛ることに反対を唱える。加藤はこの二人を退席させたうえで、覚書きの調印に持ち込む。二人を参加させたのは、大平と内閣官房の意向、つまり覚書を運輸省にのませるための根まわしだったが、結果的にはここから、交渉全体を破綻させるきっかけが始まることになった。

覚書の第三項は政府、同盟の将来の話し合いが、空港に関連する「全般的諸問題」を議題にするとしている。話し合いのいわゆる第二段階以降に、政府の提起している空港周辺の「農業振興策」をこちらとしても受けて立つことが避けられない。むしろそのことを通じて、反対同盟は「成田闘争」からより広範な地域農民権力へと自己を再編すべきだと松本は考えていた。わざわざ「関連する全般的諸問題を議題とする」という文言を覚書きに加えたのもこのためだった。二期工事凍結下においてこの議題の討論を続けることにより、同盟は時間をかせぐのだ。そして実際、成田用水の設置など議題とすべき「全般的諸問題」はすでに進行していたのである。将来の「農振委員」の一員に加わってもらうべく、五月二三日松岡と長崎は東大の塩川喜信をオルグにいったりした（進行中の話し合いについては伏せたまま）。

さてこうして、松本、松岡、長崎の立ち合いのもとで、島と加藤の覚書が成った。道正はすでに出席者からはずれており、西村がいたかどうかは記録（憶）にない。松本はメモでこう記している――

《大枠了解された案文は、表現として意味深で鮮明さに欠けるキライはあるが現状では評価しうる内容になっている。》（六月十一日）《十三年の闘いと日本の政治軸の変動への第一段階へ歩を進めた。この作業はあらゆるところから賛否かまびすしく検討の対象とされるだろうが、年余の努力、特に現地の努力もさることながら、事の重要なるが故に可能とさせた福田‐大平のバトンタッチと、道正‐加藤の姿勢は評価されてよい。六・一五後の作業は、理解、信頼の枠を広げることから始まり、森山との顔合せで土台作りを完了させる。》（六月十五日）

（五）公開

《㊙が維持しうる時間は少なくなった。双方が「表面化」してもやり抜ける対応力を、体制を作りあげること。》（六月六日）

実際、覚書交渉のメドが立つようになり、双方がこの公開のための配慮をとり始めるとともに、一年余の「秘密予備折衝」の情報が少しつつ抜けていくのは避け難い。《第一線戦闘部隊への「政治結着」の工作は㊙という枠を破らざるをえない……というジレンマ》があるからだ。

すでに六月五日、「四国、九州方面から」成田は六月十五日―二十日頃結着かという情報が流れる。六月十一日、カクマル派の「解放」に三里塚のボス交を批難する論文（ただし、具体的情報はなし）。この論文は中核、四トロ派を浮き足だたせる最初のきっかけとなる。六月二十三日、読売本社から林大幹へ話し合いの進行について問い合せあり。（これには、「林→読売本社、ではないのか!?」というメモが付いている。）

《「読売」などの動きに対しては先制的対応がカギ》と松本は記しているが、六・一五以降のテンポは不可避的に早くなる。第一には中核派など支援セクトの動き。五月十一日、石井、篠田が中核派栗山に話し合い進行状況の詳細説明、栗山上部に伝えることを約す。中核および四トロの柘植、現地で島、柳川へさぐり。十九日、両派倉石、今野が島に「反対」申し入れ。柘植、松岡を訪問。二十二日、栗山こちら側との会談予定をすっぽかす。二十六日、島に四トロが情報提供を迫る。中核派「この前（十九日）は情報の混乱あり、失礼しました」と。「松岡に会って確信が持てました」と柘植。七月十三日、砂川の宮岡から説明を受け、中核派「謀略だ」と。「謀略に関知せず。現在の政府との話し合いは十三年の路線変更の問題だ。二、三日内に正式に説明し協力を要請する」と、島は答える。松本、今野に会い詳細説明。以上の経過の中で、島もわれわれも、内部情報の混乱があったが「両派については問題なし」と判断していた。

次に当事者どうしの詰めの作業。

六月十五日、七月明け（東京サミット後）に話し合い公開を目標に作業に入ることを確認。十七日、松岡、島、柳川、同盟幹部の内田、石井に背景説明。「松岡、島とも覚書の説明、説得なし。どうなってんの。」十八日、四元、大平首相と面談。「加藤の線で押せ、運輸省をおさえよ」と申し入れ。二十一日、加藤、現地内田、石井と会談。「内田氏が後見役に立ってくれ、結果としてOK」と島。二十六日、「これでいける」と島判断。これまでの関係者プラス数人に話を拡大した。今日の森山との会談がうまくいけば、まず非地権者の固めに入る。これにより地権者を包囲して後者に「決定」を迫る、と島。

こうして六月二十六日、森山と同盟四人との会談の運びとなった。林と加藤が同席、西村が仲介。森山の発言――私はもともと話し合い論者。「十月二期工事着工」という大臣就任時の声明は撤回する。同盟を固め支援グループをおさえられるか（できると内田の答え）。（二期）〝凍結〟は言葉がよくない、一年間期限を付けた〝休戦〟はどうか。手順として、七月半ばに大臣声明（案文は事前に協議する）→同盟員二十人ほどが大臣室に押しかけて〝対話集会〟→双方から運営委員を出して話し合い実現に向かう――この線ではどうか。同盟側は森山の話を聞きおく程度で会談を終え、「覚書内容と違う話も大臣から出たが、これは責任をもって調整する」という加藤の説明を了承した。七月六日、同第二回会談。七月半ばの森山声明案を示す。森山から再び「一年休戦」の申し出。「同盟、特に反対出ず！」。加藤が松本に云う——「〝一年期限〟を同盟はのんだ。最終合意内容にもこの語句は入る。」

森山会談で話に出たこの「一年休戦」の語句は、結果として対政府交渉のすべてをぶち壊すキーワードになった。それは予備折衝の過程で加藤が持ちだした「平和条項」の延長上に位置するものであったが、交渉の結果「不正常な状態を正常にもどすよう、相互に努力する」という表現で覚書が《政治結着》をつけた意味を解さない、運輸省ベースの話であった。七月七日、「四人組」会議。「覚書からの逸脱は絶対不可。①島に厳重申し入れ、②四元に電話、③加藤に談判、すること。」七月九日、羽田空港で加藤と会談。「結果として加藤了承。ただし島から改めて〝一年休戦〟はまずいと申し入れを行うよう要求。七月十三日、島を含めて会議。「一年」は不可と再度申し渡す。島、十五日の同盟会議で主だったものを固める予定という。

こうした経過のなかで、松岡が悲嶋を上げる。「七月四日、松岡欠席、政治的なことに巻きこまれたアレルギー。ブントと一しょに行動したくない（と前日の電話で）。」七月十四日「篠田と全般的話。党派として終了確認。（松本一派の関与の）痕跡を消すこと」とメモにある。

明けて七月十六日、森山、記者会見して声明を読み上げる。正午のＮＨＫニュース「この時期に話し合いを呼びかけるのは、現地にそれなりに応ずる動きがあったものと思われる。」しかし他方、この日読売新聞は一面トップで話し合いの内容を暴露。これに応じてこの日、三里塚芝山連合空港反対同盟緊急幹部会は、「話し合い一切拒否」の声明。

＊　＊

七月十六日の読売の記事の見出しは、〝「成田」一転、話し合いへ、闘争休戦を条件。二期工事「一時凍結」も。対話開始、運輸相きょう声明〟というものだった。これは林大幹が同社にリークした内容にもとづいていることを、後に加藤が確認した。詳細でしかも不正確――というデマ記事として有能なものであった。当日の私の（最後の）メモにこうある。――「不正確でかつ細かいことまで。（謀略というより）林の理解の程度をホーフツさせる。」

この日以降の経緯については、今日、特にいうことはない。反対同盟も日本国政府も「大衆団体」だったのである。「上手の手から水もれ」ということわざもある。

本稿に登場した方々は、松本以外すべて存命で活躍しておられる。「そんなこと言わなかった、しなかったぞ」という抗議は、すべて弁明抜きで筆者が負わなければならない。（一九八八年正月）

参考資料

「産経新聞」一九九五年二月一六日「戦後史開封　成田空港3」

昭和五四年三月、当蒔の首相、大平正芳の秘蔵っ子といわれ内閣官房副長官をしていった加藤紘一（五五）＝現自民党政調会長は、大平から官邸の小食堂にひとりで呼ばれた。

「本来は事務の副長官が引き継ぐべきかもしれないが、間に立つ人が政治家である君がいいと言っているから引き受けてくれ」

大平から直接言われてはいや応もなかった。加藤は政府の代表者として、成田空港問題で反対派との話し合い交渉に取り組むことになった。

「間に立つ人」とは。戦前「血盟団事件」にかかわり、戦後も政界に独自の影響力を持つとされる四元義隆（八五）だった。

五十三年三月、管制塔占拠事件で開港が延期されたあと、福田政権は同年五月二十日の出直し開港に向け、団結小屋を行政の判断で撤去できる新東京国際空港の安全に関する緊急措置法（成田新法）を成立させた。その一方で力対力の対立に限界を感じ、話し合いによる〝雪解け〟を求める動きもあった。

「内閣には戦争状態のままで開港するのではなく、暫定でもいいから平和状態を作り開港しなければ空港の安全も確保できないという気持ちがあった」

運輸省航空局長だった高橋寿夫（七〇）＝日本空港ビルデング会長＝によると、事務の官房副長官、道正邦彦（七四）ら首相周辺で対話を求めるルート作りが検討された。出直し開港を直前に控えた五月には、千葉日報社主催の座談会で運輸相の福永健司（故人）と三里塚・芝山連合空港反対同盟委員長の戸村一作（同）が会談したが、物別れに終わった。日経連会長だった桜田武（同）や総評事務局長の富塚三夫（六五）など各界からの調停工作もあった。、交渉ルートのうち、残ったのは松本礼二（故入）ら共産主義者同盟（ブント）系活動家が働きかけた話し合い交渉だった。松本とともに動いた長崎浩（五七）＝東京都老人総合研究所研究員＝は「住民運動の模範だっだ三里塚闘争が、テロやゲリラでゆがめられたまま終結することに危機を感じた」と言う。

松本たちは、出直し開港直後に反対同盟事務局次長で若手農民で組織する青年行動隊のリーダー格だった島寛征（五二）＝農業＝と会う。松本は中央大学の学生だった島と面識があった。

島とともに交渉に臨んだ柳川秀夫（四八）＝反対同盟熱田派世話人＝は「二期用地内に岩山の住民を移転させて、政府に二期工事の断念を確定させれば、一期分を認めてもおれらの勝ちと踏んだ」と説明する。

政府とのパイプを作るため、松本たちは民族派右翼といわれる三上卓（故人）に連なる大昭会のメンバーに相談した。地方に拠点を置く政治活動を模索した経験を持つ松本たちは地方選挙を通じて大昭会と知り合った。その大昭会のメンバーは政界とのパイプを持つ四元と連絡をとり、十月になって道正と島による折衝が実現した。

柳川は「仲介者はだれでもよかった。管制塔占拠で政府と反対同盟は武力で決着のつかない状態になった。戦争のなかで力関係が拮抗すれば、空港を作りたいはずの政府としては話し合いの可能性を探るのが戦略として自然だろう」と言う。

この直接折衝は二回行われたが、福田内閣の倒壊でいったん中断。これを引き継ぐことになったのが加藤だった。交渉は極秘で行われ、加藤も経過報告は首相と官房長官だけに限っていた。当局の運輸省にも一切知らせていなかった。

大平内閣の代表となった加藤と島は五十四年六月十五日に覚書を締結した。①過去の経過につき相互に反省し、政府は対話による解決の努力が不十分だったことを認める②二期工事の凍結③二期工事予定地には土地収用法による一切の強権発動はしない――など。これを前提に運輸大臣が話し合いを呼びかけ、反対同盟が首相官邸を訪れて話し合いに応じるという手順を踏み、対話集会をへて公開の話し合いを始めるもくろみだった。

運輸省OBによると、六月初旬に加藤から運輸省に覚書の内容について連絡があったとき、蚊帳の外に置かれていた運輸相の森山欽司（故人）は航空局幹部を呼びつけて「烈火の如く怒った」という。当時、政府が空港建設の非を認めて強制権を放棄し、二期工事を凍結するなど信じ難い内容だった。

加藤は今、こう言う。「総理の命令でやったんだし、経過はすべて総理と官房長官に了承してもらっていたから、役所をまとめるのに何の心配もしていなかった。運輸省から表立って抵抗された記憶もない」

しかし、七月十六日に読売新聞はこの交渉をスクープ。空港反対派内部の根回しが不十分だったことから、反対同盟は結束をはかるため交渉の事実を否定する声明を出した。

空港反対派では交渉内容に不満を持った運輸省内部からリークがあったとの見方が定説となっている。しかし、当時の政府幹部によると、最終段階で交渉にかかわった政治家が自分の活躍をアピールしようとしてもらしたのだという。

交渉の密室性は、失敗した理由のひとつになった。長崎は「反対同盟の当事者能力をうたぐっていたから、密室交渉にした。そういう僕らの態度は傲慢《ごうまん》ではあった。そのうち政府の当事者能力も怪しくなり、交渉がオープンになるとだれも耐えられないという体たらくだった」と分析する。

松本や四元など外部の人間が複雑に絡み合った交渉は、結局、周囲に疑心暗鬼を巻き起こしてとん挫した。これから二期工事が本格化するまで約十年間、成田空港問題は野ざらし状態になる。

Ⅳ　党派性のかたち

政治セクトの現在　四つの書評から

一　革共同中核派という呪縛　尾形史人『革共同五〇年私史』

化石の文体を捨てて

一九六八年の世界同時的な叛乱（１９６８）は政治の文体を変えた。日本の１９６８も従来の政治の言葉とスタイルを一変させたことは、私自身のことも含めて顕著な事実だったと思うが、他方では今になっても旧来の言葉遣いに接してうんざりすることも多い。ことに当時新左翼党派（セクト）に属していた者の回顧録や総括文書に見られることである。例えば、『中核派民主派宣言』（白井朗、二〇〇〇年）、『革共同政治局の敗北』（水谷保孝・岸宏一、二〇一五年）などは後期中核派の路線対立を総括しているのだが、当時のセクト内の言葉そのもので語っている。本人たちには切実な党内事情であったろうが、これなどは今や当事者以外の読者にとっては私事にすぎない。私事を今に伝えることの配慮がまるで感じられない。なじんだ政治のスタイルはいつまでも当事者の文体を呪縛する。これでは１９６８におけるセクトという経験を歴史として共有することに繋がらない。残念なことである。

ところで同じ革共同中核派の筆になる『革共同五〇年私史』（尾形史人、二〇一六年）が公刊されている。著者尾形は明らかに革共同という経験を、その「呪縛」の意味を、部外者へも投げかけたいと意図して本書を書いている（私の著書への言及まである）。私はもともと1968のセクトの内でも革共同中核派という存在に特に関心を持ってきた。ならば、ただの部外者である私も、尾形の呼びかけに感想くらいは返しておきたい。

以下、私の論評は著者の「七〇年闘争」論に関することになる。当然、内ゲバのことが読者の関心になるが、尾形はこれに深入りすることを避けている。また、新左翼セクトの内ゲバについて私は別稿で扱いそこで尾形にも触れるつもりでいるので、本稿では少々寄り道する程度に止めておきたい。なお本論に入る前に、尾形のセクト略歴を記しておくべきだろう。一九五〇年生まれ、六八年横浜緑ヶ丘高校で反戦高協、六九年法政大学入学である。法政大における海老原俊夫殺害事件（七〇年）の後、七一年に中核派全学連副委員長として三里塚闘争担当に。七一年渋谷暴動の後に三里塚関連で逮捕され、七三年に保釈されるもそのまま地下活動の十二年間を送る。「革マル派との闘いが一切に優先」したというから、文字通り内ゲバの当事者でもあったのだろう。しかし「子細に記録するわけにはいかない」と、尾形はこの時期の私史を避けている（五六頁）。一九八五年に逮捕服役後九二年満期出所、九九年に革共同中核派を脱退した。中核派指導部による産別労働運動の軽視、千葉動労のパージに反発したのが直接の契機だったようだ。以降は地道に労働運動に取り組んでいる。以上、文字通りに「革共同五〇年」という経歴だったのであろう。

中核派の七〇年武装闘争

こうして「革共同という呪縛を離れた」著者が綴ったのが本書である。尾形によれば中核派の「七〇年闘争」は六七年一〇・八の羽田闘争から七二年五・一五の沖縄返還までを指すという。実質的には「七一年の決定的転機」まで、中核派主導の安保・沖縄の街頭闘争がこれに当たる。この年の一一月が渋谷暴動、加えて三里塚闘争があった。この期間は今日では日本の1968と呼ばれているが、尾形は敢えて七〇年闘争と言う。本書は上記諸闘争に加えて、大学での全共闘運動の肯定的な評価にもかなりのスペースを割いている。本書が部外者を考慮した私史である所以であるが、中核派の戦略はこの間あくまでも安保・沖縄の全国政治闘争に向けられていた。そのため全共闘運動には当初軽視と立ち遅れがあったという。尾形の言う「七一年の転機」については後に触れるが、中核派の事情を離れても、七一年には日本の一九六八年が転機を迎える。連合赤軍事件、爆弾テロ、そして長期にわたる内ゲバの季節になる。ここに年表を並べることは敢えて省略していいだろう。

さて、七〇年闘争で中核派は何よりも「武装闘争」を呼号した。国家暴力による政治強行にたいして、素朴な実力闘争から本格的な武装闘争への移行を目指したのである。といっても実際は、街頭闘争の暴動的展開程度なのだが、路線としてはあくまで武装闘争を目指したということである。中核派はその街頭闘争の主導権を握った。かくて、「全人民の希望に拠って、自分たちが、政治情勢の決定権を握っている。六〇年闘争で実現できなかったプロレタリア革命への序曲が近い」と把握するにいたった（二一九頁）。

そして、労働者部隊をもこの闘争に総動員するという「重大な決断」をした。文字通り組織を上げてこの「武装闘争」に投入したのであった。むろん、六〇年代を通じて積み上げてきた中核派労働者の現場組織の破壊と労働組合運動の放棄が多少とも避けられない。この決断に至った過程は「謎である」と一言、本書で尾形は深入りを避けている。後の内ゲバが労働者組織に同様にダメージを与えたが、すでにそれ以前に政治路線として中核派はかく決断したのだと尾形は認めている。「七一年の決定的転機」である。

六〇年ブントの遺産

中核派の七〇年闘争路線をこのように性格づける尾形の記述は、どうしても私の既視感を刺激する。というのも尾形自身がこの武闘路線を、中核派指導部の六〇年安保闘争総括に由来するものと見なしているからだ。「安保闘争は、国民的規模に膨らんだにもかかわらず、暴力革命思想にもとづいて一斉武装蜂起が組織されなかったために「壮大なゼロ」に陥ってしまった。まことに無念で許しがたいことではないか。革共同、ブント系の人々はそう考えた」（一〇三頁）。だから今度こそ、七〇年安保闘争により武装闘争への突破口を切り開かねばならない。六〇年安保の六月闘争にちなんで、「あの待ちに待った七〇年六月」を迎えたと尾形自身も記している。「六〇年の「壮大なゼロ」を乗り越える事態ではないかと、その指導部が胸を弾ませたのもやむをえないことであった」。

情勢は政治危機であり、政治危機を武装闘争により切開しなければならない。政治危機を設定して危機の闘争へと党組織を上げてのめり込んでいく。これを今、路線主義と呼ぶとして、革共同中核派という組織は、ほとんど混じりけなく路線主義の下に自ら走り出すタイプの党派なのだ。そう強く印象付ける。そもそもこれ以前にも、例えば都議会議員選挙のごとき取り組みでも、「革命の現実性」が語られ「革共同の闘争いかんによって、日本の労働者人民を大きく動かせるのだ！」と呼号する。小野田襄二に言わせれば「妄想の政治路線」である（『革命的左翼という擬制』、二〇〇八年）。

たしかに路線主義は中核派に限らず、当時は新左翼諸セクトに多少とも共通する党派性だった。そうには違いないのだが、尾形の上記の口調から私がすぐに想起するのは六〇年の安保ブント解体期の論争である。安保ブントは分派闘争の末に解体するのだが、とりわけ分派の一つ「プロレタリア通信」（プロ通）の論調が、尾形の七〇年闘争論に直接に顔を出している。当時の政治の文体の一典型として少々寄り道しておきたい。

（六〇年）六・一八において（共産主義者）同盟が強固に思想的に武装されていれば、われわれの力によっても、労働者の武装とそれを準備する峻厳な革命党の必要性、不可避性の信念をプロレタリアートの間に拡大することは、全く可能であったのだ。そうすればこそ、同盟は、国民会議や共産党の戦術により左翼的なる戦術を対置することによって自らを登場させた段階からすすんで、更にブルジョア権力の赤裸々な対決にたえる革命党への道に一歩すすむことができたのだ。（「プロレタリア通信」四号）

六〇年安保闘争におけるブントのこの総括では、大きく二つのことが主張されている。まず前半、「労働者の武装とそれを準備する峻厳な革命党の必要性、不可避性」の思想がブントに欠けていたこと。続いて後半では、既成左翼にたいして「より左翼的なる戦術を対置する」段階から、独自の革命党への道へ歩みだすことが必要であるとする。

尾形が述べる中核派の七〇年武装闘争が、この総括の前半を継承するものであるのは明らかだ。六〇年安保闘争は、ことにその最後の一カ月に、膨大な群衆が国会を包囲した。これを背景に全学連が国会構内に突入したのだった。わが国の民衆運動では空前の盛り上がりであり、安保条約改定は阻止できなかったがその批准を強行した岸内閣を打倒することができた。だが、この大衆蜂起のただ中で他ならぬブントはどこにいたのか、何ができたのか。安保闘争の最後の日（六月一八日）、国会周辺を埋め尽くした大衆にブントは埋没して、それ以上の闘争方向を指し示すことができなかった。「夜を徹し抗議の座り込みを続けた人々も、空が明けるとともに潮が引くように散っていった。明け方の国会前で私は反吐を吐きながら蹲っていた」と、ブント書記長の島成郎が書き残している（『ブント私史』、一三〇頁）。先の尾形の言葉に出てくる六〇年安保の「壮大なゼロ」とはこの事態を指している。

そして同じく島書記長によれば、「広汎な大衆のエネルギーが爆発したとき、あらゆる意味で鍛えられた真のプロフェッショナルな革命家が三千名存在するならば権力獲得は不可能ではない。ブントはたとえ全員検挙されても、一時的に組織が崩壊するようなことがあってもこの闘争をやりぬく。もし敵の心臓を脅かす闘いを行ないうるならば、ブントは死なず、新しい革命の党がその中から生まれるだろう」(同、一一二頁)。当時も名高い、というか悪名の高かった「三千人の革命家による権力奪取」論である。

安保ブントからの引用はもうこのくらいでいいだろう。先の「プロ通」文書がこの精神を受け継ぐべく書かれたのは明白である。当時も戦術左翼とか一揆主義とかの批判が投げつけられていたものだが、綱領・戦略・情勢分析から帰結すべき行動方針として、これを私は路線主義と呼ぶのである。すると、ブント・プロ通派のこの路線主義がそっくり中核派の七〇年武装闘争路線に引き継がれたことが、尾形の記述から推察できるだろう。「あの待ちに待った七〇年六月」である。そして、「ブントは死なず、新しい革命の党がその中から生まれる」、これこそ革共同中核派に他ならないではないか。

連年決戦主義へ

それに、「広汎な大衆のエネルギーの爆発」は十年前とは性格が大きく違う。全共闘がストライキで学園を占拠し、反戦労働者は組合決議にとらわれずに街頭に繰り出している。街頭で白ヘル部隊の登場に拍手する群衆がいる。「1968若者たちの叛乱」である。白ヘル自体が叛乱の気分と地続きであったはずだ。こうした「大衆的暴力の爆発」を背景にして中核派の武装部隊が突出する。中核派にとってこれが大きな成功体験となった。むしろ逆に言うべきだ。叛乱の過激が中核派の街頭闘争を過激にしたのであり、この過激がなければ中核派は（言うところの武装闘争路線は）存在しえなかった。尾形には今もこの点への配慮がない。

その結果、武装闘争路線は七〇年闘争の後にも受け継がれ、それどころか戦略戦術としては一層強化された。「軍事拡大路線への追い風が吹いてきた」と認識して、「人民革命軍、武装遊撃隊を建設せよ」が方針となる（七二年正月）。「内乱的死闘の時代」の武装闘争路線である。尾形に言わせれば「安保の季節」はこの時期には明らかに終わっていたのに、中核派は「連年決戦論」の情勢分析をもとにしてこの路線の強化に固執した。

それればかりか革マルとの革共同戦争をも、武装政治決戦のための不可避の通過点と位置付けた。つづめて「内乱・内戦－蜂起」と呼ぶ。内乱的武装闘争は同時に革マルとの「内戦」に勝利することを通じて、革命の蜂起に向かうという路線である。詳しくは別項「内ゲバの語り」で触れることだが、七〇年闘争を経て、とりわけ「七一年の決定的転換」以降、中核派は内乱・蜂起路線からこの内乱・内戦─蜂起へと、革命路線に内戦（対革マル戦争）を組み込んで路線化したのだという。「もはや内ゲバではない」のだ。

ところが尾形によれば、「七一年の転機」の後なお三十年も維持された以上の万年決戦主義が、情勢の推移から見て、かつ労働運動の破壊という点で、ほぼすべて誤りだった。尾形の五〇年史はこう認めている。革共同戦争も同じく路線化されている以上、誤りは連動している。本書の第二部が「内乱・蜂起を目指した革共同の敗北」と題されている所以である。それはそうだったでしょう。ではこの路線の出発点、かの「七〇年武装闘争」はどうだったのか。

ただここで思い違いしては困る。私は革共同中核派の革命路線が正しかったのか、それとも誤りだったのかを問題にしているのではない。「総括」は尾形を含めて当事者であった者たちの関心であり仕事である。同時に、今となればこれは一党派の党内事情であり、当事者たちの私事に属する事柄である。なぜなら、当時の政治セクトのどれにとってもそれぞれに路線の総括があり、このことが一党派の総括を相対化する。唯一正しい総括があるべきだとするのは、かつての「一国に唯一の前衛党」という悪しき神話の遺産である。かつての党派経験の相対化そのものを、いわば絶対化しうるような思考と文体の次元が必要とされている。それが党派性を歴史にするということだ。

そうした中で、六〇年ブントの末期に胚胎し、革共同中核派の七〇年代に引き継がれたと思しい以上の路線主義が、何といっても中核派というセクトの党派性だったのだ。党派性はセクトの内部を固める基軸であり、同時に、外部からそれとして認知され、共感と反感を喚起する党派の政治的特性である。私自身は党派性の在り方に関して、中核派のようにはまったく考えてこなかった者であるが、その区別と差別にアプローチしようとして尾形史人の中核史の書評を書いているつもりである。

だいたい、尾形が中核派路線を駆動したとする「大衆的暴力の爆発」とは何だったのか。こう問題を立てれば直ちに、日本の１９６８が政治的性格の異なる二筋の「爆発」から成り立っていた事実に思い至るはずである。革共同中核派とこれに対比すべき大衆叛乱というもう一つの党派性である。だが、叛乱というコンセプトが革共同にはない。繰り返すが、一九六八年は政治の文体を変えた。小林秀雄ではないが生きるとは文体である。同様に党派の文体がその党派性である。そして、ブント・プロ通派以来の文体が、強固に変わらなかったのがとりわけ中核派であった。その「成功体験」が尾形の振り返る五〇年史をも貫いているが、問題は日本の１９６８を「七〇年闘争」だと見なすそのことにある。全共闘運動をはじめとした六八年の世界的な叛乱、その内で飛び交っていた言葉とスタイルの存在が、尾形の中核派五〇年史からすっぽり抜け落ちている。全共闘運動を軽視したかどうか、などということではない。叛乱の文体を使って私史を書くべきだなどとはもちろん言わない。文体が両者では交わらない。交わらないことを放置したままで、中核派五〇年史がその部外者と交差できるはずがないのである。あれからもう半世紀が過ぎている。かつてのおのれの党派性を突き放して見る私史の語り口が欲しい。

新左翼の党派性の自立

ところで、革共同中核派の武装闘争路線が安保ブント、とりわけプロ通派に由来するとして、先に引用したプロ通総括の後半はどうか。すなわち、安保闘争での「同盟は、国民会議や共産党の戦術により左翼的なる戦術を対置することによって自らを登場させた段階からすすんで、更にブルジョア権力の赤裸々な対決にたえる革命党への道に一歩すすむことができた」はずだと総括されていた。実際これに反して、安保闘争が頂点に至るまで、ブントの党派的戦略は「労働運動の左翼的再編」だとされていた。既成左翼、国民会議や共産党の戦術にたいして、「より左翼的な戦術を対置することによって」運動に革命的分岐を作り出す。安保闘争では全学連の学生運動もその手段と位置付けられていたし、学生ブントの「新しい前衛」への盟約もこの点にあった。これは典型的な「左翼反対派」の党派性に他ならない。

通常、資本主義社会では労働者階級は社会民主主義者、あるいはスターリニストの指導の下にある。この状況でなおプロレタリア革命主義者たらんとすれば、少なくとも当初は既成左翼にたいする少数左翼反対派の位置に立つほかはない。第二インターあるいはスターリン主義以降は、革命主義者のこの立ち位置は論理的かつ歴史的な必然である。日本共産党に代わって新しい前衛党を目指して別党コースに踏み切ったブントとて同様であり、「労働運動の左翼的再編」がこの位置を端的に表現していた。

それなのに、ブント解体期にプロ通派は「より左翼的なる戦術を対置する」段階から、「ブルジョア権力の赤裸々な対決にたえる革命党への道」に一歩踏み出せと唱えたのだった。左翼反対派の立ち位置から自立して、ブルジョア権力にじかに敵対する革命党たれと言うのである。革共同分裂が中核派を生み出したとき、労働者階級内の左翼反対派から、中核派は無意識にも独自の武装闘争路線に踏み出した。労働者同盟員まで街頭闘争に投入する決断もその証左と受け取れる。実は、労働運動の左翼的再編という安保ブントの左翼反対派路線はじきに失効して、安保闘争の最盛期に向けてはもっぱら全学連の街頭闘争の過激化に組織を賭けざるをえなくなる。後者の過激を武装闘争路線にまで高じさせたのがプロ通派の主張であり、次いで中核派の七〇年闘争へとつながる。中核派だけのことではない。ここに初めて新左翼セクトという存在が自立したのである。いや、自立せざるをえない立ち位置に自らを追い込むことになった。この事態に、セクト諸派がどれだけ自覚的であったかどうか。

それというのも、１９６８は革命から叛乱というコンセプトを解放した。私はそう言い続けてきた。叛乱の衝迫力こそが新左翼諸セクトを左翼反対派から解き放ち、その自立を強要していたのである。マルクスあるいはマルクス・レーニン主義の思考の枠組み、したがってまたその左翼反対派というカテゴリーを捨てる。マルクス主義の革命のコンセプトから叛乱を解放して、叛乱から自己権力への道筋をつける。だがこうなればもう、マルクス主義の情勢分析を党派独自の直接行動に直結する「路線」なるものと、叛乱は会話が成り立たない。たんに全国政治闘争と個別学園闘争との場所の違いを越えて、中核派の七〇年闘争と日本の１９６８とは文体が交わらない。これが実際であった。

革共同の呪縛

けれども、革共同という組織の内でプロ通派のこの党派性を中核派が引き継いだのだとしたら、どういう事態になろうか。革共同はもとよりトロツキスト系の組織であり、安保闘争を通じても典型的な左翼反対派のセクトとして存続してきたのである。反帝反スタである。革共同が中核派と革マル派に分裂したとき、後者がこの性格を純化したのはことわるまでもない。では、中核派の方はどうなるのか。中核派がブント・プロ通派を取り込んだのは周知の事実だが、それでもなお革共同であるとはどういうことか。ブントに乗っ取られたのかといえばむろんそうではない。

中核派は革共同でなければならないし、七〇年武装闘争を通じても革共同は革共同であった。尾形史人の著書が中核派と言わずに「革共同という呪縛」を語る所以である。

ここに革共同中核派のもう一つの党派性が現れ出る。前衛党の組織体質である。前衛党とはたんなる政治組織でなく、「プロレタリア的人間を構成実体とした強固な共同体」でなければならない（黒田寛一『組織論序説』、一九六一年）。無自覚な賃労働者がその世界史的使命を階級的に自覚し、共産主義的人間への自己脱皮を重ねていく場所こそ前衛党だ。実際、大衆叛乱やブントの組織的「いい加減さ」に対比して、中核派の「体育会的」組織性が周辺の活動家たちを惹きつけ、あるいは逆に忌避させていたのは周知のことだった。

中核派の前衛党としての組織体質は、その倫理的性格に端的に見ることが出来る。内ゲバが六〇年代新左翼の遺産を蕩尽し、膨大な犠牲者を生んだ。それればかりか、今に至る後遺症を運動に残したことも否定できない。だから後の世代から見れば、内ゲバの当事者たちは人間的にも堕落していたと思われがちだが、「決してそういうものではなかった」と尾形は強調する（九九頁）。運動家たちは感受性が強く自分のことより社会公共の利益を優先する傾向を持っていた。人倫に反する行為を許さないという点で、「彼らは誠実な宗教者すら越える自己犠牲を厭わなかった」。「青年期の特徴でもある正義感に燃えた人々であった」と。

だが、中核派同盟員の自己犠牲と正義感を尾形は強調しているが、前衛党はその闘いを正義であるとするとともに、倫理的共同体としてその成員を倫理的に拘束する。党の倫理が逆に個々人の自己犠牲や正義感を搾取し濫費する。中核派の七〇年武装闘争の突出が、こうした同盟員たちの結集力によって可能になっていたことはまぎれもない。同じく元中核派の小野田襄二の証言を引き合いに出すとして、「革共同のように、プロレタリア革命への奉仕、自己犠牲の精神が強い政治集団ほど、党への奉仕に転化することは、避けることができない」。その結果として革共同は、「新左翼運動史上、信じることのできないほど典型的な党内支配型の政治集団を形成してしまった」。

前衛党という共同体の倫理もまた、典型的に左翼反対派の病理をなしてきた問題である。非合法組織であればなおのことだが、そうでなくともこのセクトにおける革命の独占と孤独とが、成員の自己犠牲を倫理的に収奪する。マルクス主義とその左翼反対派という枠組みを外さなければ、「独占と孤独」を叛乱大衆とのつばぜり合いへと開き、叛乱の力を取り入れその助けを受けることもできない。逆に、叛乱大衆の倫理的放埓沙汰から党組織を防衛することもできないのである。

加えて、これは尾形も指摘していることだが、中核派の反差別思想がある。民族差別そして党内の女性差別の告発と糾弾とが、労働運動から目をそらせる働きをしたと同時に、倫理的整風運動として党の統制に利用されたという。何しろ、「軍事力と反差別を党派性の紋章としてきた」のが、七〇年闘争以降の中核派の歴史である。

とはいえ、前衛党の組織体質に関する尾形の私史ははなはだ物足りない。海老原殺害事件でも党中央（政治局）の「沈黙」を指摘し、それ以降の重大な路線変更問題に際してもその理由は「謎である」という書き方を尾形はしている。すでに見て来たとおりだが、恐らく尾形の筆の意図的な隠蔽というのではないだろう。全学連副委員長というポジションにありながら、「政治局」の議論と決定にくちばしを入れることなど論外である。現場活動家がみだりに指導部の批判をするなどありうべくもない組織の作風があったのだろう。

尾形の五〇年私史は中核派の歴史的総括を路線問題に横滑りさせ、かつまた前衛党共同体と倫理問題とを問いの外に放置した。一方、小野田襄二の革共同論は後者の倫理問題を正面から取り上げながら、その実は革共同中核派の心理学になる。路線問題を徹底的に避けて組織論を属人(人物)問題にして論じるのが小野田の流儀だが、中核派の心理学の理解に寄与するところがあった。だが反面で、今度は政治が飛んでしまう。逆に尾形のように路線問題を自明の関心事としてその当たりはずれを論じれば、一セクトの党内事情、私ごと以上の情報を提供しない。どうも、小野田と尾形と、革共同中核派というセクトは、歴史にしようとして両端にぶれてしまう性格の経験であったのかもしれない。

二　アフター革命の日々　高原駿『沈黙と軌跡』

私自身の六〇年になんなんとする生涯を政治的意味で俯瞰してみれば、いわゆる新左翼活動家としてたかだか二〇年に満たない程の時期と、そして一切の活動から引いて、死の沈黙を守ってきてしまった二〇年とがある。もはや沈黙の時期の方が一〇年ちかくも上回ってしまっている。

最近になって私は高原駿の手記『沈黙と軌跡』を読んだ。すでに二〇〇七年に電子版で流されたものらしいが、ネットに疎い私のところにまでは届かなかった。それに、高原駿と聞いても私には見ず知らずの人だった。高原駿は本名柴田正彦、一九四七年の生まれ、六七年に早稲田大学第一文学部に入学した。日本の1968のまさに始まりの年である。高原もここで学生運動に巻き込まれた。早大社青同解放派とともに全共闘運動を始めるが、同時に構内の革マル派との内ゲバを避けることができない。関連して二度にわたり逮捕起訴されるが、七〇年には大学を中退して東京都世田谷区役所に就職した。結局ここに一九八一年まで勤めて、社青同として組合運動に精を出した。その後の十年は東京都所管の清掃下請け会社の日雇い運転手として働いた。

これが高原の表の顔であるが、この間に裏では社青同解放派としての党派活動を指導している。先ずは革マル派との内ゲバである。高原自身七六年に大東文化大の革マル派学生を襲撃するが、これにより逮捕されて七八年まで下獄することになる。この間に解放派の指導者中原一が革マルに殺害された（七七年）。次いで、保釈されて解放派に戻って見れば、組織内部ではいわゆる狭間派と労対派との党内闘争が、内々ゲバと呼ばれる凄惨な抗争になっている。高原も労対派としてこの争いに翻弄されるが、七九年には党派闘争から逃亡、ついに運動にも党派にも見切りをつけて身を引く決意をした。一九八四年、高原は三六歳になっていた。

フィリピン、ロザリー・ザ・デビルとの暮らし

さて一九九三年になって、高原駿はフィリピンはネグロス島のドゥマゲッティという町に移り住んだ。前年にミンドロ島でロザリーという名の現地女性と出会い、九五年には盛大に結婚式を挙げた。今回手記を出すまでここで暮らしているようである。高原は彼女のことをロザリー・ザ・デビル、略してRDと表記している。このフィリピンの女悪魔デビルとの暮らしが、高原の近年十年以上のありようだというのである。いわば革命家の成れの果てという体たらくだが、「最近の私の十年間に関して言えば、「なんともはや」としか表現しようが無い」と高原は述懐している。事情はこういうことだ――。

高原は党内闘争から身を引いて日雇い運転手として暮らした十年間に、アジアの各地を旅行するようになる。時間と資金にそれくらいの余裕があったのと、何よりも趣味が高じて各地の海で泳ぎダイビングをするようになったのである。スキューバダイビングのライセンスも取った。フィリピンにも通った。そしてミンドロ島のプエルトガレラでRDに出会う。「安宿に泊まって昼間はダイビング、夜はゴーゴーバーという女の子が水着で踊るところでビールを飲みながら、気に入った女の子がいれば連れだして宿に戻るというパターンの客が多い。私もそうした客の一人だった」。高原はこう記している。とはいえ、「RDにはなにか恋愛感情に似たものを感じたようなことすらない。たまたま、何でもいいやという感じで選んだ相手にすぎなかった」。容貌も十人並み以下でスタイルも悪い。高校も出ていない。それが、一緒に父親の出身地ドゥマゲッ

ティに行くという話になってしまったのだという。

当時、高原には日雇い運転手時代にたまった預金が三千万円ほどあった。ロザリーの家族は父母や兄弟、彼女の連れ子その他で九人、結婚とともに彼ら全員が二人のもとに集まって来た。そして結婚に続く日々、彼らとその近親者たちとが寄ってたかって、それこそ「尻の毛まで抜く」がごとく、高原の金をむしり取っていった。これがこの十年余の高原のフィリピン生活だったと、高原は手記の第二部「沈黙の日々」でその子細を綴っている。その手口は例えば、父親の出身地の漁村で親戚にやらせたいからと、漁船と網を買ってやってくれとの要求が出る。日本円にして十万円ぐらいのものだからまあいいかと承諾する。ビジネスとしてやるから漁業収入の半分は払い戻すとの約束だったが、不漁が続いて支払えないとくる。あげくは船も網も捨て値で売ってしまい、父親が自分の懐に収めてしまう。「まあいいか」と金の支出が続く。土地を買い家を建てることになり、父親の小学校の同級生とかいうブローカーの斡旋で土地を購入したのだが、相場の倍以上のぼったくりだった。父親も相当なコミッションを受け取っていた。RDが店をやるからと開業資金や仕入れ代金を頼まれ、これも日々の経費まで払う羽目になり、結局八十万円ぐらいは使ったあげくに潰れた、等々。

RD自身が確信犯だった。高原に目を付けたのは彼の金であり、親族と彼女自身の浪費のためにあの手この手、高原から金を引き出す。教会で結婚式をあげるにあたって、夫婦の誓いの言葉にロザリーの方は返事をせず、この教会では挙式を拒否された。最初の男との間に一子をもうけていたことが判明する。それればかりか、この男との関係を続けて、高原の留守には大っぴらに家に連れ込んでいた。男との間で妊娠と流産を繰り返す。高原が我が子と思って育てた子も男のものだと判明する。こうなればもうタカリばかりか、裏切りであった。

もともとＲＤとその一族の生活は貧しい。飢餓寸前の生活だと言っていい。そして、極貧生活から抜け出すために高原の金を資金に使うのならまだいい。だまし取った金はただただ遊び暮らすのに使ってしまう。ＲＤの妹たちを月謝の高い私立高校に行かせたがり、高価な家具や道具を買いそろえるようにねだった。のらりくらりの弟二人がＲＤをそそのかして小遣いをせびる。要するに高原は金のありそうな外国人のカモであり、金のある限り吸い付いて離れない。手を切ろうとしても荒れ狂って狂言自殺までしてみせる。ついにロザリーに離婚を宣告するが、あの手この手で言い逃れて応じない。「すべてのフィリピン人がそうだとは言わないが、……妖怪や悪魔に近い」。金がある限り絶対に離れようとせず、際限なく宿主を吸い尽くそうとする。そして、金食い虫たちの策動がボディブローのように効いてきて、日本で稼いだ高原の金も底をつく時が来る。高原自身がダイビングのガイドで食いつないでいくしない日々にまで至るのだった。

考えてみれば、フィリピンでは外国への出稼ぎか、売春まがいに外国人にタカルしか極貧生活から抜け出す手立てがない。米国から独立してすでに六十年もたつ、それがこのざまであり為政者たちはこの間何をしていたのだ。高原はフィリピンの政治を怒っているが、自身が庶民大衆から骨の髄までカモられたことからする言いがかりでしかあるまい。高原はＲＤとその一族にむしられる事例を淡々と記述しているわけではない。それはそうだろう。腹わたが煮えくり返る思いを伝えてもいる。

だが部外者から見れば、要するに、よく聞く話なのである。小金がありそうな外国人にたかって遊び暮らそうとする現地の人たち、彼らから理不尽にもむしられて腹を立てているアホな男ということである。その有様を元革命家の高原駿が手記に告白している。事実をありのままに即物的にという筆致ではない。唯物的リアリズムにまで徹してはいない。逆に、露悪的で自虐的な調子もない。そこにおのずと、アホな男の行状のおかし味が滲み出て伝わってくる。前半生の革命生活から絶対的に、無慈悲なまでに無関係な暮らしの行状である。絶対的に隔絶した国と地域と、原住民たちとの生活である。その対比の著しさを思えば、これは悲劇というより一片の喜劇である。喜劇のおかしさに笑ってやるのが、高原の手記を読む者の礼儀であろう。

よくある話にすぎない。普通は、そのあほらしさに腹を立てて人はこんな関係から手を切る決断をするだろう。いい加減に止めようと、遅かれ早かれこんな生活から抜け出すだろう。高原もRDから生活を切断しようと何べんも心に決めることがあったろう。それがしゃぶり尽くされるまで、ずるずると十年余も続く。高原に言わせれば、要は「面倒くさい」「まあいいか」なのだった。実生活にたいする一種絶対的な無関心、それが「政治的自殺と沈黙」以降の東京の生活から、異国での人間関係にまで引き継がれたのだろう。これもアフター革命の日々として、亡命者によくある話なのである。誰にも多少とも覚えがあるだろう。ただ高原の場合は、この生活が少々エキゾティックで常軌を逸している。左翼の顰蹙を買うかもしれない。だがそういうことではない。現地で生活を共にしていながら、要は面倒くさい。カネは出すが共に働いて事業を軌道に乗せる努力などはしない。これはこれで、ＲＤにたいする、フィリピンの人びとにたいする、高原の無自覚の裏切りであったろう。

海原に潜る

こうした日々のなかでも、高原の生活の基調をなしていたのは海であり、海を潜ることだったようだ。「くりかえし、述べてきたことだが、私は精神的、思想的、政治的には死んでしまった。しかしそうは言っても、肉体的にのみ、人間が生きていくということは不可能のように思える。私の人間的精神を支えてきたものは、ある意味ではダイビングを通じての自然、海との交流ということだったかもしれない」。高原はこう記しているが、日本古来の自然に帰るというのとは違う。これまで潜ってきた海は、インド洋のモルディブからタイ、インドネシア、マレーシア、オーストラリア、パラオ、サイパン、コスラエなどミクロネシアの島々、そしてフィリピンと日本の海である。とりわけ、フィリピンはネグロス島の沖にあるアポ島。ギンガメアジの群れが泳ぎ、巨大なロウニンアジが見られることもある。「潜るたびに見せる自然の表情は違っており、飽きるということはない」。

古来日本の自然回帰には海はまず見られない。まして海原に潜ることなどはない。もっぱら山であった。青年の煩悶をくぐり抜けて法師たちは山に籠った。都会の猥雑な生活の途切れにも、山に隠棲する生活を望見することがある。しかしもう、時代は転向という便利な物語を失ってしまっている。たんにアホで滑稽な物語になるほかはない。生活はただ面倒くさい。転向者の日々が何であれ、生活というものを裏切りまわりの者たちを裏切ることでしかありえない。

だが、山と違って海は動いて止まない。山に向かって無常をかこつ私はありえない。隙間もなく海水が私の身体をかたどって流れていく。私は海であり海が私である。私の主体と私の知とを海は絶対的に無に帰するように存在する。一種頽廃の極みである。このように、ネグロスの海は日本の自然から容赦なく隔絶していただろう。「私はあくまでも、アポ島のダイビングの奥深さを味わい、感動をわかちあうというガイドに徹していきたい。私がガイドとして現役で活動できるのは、あと十年もないかもしれない。その残された時間をダイビングに没入してすごしたいものだ」。こう言って、高原駿はその手記を閉じている。

もう一つのアフター革命の日々

高原駿の手記でもう一つ、私の目に留まったことがあった。高原の父親柴田彦八は一九九一年に七十六歳でなくなっているが、いわゆる大陸浪人の生き残りであったらしい。国士舘中学を卒業後、国士舘による満州経営の人材養成校(満州鏡泊学園)に学んだ。その後陸軍のダミー会社、昭和通商に就職したのだが、そこでの直属の上司が大岸頼好だったのだという。

大岸頼好といえば戦前昭和の青年将校運動にあって、北一輝・西田税の流れにたいしてもう一つの中心として鳴らした人物である。大岸陸軍大尉の周りには末松太平など多くの同志が集まっていた。もともとマルクス主義の影響を受け、次いで過激農本主義の系譜に位置していた。そして二・二六事件直前には天皇主義まがいの発言をするようになっている。「私は見習士官頃から中尉の初頃は専ら、国家本位の改造運動を考えて居りました」。それが「神仏と云う霊的な考えに捉われまして、遂に現人神陛下がましますと云う信仰に、到達いたしました」。「所謂維新なるものの真髄は、先ず第一に我々が現人神陛下の子であり、赤子であると云う自覚、信仰であると云う結論であります」。相沢事件予審尋問での大岸の発言である。大岸は二・二六叛乱には加わらなかったが、それでも嫌疑を受けて陸軍刑務所に収監され、軍籍追法処分になった。

軍人にはいい文章を書く者がいた。石光真清とか末松太平であるが、その末松が著書『私の昭和史』を「大岸頼好の死」で閉じている。大岸は昭和二十七年一月に結核で死去したが、戦後はさる新興宗教に入れあげるようになっていた。その大岸が死の前年の夏に郷里の土佐から上京して来て、末松に旧知旧友を集めるように依頼した。大勢が集まったが久闊を叙するもなんのその、大岸は一人ひとりに天杖と呼ばれる神示を受けさせるのだった。画仙紙の前に座らされる。神示を受ける者と伝える女性とが竹の棒の両端を持ち、真中に墨汁を含ませた筆を垂らす。そして文字が書かれる。大岸はこの神事の進行と神示の解説役サニワを務めるのだった。こうして出席者全員に神示が授けられて深夜に及んだ。この会の招請状には大岸の宗教のことなど一言も書いてない。「おい末松、大岸は、あんなものを本気で信じているのか」。「おれは知らんよ」。「知らんて、貴様が通知を出したんじゃないか」。こんな調子の問答を交わして、同輩後輩の者たちが帰っていった。

大岸の結核はすでに末期の様相で、あえぐように荒い息をしていた。それなのにこの年の秋に再度上京して、末松を伴い青森旅行に出かけた。「この病いは、うつし世の病いではない。みそぎである」との神示を大岸は見せた。青森は両人にゆかりの土地である。弘前、青森、八戸、下北と巡回して、各地で旧知のほとんどが集まって、同様の神事に臨まされたのであった。大岸は別にこの新興宗教に狂っていたわけではない。この旅が終わって、改まった口調で末松に言った。「こうして寝ているとね、それが幻のように目に浮かんでくるんだが、最近行われた米英両最高首脳の会談の内容は、水爆実験のことで、そのためにアジアを犠牲にする相談をしたのじゃないかと思うね。アメリカとソ連の対立はこのままじゃどうにもしようがない。双方がなんとか妥協しなくては、いつまでたっても世界は混乱をつづける。どちらかが相手を屈服させるなどできないよ。イデオロギーを、お互い妥協しあわなければ駄目だ。日本国内も同様で、天子様にも少し辛抱していただいて、妥協しなければなるまい。こんなことといったら、こちこちの国体論者は憤慨するだろうがね」。

大岸頼好は一月二十九日に亡くなった。末松などが国家革新を思いたった若い将校時代、口癖のようにお互い「骨は拾うよ」とよく言ったものだったが、「その骨を如実に拾いながら、ちっとも悲しみがわかなかった。涙もでなかった」と末松は書いている。以上もまた、アフター革命家の日々であったのだろう。

なお、『私の昭和史』の末尾には、大岸の遺骨の前で号泣する柴田、つまり高原駿の父親のことが記録されている。高原は恐らくこの記事のことは知らなかったのだろう。その高原も、今年二〇二一年の一月に、フィリピンで自宅に放火して自殺したと聞く。

内々ゲバへ

さて最後になったが、高原駿の手記「沈黙と軌跡」の前半、その党派活動のことに触れておきたい。私は本稿をわざと手記の第二部、高原の沈黙の日々のことから始めた。一九六八年の叛乱1968はある種の世界革命だった。その革命の渦中にあった者たちが革命から放り出されて、その後の長い日々をどのように過ごして来たか。国の内外は問わず、高原の場合と性格において似たような日常を生きてきた者たちも多いと推測する。古来ありふれた、うんざりするような事例である。ただ、その語り口に各人の相違が出る。生きるとは文体のことだからだ。私自身はしかし、自分の筆のスタイルがアフター革命のこうした生死の場面にまで届くには、そもそも限界があると承知してきた。長いこと政治と党のことばかり書いてきたからだ。高原のネグロス島の日々についても、紹介のようなことができるだけと心得て書いてみたのである。そうすべきだと思った。

他方で、高原は書いている。「解放派として活動するということは自分自身の生き方そのものでもあった」。「私にとって政治とは、いまだにマルクス主義的革命政治のことであり、革命的な権力掌握に向かう過程そのものが政治過程であるが、そうした政治的な活動からいっさい手をひかざるをえなくなったと判断したことが、私にとっての政治的自殺といえる」。ではこの線に沿って高原の党派活動についてコメントすべきだろうが、そしてここは私の筆の「得意課目」のはずなのだが、高原手記の私の読後感はおぼつかない。

高原の党派活動は大きく二つの時期に分かれる。革マルとの内ゲバ、次いで一九八〇年に入ってからの党内闘争である。政治的自殺と名付けて党派活動から身を引くのが八四年になる。前者、革マル派との闘争は後半には自らテロを実行するまでになるが、高原の原点は早稲田大学での経験だったのだろう。こちらは内ゲバではない、むしろ諸セクトまで含めた早大全共闘運動の大衆暴力である。大衆暴力が重ねて革マル派を構内から追い出したが、大学にソヴィエト権力を確立維持するまでには至らなかった。それにしても、革共同中核派にたいしてはいざ知らず、その後も執拗に社青同解放派を襲撃する革マル派の根性はどこから来たものか。私には分からないと言うしかないが、革マル派なりの早大での原体験がトラウマだったかもしれない。他方で、「同じ体質を持つ政治的双生児」中核派でなく解放派こそが革マル派を退治できるのだ、という一文が高原手記にある。高原に躊躇はなかった。社青同の軍事部門として、三段つなぎの鉄パイプを準備するなど学生の内ゲバの兵站を担ったという。革共同戦争が同じ反スタ同士の内・内ゲバという内攻的性格だったのに対比して、解放派にとっては縁のない革マル派の追放は初めから「外ゲバ」だったのだろう。本来大衆暴力により始末すべきだと。

次いで、社青同解放派の党内闘争になる。これは内々ゲバと呼ばれるそうだが、社会党由来の党派でもここに来て初めて反スタの内ゲバが発生する。スターリン主義・宗派主義だと狭間一派(革労協学生委員会)を非難して抗争したのが高原らの労対派である。とりわけ熾烈な学生戦線での対革マル戦争に対応して、狭間派は勢い革共同あるいは中核派に似た組織体質を固めていった。そのために、労働組合の体質を残す社青同解放派に党内整風の嵐を起こさねばならない。差別問題がきっかけとなった点も中核派に似ている。「普段気が付かないことでも一歩わき道に入ってみると見えてくるものがある。それが部落差別だ」、この一文を捉えて部落差別とは「わき道」にすぎないのかと来る。組織内糾弾本部が一人ひとり呼び出しては糾弾する。召喚から糾弾に至る「内糾闘争」と呼ばれた。これが次第に相手の監禁とテロにまで高じていった。ターゲットは事実上首都圏の労働者組織だったと高原は見ていた。そしてついに高原の番が来た。たまりかねて高原は逃亡して国内各地を転々とする。七九年のことだったという。「私のこれまでの生涯で、精神的にこのときほどつらかったことはなかった。何度も死のうか、と思うことがあった」。

解放派とは何だったか

社青同解放派はこうして狭間派と労対派とに分裂する。一九八〇年のことである。もう大衆運動とは何の関係もない時期の党派闘争だった。高原はなお労対派の中心メンバーとして党派活動を続けたが、初めに記したように八四年に身を引いた。そもそも、「解放派とは何だったのか」。高原の手記はわざわざこの表題を立てて問うているが、これがまた要領をえない。日本の新左翼諸セクトは共産党にたいする左翼反対派という系譜を踏んでいる。そして同時に、1968の運動の内で事実上はこの位置を踏み外していた。もう旧左翼にたいする新左翼という立ち位置などは放擲されている。これにたいして社青同解放派は社会党とその組合運動が出自であり、そもそもが新左翼ではなかった。だから、反スタ左翼反対派という歴史がない。

高原はスペイン革命の主役アナキストとトロツキストにたいするスターリンの反革命を何度か

引き合いに出しては、狭間派の宗派主義をこの意味でスターリン主義だと非難している。ところで日本の新左翼とは、スペインにおけるスターリンの反革命など、さんざん勉強してきたはずのことではなかったか。左翼反対派の「裏切り史観」である。また、今さらマルクス『経哲草稿』にたいする批判でもないだろう。1968になればこんなことはもう関係がない。党派闘争は同じ新左翼セクトどうしの覇権争いでしかありえない。社青同解放派は1968になっていきなりこの争いの渦中に置かれた。レーニン主義、その前衛党論にたいするローザ・ルクセンブルクの批判を党是の一つともしていたろう。だが思うに、ずっと社会党総評系の労働組合に足場を持ってきた党派として、大工場の組織された産業労働者階級への思い入れは同時代の新左翼よりはるかに強いものがあった。1968になってもこれが社青同解放派の党派色として認められていた。産業労働者階級の左翼化と革命化などと言えば、革共同など左翼反対派そのものになるが、この階級への思い入れは1968の新左翼諸派とは違っていたのではないか。この意味で高原たちは自ら新左翼などと呼号したことはない。元中核派のように党派の化石のような文体が未だに幅を利かせる、というようなことは高原の文章にはない。それなのに、革マルと死闘を演じる中で、革労協・反帝学評の学生連中は「レーニン主義の復権」などを唱えて、骨がらみ新左翼セクトに変態してしまった。

以上は私の憶測にすぎない。そもそも社青同解放派にはずっとなじみがなかった。今回高原の手記の第一部が、少しでも教えてくれるかもしれない。これは恐らく社青同解放派の内々ゲバの初めての詳細報告だろう。ところがもう一つ、高原の党派活動報告では人名ばかりがやたらと出てくるのだ、誰がどうしたこうしたと。新左翼セクトの文章が路線論争に凝り固まっているのと対照的に見える。およそ部外者には誰のことか分からないばかりか、誰がどうしたこうしたと書く意味と意図が分からない。たしかに、組織問題とはつまるところ属人問題である。当事者にとっては日々直面する厄介な事柄である。だが今、永井某がどうしたとか聞かされても、関係者の話の種にはなろうが、部外者にはただの私事であるほかない。新左翼の諸派が未だに路線論争の成否をもってかつての党派活動の正否を論じている。これなど私事にすぎない、もう止めてほしいと私は言ってきた者だが、誰がどうしたの判定も同じことである。それとも、組織内のメンバーのつながり方の点で、解放派ではトロツキスト由来の新左翼とは別の特色があったのだろうか。労働者階級の健全さとナイーブとが残っていたのだろうか。

「七〇年以前、あの明るかった「解放派」が、あたかもカンボジア・ポルポト政権のように、陰惨・陰鬱な党派に成り下がってしまった」。これは高原と同じく解放派であり、後の党内闘争でも労対派の一員だったという岩井哲の述懐である（『〃私の〃東大闘争　駒場解放派の光と影』、一八五頁）。だがなぜか、岩井は高原駿にもその手記にもまったく触れていない。

三　共産党の学生専従として　平田勝『未完の時代　1960年代の記録』

党の専従

もう一つ、今度は共産党である。著者は一九四一年岐阜県生れ、六一年に東大に入学して民青系の学生運動に専念し、そのまま留年を続けて卒業は六九年になる。学生活動歴の最後が東大闘争になるわけだ。この間党の要請のままに、全寮連（全日本学生寮自治会連合）そして全学連の委員長を歴任する。全学連は六七年までである。六〇年安保闘争後の全学連と民青の再建、そして六〇年代を通してその最盛期を作り出した。著者の自負である。民青員は全国二〇万人、四桁の民青がいる大学がいくつもあった。続いてこれも党の要請に従って、東大闘争の末期六八年の一一月になってこれに介入して、その収拾工作に暗躍した。その経緯が詳述されている。翌年六月になってようやく文学部の無期限ストの解除にこぎつけて、著者もやっと大学を卒業することができた。

ところが一九七二年になって突然、党内に新日和見主義の摘発査問と追放という事件が起きる。民青も全学連も一挙に瓦解した。平田は何とか処分をかわすことができたが、八四年になって離党する。「共産党に対してはこれからは是々非々で臨んでいこうと思った。四四歳の決断であった」（一九七頁）。

真面目で忠実な学生党員の党活動の記録である。六〇年代にまだこういう青年がいたのだと、やはり驚いてしまう。著者の党活動を追いながら、一体いつの話なのだ、五〇年代いや戦前の党活動のこととすら混同してしまう。本人が自認する頑張り屋の田舎秀才、それを東大生の肩書だけが重要だとばかりに、党は学生生活の八年間を専従として使いまわす。挙句が新日和見主義事件だ。それに、駒場寮などでの知人たち、東大総長になる佐々木毅など後にちゃんと出世する者たちとの人脈、そして東大闘争での教授たちとの交情がいくつも綴られている。東大、東大だ。もとより、共産党自体がそうだったのだ。

献身的な党活動の記録、しかしこの間共産党はいくつもの路線対立を経験していたはずだ。中ソ対立、中国文化革命、北朝鮮関係、自主独立と人民的議会主義への路線転換、そして新日和見主義派の分派活動などである。八〇年代になれば共産党という存在自体が、いかなる意味でも「問題」でなくなってしまう。この変身過程の紆余曲折が共産党の六〇年代だった。ところが本書には、党生活におけるこうした理論や路線の対立の影がまるでない。何であれ、党に忠実に学業をなげうって活動した、その記録だと言わんばかりである。路線対立のことなど今となればただの党の私ごとだ。多分、これが前記尾形などと対照的に、本書で著者が選択したスタイルなのだろう。観念でなくオルグ活動だ。著者はそれが「未完」だと言うが、要は徒労だった。小気味がいいほどの挫折とは評せない。それが暗い、いやな読後感を残す。

東大闘争鎮静化に専念

最後になったが東大闘争のことだ。「東大紛争とは、大学の自治をめぐって教授会と学生との間に紛争が起こり、大学の外からではなく、最終的には大学の自治によって大学自身によって解決した紛争である」（一三六頁）、これが著者の総括である。とはいえ党の黒幕としての著者による介入はあられもなく党派的なものだった。東大学生細胞が全共闘に引きずられて急進化している。あるいは全共闘が大学当局と交渉して勝利するのを阻止するために、民青があえて左から全共闘を非難攻撃する。身内のこのような過激を党中央の指令に従って抑圧し、他方で外人部隊を導入して全共闘の暴力を粉砕する。その一方で闘争収拾に立ち上がった一般学生グループと取引する。これによって党は東大紛争を鎮静化したのである。なにが「大学の自治によって大学自身によって解決した紛争」なものか。その後の大学の体たらくを見るまでもないだろう。大学紛争は（自治など放擲するのに）必要な大学の通過儀礼だった。期せずして日本共産党にとっても議会主義への通過儀礼になった。著者にとってはそうでなかったろうか。「大学紛争を解決」したはずなのに、結局、党は一般学生の反動に利用されただけ、彼らのうちに権威など残せなかった。

日本の一九七〇年代は、中核派や解放派など新左翼諸セクトだけでなく、日本共産党もまた前衛党という党派性を清算する年月になった。本書『未完の時代』は少々思いがけずにこのことに気づかせる。あれは「終わりの時代」だった。

四　もう一つの党派性　河内謙策『東大闘争の天王山』

政治の文体

党派性についてもう一つ、今度も共産党である。本書のタイトル「東大闘争の天王山」とは「確認書をめぐる攻防」のことだという。東大闘争の終結のために、民青と一般学生からなる「七学部代表団」が東大当局と取り交わした証文が確認書と言われる。全共闘の安田講堂攻防戦は六九年一月一八・一九日だったが、確認書はその直前一月一〇日に合意された。東大闘争が残した「偉大な宝物＝確認書を忘れるな」というのが本書の呼びかけである。確認書は東大闘争に勝利した証しだとして、これをもって東大全共闘にたいする党派性をあえて挑発的に表明している。著者の河内謙策は一九四六年富山県高岡市の生まれ、六四年に東大入学、東大闘争では法学部自治会（緑会）の委員であり確認書をめぐる攻防の主役の一人であった。その著者もすでに七〇歳を越えた。遺書のつもりで本書を公刊するのだと言う。

さて本書によれば「東大闘争の主役は一般学生」であり、全共闘はこの一般学生を裏切ることによって没落・破産した。反対に、民主化行動委員会（民青）と一般学生代表とが組むことによって東大闘争に勝利した。これが本書における河内の党派性の構図だが、あらかじめ全体のスタイルの特徴を指摘しておこう。まず、七五〇頁に及ぶ本書の大部分が東大闘争の一一月以降のことであり、「全共闘の旋風が吹き荒れた」と著者の言うそれ以前の経緯については、始めの一章一〇〇頁余りで済ませている。河内にとって東大闘争とは全共闘の支持が低下する時期、これと闘うことなのである。

次に、事実の確認が本書の方法だと河内は述べているが、全共闘の東大闘争資料などに目を通した形跡はない。使っているのは主として『東大変革への闘い』(東大大学院院生協議会・東大闘争記録刊行委員会編)である。この偏りは全共闘系の東大闘争論だって同じことである。ただ、本書の特徴として一方の側の文書の引用がやたらに多い。偏っているというより、用語と文書へのこだわりに彼らの党派性が期せずして現れている。究極の文書が「確認書」になる。むろん個人の文書や心情を吐露する証言などではない。多くは「七者協」などの略号を連ねた組織の意思表明文書である。当時、新左翼セクトの政治文書はやたらとマルクス主義の言葉を使っていたが、著者の重視する文書は何よりも「正規の機関」という民主的形式を持たねばならない。

たとえば「確認書」であるが、これは「全学集会」とともに東大闘争に独特の言葉だと河内は注意している。大学当局との合意は正規の機関による「大衆団交」でなされ、双方がそれぞれの決定機関に持ち帰って承認し、次いで第二回の大衆団交で合意されれば双方を拘束する「確認書」になる。この大衆団交が東大当局との共通語では「全学集会」と呼ばれる。政治において交わされる一片の文書、かの念書などを疑ってかかる気配はない。

ただ、本書に引用される文書合戦から得ることができる東大闘争の情報がある。河内たちは当然公認の学生自治会を基盤に全共闘に対抗するが、自治会が機能喪失状態になるとともに、舞台はおのずと学生大会「学部集会」になる。東大闘争では全期間を通じて各学部の学生大会が開かれる。頻度も討論時間も参加者の数も空前のものであった。すでに全共闘の島泰三の『安田講堂』も丹念に記載しているが、学生大会で彼らは何を語りいかに論争していたのか。これが島の著書の書評で私が述べた感想だった。今回、河内が引用する学生大会の提案などを読み、合わせて全共闘本の主張をこれに付き合わせれば、学生大会での両者の論戦がどんなものだったかが多少とも想像できる。そこにも河内たちの党派性がおのずと浮かび上がる。

私が以下で『東大闘争の天王山』に注目するのは著者たちの東大闘争総括、つまりは全共闘に対抗した確認書をめぐる攻防の評価ではない。総括は東大闘争の当事者たち（あるいは歴史家）のやるべきことである。「東大闘争の天王山が確認書だなんて」と、元全共闘でなくとも唖然とする読者は多いだろうが、私のここでの関心ではない。

というのもほかでもない。私は中核派とか社青同とか新左翼の諸セクトと対比して、本書に無意識にも滲み出ているもう一つの党派性に注意を向けたい。日本共産党はもちろん新左翼セクトより長い歴史を持ち、その党派性の歴史は紆余曲折を経てきている。このころには前衛党という党派性はもう薄れているが、それでもなお行動と文体のスタイルに独特の政治色を拭えない。東大闘争でも一般に「民青」の一語で指し示されていたスタイルである。これも政治のカテゴリーの一つには違いなく、それゆえに今後とも消えることはないだろう。「一九六八年は政治の文体を変えた」というのが私の口癖であるが、以下、河内たちの東大闘争つまり「確認書をめぐる攻防」の内にもう一つの文体（スタイル）、つまり党派性を見ておきたいゆえんである。

全共闘旋風

さてまず、「全共闘旋風が吹き荒れた」という六八年一一月までの東大闘争の短い記述である。河内にとってはこれ以降が天王山の闘いだから、天王山に到る東大闘争は「学生側の動き」として素通りされている。この間に東大全一〇学部がそろって無期限ストに突入している。いずれも全共闘主導によるもので、ということは河内たちが依拠する各学部自治会が有名無実となっている。後に党中央からの抑圧を招くことになるが、この時期は河内たちもまた「無期限ストライキ・大衆団交」などのスローガンを掲げており、期せずして全共闘と共闘する形であった。一般学生たちの叛乱、つまりは全共闘運動に引きずられてか、彼らもわれ知らず「過激化」の過ちに踏み込んでいた。だからまた、同じ運動の中で全共闘に対抗できる集団とスタイルを模索しなければならない。そこにおのずと滲み出る党派性がある。

東大本郷キャンパスでは七月二日に大学本部（時計台）が全共闘に再占拠されるが、河内たちはまずこれを「闘争分断・団結破壊」として非難する。正規の機関での決定でなく各学部自治会とは無関係の「私的組織」によるものだと。ところが翌三日教養学部の代議員大会で無期限ストが可決される。これを機に、民青は「東大闘争勝利全学連行動委員会」（行動委）という独自組織を立ち上げるようになる。全共闘の七項目要求に対して四項目要求が打ち出された。各学部自治会など彼らの「正規の機関」がこの段階以降は機能麻痺に陥るのである。トロツキスト全共闘批判にどっぷりと浸かってしまう活動家が、「一般学生」に見放されたのだと河内は反省している

（五一頁）。自治会中央委員会は機能停止の状態になり、全共闘という訳の分からない組織が結成され、「今から考えれば、このような変な組織がマスコミや一部評論家にもてはやされたのだから、不思議な話である」ということになる。要は彼らも一般学生の「叛乱」という現象に遭遇して面食らったのである。

秋になると叛乱という事態は一層明瞭になる。河内の法学部でも学生大会で緑会委員会提案が初めて立て続けに否決される。支持票も六月に比べて半減して、「われわれにショックを与えたし、我々自身にも混迷をもたらした」（八五頁）。一〇月一二日の学生大会で全学の掉尾を飾る形で無期限ストが決定された。これは学生有志の提案が可決されたもので、個人参加のストライキ実行委員会を組織することになる。法学部以外の各学部の無期限ストライキ突入は「学部集会」が決議したと河内は学生大会とは用語を区別している。おそらく、以前は自治会提案の学生大会であったものが、この時期にはこの正規の手続きが踏めなくなっていたからだろう。こうして一一月まで、東大闘争は全共闘運動であった。キャンパスの秋も深まるとともに民青と河内たちは、さてどうするか。

一般に党は革命を目指しているのだが、逆説的ながら現実に革命に出くわすことは党にとっては一個の不運であり、できれば避けるに越したことはない。この場面での革命のことを大衆叛乱とか大衆蜂起とか呼ぶのである。こうして、レーニン以降の共産党の歴史でも、党の独自の役割は叛乱を政治的に終息させる段階で目立って発揮される。東大闘争における新左翼諸セクトにもこの発想はあったであろうが、闘争終息の工作を地でいったのが日本共産党と民青であった。河内の言う東大闘争の天王山であり、一般学生を主役とした東大闘争の勝利である。意識するとしないに拘らず、そこに党派性のありふれた形が自己を主張していく。対抗して全共闘にも独自の政治が不可避に要求されるのだが、こちらのことはここでの主題にはしない。

自治会の機能停止と巻き返し

さて、東大闘争は一一月に入り当局では加藤一郎法学部長が総長代行となり、「新執行部」を組織して、学生との交渉による「東京大学の危機に直面して東大闘争の理性的解決」が呼びかけられる。全共闘は無期限ストのもとで全学封鎖の方針を打ち出す。両者の動向が相まって、以前にもまして「一般学生」が刺激されて大挙登場するようになった。そして度重なる学生大会で次第に全学封鎖反対から無期限スト解除へと大会決議が全学に広がっていく。河内たちの再活躍のチャンス、「確認書をめぐる攻防」の時期が来たのである。

こうして本書は長大な第三章「加藤執行部の発足と一一月～一二月の激闘」になる。大学当局の動きも含めてここから記述が詳細かつ膨大になる。なお、本書出版元の花伝社社長の平田勝が共産党オルグとして介入し暗躍するのもこの時期からのことである。先に紹介した通りである。

まず、吹き荒れる全共闘旋風の下で「機能停止」になっている自治会など「正規の機関」に代わって、東大闘争における民青系の大衆団体を明示しなければならない。とりわけ大学の新執行部が学生団体との交渉（大衆団交）を拒否しないこと、全共闘を相手の一つとして容認している以上、これに対抗する組織が急務である。こうした中で「統一代表団」なる組織の結成が呼びかけられた。「全共闘のみの大衆団交は、本当に大学を民主的に変革することにはなりえない」として、以下の組織が正式に参加を決定したという。東大教職員組合、大学院自治会（理系、教育系、農学系、薬学系）、学生自治会（教育学部と理学部）そして人文会委員会であった。同時に、全学連・東大自治会中央委員会の機能停止に伴い、民青系の集団として民主化行動委員会が結成され、「トロツキスト暴力集団（「全共闘」一派）の蛮行を粉砕し、大学の自治と民主主義を守りぬこう」とのアピールを発した（一一月一六日）。「全共闘を学園から一掃することこそ、東大闘争の〝真〟の解決の保障である」と、かつてとは逆方向の過激な訴えである。

加藤一郎執行部と学生との団交に向けた公開予備折衝が、全共闘に続いて一一月一九日、「統一代表団準備会」との間で開催された。本書はその議事録全文を引用している。まずは全共闘を交渉相手として認めている当局への批判から集会は始まった。大学としては全共闘を除いて〝民青系〟団体だけを交渉相手に選ぶ気はない。この時点では当然の判断であり、民青側も分かっていることである。「全学集会（「大衆団交」）は各学部学生及び各系院生の自治組織から民主的手続きにより選出された代表によって構成する」というのが合意事項になった。

次はいわゆる代表団の選出が焦点になるが、この段階で河内は一般学生「有志」の登場を保守派と急進派とに分けて注意している。例えば工学部の学生大会では、代表団選出は有志連合から五名、行動委員会系一名とされた。河内は「有志連合（保守系）」としているが、ここに民青系とは別の一般学生の集団が登場して工学部の主導権を握ったのである。大学当局の話では「ノンポリ」の登場である。これとは別に法学部の学生大会では、封鎖阻止法学部実行委員会が登場して、その独自の提案が緑会委員会案を大きく上回る賛成票を得た。これは「有志急進派」だとされ、緑会を割って出たのではないかと河内に「戸惑いと困惑」をもたらしたという。後に民青系およびこれとは独立の代表団とが大学と最終的な確認書を交わすことになるが、この動きがすでに始まるのである。

党中央の介入

それというのも、共産党中央から東大民青への強力な介入がこの時期から本格化するのである。「赤旗」も一面トップで全学封鎖阻止を報じる。党中央が東大闘争の帰趨を現下の学生運動の分水嶺だと意義づけることとなったのだろう。そこでまずは、東大民青が無期限ストだの団体交渉だのと、言葉の上でも全共闘まがいに急進化した経緯が批判にさらされた。これは唐突で天下りの指令として到来したことが、何人かの証言で分かる（小杉亮子『東大闘争の語り』）。これまでの自分たちの東大闘争が否認されたに等しいことだった。ただ、河内はわざと触れていない。党の介入が宮本書記長直々のものだったことは、前記平田勝の著書に詳しい。

次に、全国から集めた民青外人部隊を東大に投入した。あかつき部隊として全共闘を恐怖に陥れることになるが、大挙登場した「ノンポリ」東大生の反感を買うことにもなったろう。まず初めに一一月一二日、全共闘の図書館封鎖部隊と民青のゲバルトとが衝突した。全共闘の島泰三の証言ではこうなる。「〝あかつき部隊〟の黄色いヘルメットは、一せいに細い棒を振り上げて全共闘部隊に襲いかかった。杉の角材にくらべると細く見えるが、樫の木刀である。殺傷力さえある。

しかも使い手が全部よりすぐりの暴力部隊である。伸びきった態勢の全共闘部隊の最前列は、たちまち崩れ去った。実に見事な水際立った反撃だった」。河内はこの記述を引用しているだけだが、全共闘の敗北を例示したかったのだろう（一四三頁）。

その河内自身によれば、この外人部隊は「全学連支援行動隊」であり、教育学部地下や近所の旅館に泊まりこんでおり、本郷キャンパスでは常時一〇〇名、一月下旬までに延べ二〇〇〇名を越えたと推測している。「東大の活動家の中には、私を含めて全学連行動隊の活動につき、一時期、困惑と混乱があった」。しかしその立派な活動が、「そんな困惑と混乱を吹き飛ばした。私は、スペインの内戦のときの国際旅団の活動と同じように、歴史に残る活動だったと思う」（一五四頁）。これが河内の評価であるが、ナイーブな感想なのか党の暴力的介入に居直っていたのかはわからない。しかしいずれにしても、党主導の外人部隊の導入はその後一般学生との関係で民青には高く付いた。民青は結局のところ東大闘争に党派として政治的に勝利することはできなかったからだ。「一般学生の勝利」なのだった。

次に、一一月二二日には、全共闘によって東大＝日大闘争勝利全学総決起集会が開かれた。この日は全学バリケード封鎖が提起されていたができなかったのだとして、河内はこの時点での東大闘争を以下のように総括している。「一一月二二日に全共闘が全学バリケード封鎖に敗北したことは、全共闘が、もう全学バリケード封鎖を企てる力がないことを大衆的に明らかにした。そして、一一月二二日以降、全共闘は全学バリケード封鎖に代わる新たな戦術を生み出すことができず、妄動を繰り返すだけであったから、全共闘運動は孤立化と衰退の道を歩むことになる。また、全共闘は、この頃「自己否定」「大学解体」を声高に宣伝したが、それは全共闘理論の混迷と理論的破産を明らかにする以外の何ものでもなかった」と切り捨てている（一九七頁）。こうして言うところの天王山への道が開けたのである。

東京大学の危機

そしてここのところで、著者は改めて大学執行部の動向に注意を払っている。河内らにとっては東大闘争はすでに十分に交渉ごとになっているのだから、交渉相手に関心を払うのは当然である。当局の記録『東大紛争回顧録』や加藤一郎らの座談会「東大紛争」などが資料として活用されている。たしかに東大闘争の一年間を通じて、大学もまた学生の蜂起にたいして一個の政治体であることを強いられたであろう。長期にわたる大学の機能麻痺状態を組織として回復しなければならないからだ。たんに当面の学生対策でなく、医学部学生処分それに機動隊導入などへの反省、東大闘争に臨む大学のあるべきヴィジョンの模索が続けられたようである。これが学生たちの先生方への何よりの要求だったからだ。その挙句に大学は一個の政治体でありえたろうか。何よりも当時の先生方の手による歴史的考察が今も必要とされていると思う。そしてこの期待が応えられる見込みはない。

他方で本書の著者たちには、大学の自治や民主化、またこれに学生・院生・職員組合等々（七者協）など「諸団体」が参加することに抜きがたい関心がある。戦後のありうべき大学像の理念である。そして学園闘争や新左翼との抗争の中でこれが彼ら特有の言葉遣いとなってスローガン化された。大学の民主的改革、民主化などと聞けばそれはすでに一つの党派性の表現であった。むろん、それはそれで構わない。ただ、東大を始めとする「大学紛争」からすでに半世紀が過ぎている。この間の大学というものの体たらく、そして社会の変貌を思えば、大学の戦後民主主義に賭けた当時の幻想の後始末が、河内らの東大闘争論にもあって当然であろう。だが、その痕跡が本書にはない。これもまた一つの党派性の今日の表現である。

それに付け加えておけば、私自身は当時もう大学というものに関心を失っていた。東大執行部のビヘイビアにたいする河内の批判には、他ならぬ当事者先生方が応えるべきだったと思うだけである。その後も東大教授による東大紛争論が世に出たものかどうか、寡聞にして知らない。何しろ東京大学は多くの学部と研究機関からなる大所帯である。大学自治など形骸化しているこの時期、これを一個の政治体としてまとめるなど、一朝一夕でできるものではない。河内の引用する資料からもうかがえるのは、加藤ら少数の新執行部への紛争対応の丸投げ、その執行部の右往左往のご苦労だけである。

さて、その大学当局の動向である。一二月二日、先の八・一〇告示に代わるべき新執行部の学生への提案が、加藤一郎総長代行の名前で発表された。加藤独裁体制が成立した結果ではもちろんなく、各学部教授会はもとより学部長会議や評議会など全学の合意を取る時間的余裕もなく、また合意が簡単に得られるはずもない状況で、取り急ぎ加藤名義で提案されたものだった。河内の著書は提案をめぐる執行部の動向に加えて加藤提案の全文を掲載しているが、ほかでもない。彼らの天王山への道がこの提案の評価にかかっていたからだ。

加藤は前文でこの提案が「全学集会」に向けてのものであり、全学集会の実現を切望していると表明した。そして最後に今後の進め方として、各学部で全学集会への代表団を速やかに決定することを要望している。加えて、留年問題への注意を促した。一二月上旬までに授業が再開できれば卒業が遅れる事態を防ぐことができると。この二点に挟まれて提案の内容は多岐にわたっている。八・一〇告示、医学部処分、機動隊導入、文学部処分など経緯を総括し、今後の追加処分に触れている。次いで、「東大改革への基本的態度」が提案される。

この加藤提案の政治的意図はもとより明白だった。早速民青系の団体「東大民主化行動委員会」が「前向きに検討するに値する」とこれに呼応した。そして全共闘排除を繰り返し要求するとともに、「学生・院生・教職員の民主的な代表による大衆団交を実現し、事態を早期に正しく解決しよう」と呼びかける。東大闘争を「早期に正しく解決する」が加藤提案に呼応する民青系の合言葉になる。「正しく」とか「真の」という言葉が党派性になる。全学集会へ向けた各学部代表団の選出を急がねばならない、これを以て全共闘を排除したうえで加藤執行部との交渉をまとめることだ。党派性は見え見えであるが、この路線にたいしてもう一つ重大な案件が持ち上がった。留年と入試問題である。ここに来て一般学生が再度大挙登校するようになる。何しろ、諸君の留年、そして来年度の入学試験中止という東京大学の危機を、加藤執行部はこれからも暗に脅迫していくからだ。

早期に正しく解決する

ということで、以下に学生大会での代表団選出の経緯に少々詳しく触れておきたい。従来私が具体的に検討したことのない事実でもあり、河内の著書にたいする私の主な関心でもあったからである。この年の一一月から年末にかけての学生大会は参加者が前代未聞に膨れ上がるとともに、議論と決議の内容が今かえりみて奇怪ともいうべき複雑さを露呈していたようである。河内が結果を丹念に収録しているが、それだけに、彼らの戦略貫徹にはなお苦労がいることを予感させる。

たとえば法学部では、一六回目の学生大会（一二月四日）が、著者河内謙策を含む代表団五名を選出した。ただ、その後の提案の採決を見ると、緑会委員長提案の「全学代表団選出」、学生懇談会の「無期限スト解除」、闘争委員会「七項目要求貫徹」のいずれもが、ほぼ圧倒的多数によって否決されている。法学部の次の学生大会（一三日）でも傾向は変わらない。緑会委員長提案、有志の「学部団交要求」、懇談会提案、クラス・サークル連合の「加藤提案反対」、闘争委員会提案の「加藤提案撤回」のいずれもが否決であった。

すでに代表団を選出している工学部の学生大会でも、一一〇〇名に及ぶ出席者の下で、四つの集団による提案が否決あるいは可決せず、最後に緊急提案の「加藤提案断固拒否」が可決された。同じ分散傾向は他の学部でも学生大会のたびに繰り返されてきたのである。一体何がどうなっていたのか。一般学生が民青と全共闘との「セクト争い」を嫌っていたのだろう。ともかくも、これが学生叛乱というものの現時点での反映であった。

次の焦点は大部隊の教養学部の学生（代議員）大会である。ここではフロント系の自治会委員長が大会開催要求を握りつぶしているので、行動委員会とそのセクト性を嫌うクラス連合とが組んで独自に代議員大会を開催した（一三日）。選出された代表団は両者からそれぞれ四人その他二名だった。「正規の機関」など無視された。

さて、教養学部での代表団選出を待って、その日に手回しよく七学部代表団が結成された。医学部と文学部と薬学部を除く七学部の代表、二学科、加えて大学院生協議会の代表である。代表団幹事として教育、教養、そして経済学部の代表が選ばれた。それぞれ民青、クラス連合、そして「ノンポリ」（有志保守派）の代表である。経済学部代表には後に自民党の文部大臣になる町村信孝、法学部では後の一橋大教授加藤哲郎が名を連ねている。

だが、この代表団会議で早速意見が割れた。結成会議冒頭で、工・経の代表と農・法の一部代表から次の要求が出て、即決するように迫ったという。1.予備折衝の議題は七項目を中心とすること、2.代表団に大学院生や職員組合は加えない、3.学生の団結権、運営協議会については一切話題にしないことであった。いずれも民青系行動委員会のそもそもの方針を否認する提案だったが、河内らは分裂を避けるために有志（保守系）のこれら三条件を呑んだという。無原則の妥協がかえって民青のセクト性を際立たせたのは言うまでもない。

次は予備折衝開始に関する大学側との合意だが、これも難航した。大学側としては「民青系だけ」に偏るとみられることを避けたかった。だが、授業再開と来年度入試の決定が差し迫っている。背に腹は代えられないとばかりに、ほぼ連日の交渉を経て年末二六日開催で合意に達した。河内の推測では「全共闘の全学集会巻き込みのための加藤執行部の時間稼ぎ」だったということになる（三二六頁）。二六日の予備折衝は非公開で行われたが、その記録が本書に引用されている（四二六頁）。学生から要求項目が提起されて加藤総長代行との間で合意が図られたのである。その内容は後に確認書としてまとめられることになる。確認書はまず全学大衆団交（全学集会）で合意し、それを当局と学生がそれぞれの決定機関に持ち帰って確認したうえで、次の全学集会で確定するという。

今回の予備折衝でも、経済学部代表つまり河内の言う「有志（保守系）」の主張が異色である。「七項目要求はたんに個別要求でなく大学当局が従来の大学のあり方、学生自治に対する考え方を根本的に自己否定したうえで反省し、学生・職員の権利と責任を明確化すること、その意味で一つの体系をなしている」と言うのだった。だがこれに付け加えて、七項目以外のすべての要求を取り上げるべきだというのが、民青系の主張だった。

年末には法学部無期限ストが全学に先駆けてやっと解除された。一二月二五日の一八回目の学生大会決議である。出席者は大会定員の二・七倍の八二一名に達し、諸決議の採決を賛否の数だけあげれば次のようだった。緑会委員会提案一五八：五二六で否決、学生懇談会のスト解除提案四三一：三三三で可決、クラス・サークル連合案二一二：四四〇で否決、闘争委員会提案一〇二：六二〇で否決。無期限スト解除決議以外は、相変わらずの票の分散と否決否決であった。スト解除だけに関心がある「一般学生」の参集をここに読むことができ、その数がおよそ四〇〇人超ということだったろうか。この事実を逆に見れば、学生大会という「正規の機関」をあくまで前提とする党派性の在り方への叛乱が、全共闘運動だったのであろう。

河内謙策たちの東大闘争の一年がこうして暮れた。元旦の払暁、彼らは教育学部前に集まって歌と踊りの「あかつきの大合唱」と「たいまつデモ」を繰り広げて新年を祝ったという。

バタバタと天王山へ

さてこれで、河内の著書『東大闘争の天王山』のようやく半分をフォローしたことになる。まだまだ続く。だが、河内たちの党派性という関心からすれば、趣旨はほぼ出尽くしたであろう。それにしても全学集会は一月一〇日に開催されることになるのだから、正月を挟んで大学・学生双方とも文字通りバタバタと準備をこなさねばならない。

それればかりではなかった。この間、入試問題がにわかに浮上してきて、加藤執行部と文部省はそれぞれ入試中止を表明することになる(一二月二九日)。大学としては全学集会での合意が早期にできれば、入試実施を再決定できると期待して文部省とも交渉を続けたようであり、ここに「確認書」という天王山への道に入試問題が不可避に介入してきたのである。学生代表団の側では文部省の不当介入だとして、にわかに東京大学と東大闘争の「自主解決」を唱えるようになる。先の「東大闘争を早期に正しく解決する」という言葉に続いて、今度はこの合言葉の下に諸組織が動員された。帰郷中の活動家が「トウダイキトク」という電報で呼び戻された。駅頭でのカンパ活動が組織され、「ぼくらは暴力学生全共闘とはちがいます。かれらはすでに全学で三〇〇人以下の孤立した狂人たちです。私たちは彼等と闘って入試を実施しようとしているんです」と訴えた(四七六頁)。党派の組織性がこうした運動の末端でも発揮されたのである。

それにしても、東大と東大闘争の自主解決とは何だったのだろう。そう首をかしげて思いつくのは、たとえば総評の春闘における企業別労働組合の論理である。組合の過激化に危機感を抱いて第二組合を発足させる。あるいは、東京大学を防衛しなければならない、その上での自主解決である。いずれも、会社がつぶれては元も子もないのだ。東京大学を防衛しなければならない、その上での自主解決である。加藤一郎総長代行の声明（一月四日）も訴えている。「いま東京大学は、文字通り存亡の岐路に立っており、大学の運命は、諸君の態度決定に深くかかわっている」。ストと封鎖の解除見通しが立てば、改めて入試断行の決定を下すということである。

とはいえ河内の資料を見る限り、企業側は、この場合は加藤執行部のことだが、学生側に比べて著しく党派性を欠いている。独立性の高い学部や研究所を束ねて、執行部が政治体の代表として学生代表団に対峙する。それには時間が圧倒的に不足していたし、そもそもそんなことができる「東京大学」など存在していなかったのである。加藤を中心にして何名かの執行部が右往左往しながら場当たり的な対応を繰り返す。

さて、全学集会（一〇日）までの大詰めである。もはや予備折衝の時間的余裕はない。なり振りかまわず、代表団幹事と大学の全学集会交渉委員との間で詰めが行われた。密室である。前夜には河内が確認書草案を作成して大学側との折衝に臨んだ。当日未明から会場として都内のホテルを四、五軒たらい回しにされた挙句に、ようやくヒルトンホテルで大学側と落ち合うことができた。朝の五時になって確認書（案）の合意を見た。河内によれば、確認書はもはや学生からの要求書という性格でなく「一発合意を目指す」ものにしたと言う。時間がない。ここでも柔軟な対応が必要である。

他方で、河内とは別の学生側チームが大学側交渉委員たちと当日の段取りにつき詰めるはずだったが、これもホテルをあちこちした挙句にすっぽかされた。そして、当日正午になってようやくプログラムの合意がなされた。大学側は経済学部・工学部代表と法学部有志代表の支持を得て、会場として秩父宮ラクビー場を強硬に主張。民青系などの代表団は学内開催を譲らなかったのだが、最後は妥協した。キャンパスを留守にしている間に全共闘が何をするか知れたものではない。集会の時間をできるだけ短くすること、終了後ただちに代表団交で確認書を交わすことを条件にして大学と合意した。何ともあわただしい天王山への「激闘」だった。

秩父宮ラクビー場における「全学集会」（大衆団交）では代表団と加藤代行とのやり取りがあり、約束通り短時間で終了した。八千人といわれる大勢の参列者を前にしたセレモニーだった。だから終了後直ちに、場所を変えて「代表団交」が非公開で行われた。五〇名ほどの代表団の出席だった。二時間余、主題は午前中に作成した確認書（案）の項目ごとの確定である。以下のように多岐なテーマのもと二六項目にわたるものだった。医学部処分、文学部処分、追加処分、今後の処分制度、警察力導入、捜査協力、青医連、八・一〇告示、学生院生の自治活動、大学の管理運営の改革。前半は七項目要求とこれまでの当局の対応に関連し、最後の二項目が今後の学生の権利要求である。代表団がそれぞれ項目ごとに署名した。

確認書は双方の決議機関で承認したうえで、第二回の全学集会と代表団交の合意により発効するものとされていたが、「全共闘の暴力的襲撃が予想されるので」全学集会は省略して第二回の代表団交によって確定された。「早期に正しく」解決するのだ。これが二月一一日である。次いで機動隊を導入して全共闘の時計台封鎖が解除されたが、しかし翌一月二〇日には東大の入試中止が坂田文相により正式決定された。

とはいえ、「こうして東大闘争は、歴史的大勝利を収めて終結したのである」。これに比べれば、一月一八・一九日の「安田講堂攻防戦」などは「全共闘・トロツキスト諸派と自民党主流・荒木派による「歴史的茶番」であった」。これが本書での河内謙策の結論である(六〇七頁)。

経験の党派性を問う

さて以上に河内謙策の長大な東大闘争論に付き合ってきた。いわゆる民青系が配布した文書の引用が本書の骨格をなし、同時に、当時の加藤一郎ら大学執行部の動向がその回顧録資料を用いて明らかにされている。これらは本書の特徴をなしており、当時も私のほとんど知らなかった事柄であり、今回は結構面白く河内の記述をフォローしてきたのである。

大学執行部の動向とこれに対抗し交渉する学生側の行動と、その双方に着目するのは河内の東大闘争からすれば当然至極のことになるだろう。というのも、ここでは東大闘争とは学生の権利要求だとされ、そのことが少しも疑われていないからだ。ミシェル・フーコーふうに言えば主権と法秩序の近代政治の枠組みをはみ出ることがない。典型的な類型を挙げれば、企業と労働組合の間の労働争議の伝統である。企業経営陣の内情を熟知したうえで、労組は実力闘争と交渉をうまくアレンジして妥協点を見出していく。一企業の争議が時の政治的な争点になることもあり、その場合は双方それぞれで、ナショナルセンターや政党の介入が避けられないだろう。指針の強要だけでなくオルグや外人部隊が当該労組に派遣されるかもしれない。だが企業をつぶしては元も子もない。何よりも一般従業員を守らねばならない。ひいてはこれが経営と労組との共通基盤であり、そこに交渉事も可能になる。この枠内ではストライキも少々の暴力沙汰も、もちろんまた取引もボス交渉もありでいい。

一企業での労働争議にも、通常の意味での政治の概念がリアルポリティクスとして行使されるのは言うまでもない。敵を知り味方を吟味しながら、力関係を変えて妥協点に達しなければならない。その際に相手を道徳的に憎む必要はないばかりか、そんな情念の喚起は闘争のぶち壊しになりかねない。経営者にも労組指導部にもいわゆる政治的手腕が問われる。労働争議の長い伝統がつちかってきた双方の党派性がここでも前提になる。

ところが、河内と当局の東大闘争にとってはその「前史」があり、前史の遺産が残っていた。残っていたどころか、河内たちの東大闘争が天王山に登るには最大の障害になっており、これを除去することもまた東大闘争でなければならない。全共闘なる組織であり、全学部の無期限ストライキと大学の封鎖と占拠である。そればかりか、同じく学生の権利要求（七項目要求）から始まった全共闘運動は、自治会活動をはみ出して東大生・教官の「自己否定」などと倫理的な性格を強めていく。後に言われる「若者たちの叛乱」である。東大闘争の強度をこれが作り出してもいたのである。

だがその東大闘争も一一月に入り、学生大会の票数で見れば全共闘運動は明らかに支持を失い、一方大学では加藤一郎の新執行部が発足した。東大闘争を政治交渉の場にのせる機会がようやくやって来たかに見えた。ここから固有の意味での河内たちの東大闘争が始まる。本書の大部分が一一月以降の経緯で占められている所以である。ここで初めて、東大闘争も労働争議に見られるような伝統的な政治のパラダイムに乗せることができる。ただし、これには全共闘というはみ出し者が介在しており、闘争は当局・民青・全共闘の三者のヘゲモニー争いであるほかない。河内たちも無期限ストや大衆団交などなどの過激に引きずられることを止めて、三角関係の政治を壊さねばならない。リアルポリティクスという政治がここにもろに行使されるとともに、そのような政治を行使する者たちの寄って立つ政治、つまりは党派性が無意識にも析出するようになる。同じことはこの時期の全共闘にとってもまったく同様の事態であり、東大闘争に私が寄せてきた関心もこの党派性である。党派性の在り方はもとより両者で違っているが、党派性という政治の形に変わりはない。政治がこのレベルで析出して当事者たちを超出し、逆に当事者たちをそれぞれ違った方向に追い立てていった。全共闘と同様に、河内の東大闘争もまたこの意味で自覚的に政治的であったかどうか。

例えば、すでに触れたが本書の冒頭で河内は東大闘争の「主役は一般学生」だったと宣言している。全共闘は一般学生を裏切ることにより没落破産した。では一般学生とは誰のことか。法学部で言えば彼らは学生大会ごとに自治会委員長の提案を否決し続けた。河内はこれとは区別したいのだろう、一般学生を「有志（急進系）と有志（保守系）」と呼び、これと民青系とが共に歩み共に闘って東大闘争に勝利したとも述べている（五頁）。一般学生を志の有無で区分けして、有志をさらに左右に区分しているのだろうか。学生大会に独自の提案をするような集団（サークル・クラス連合等々）が、右であれ左であれ、有志と呼ばれているようである。

その上で河内は、一般学生も有志の二派についてもその性格に全く言及していないのである。これは特徴的なことだ。とすれば、東大闘争の主役であり、東大闘争に勝利した一般学生とは何か。再度こう問うとして、明らかに河内はこの問いを意図的に回避している。全共闘の自己否定論が批判したように、一般学生の内には「東京大学の危機」に煽られて雀荘から学生大会にだけ出席する類の学生もいたろう。経済学部の町村信孝のように有志（保守系）に分類される者もいたかもしれないが、彼らは代表団に参加して全共闘ばりに七項目要求実現を「体系的に」追求する学生たちだった。

同じことは河内の全共闘運動にたいする無関心についても言える。通常の政治的意味で、全共闘は排除すべき敵である。この点は別にして、全共闘という叛乱の組織、あるいは一九六八年に象徴される世界同時多発的な学生叛乱に関しても、河内の東大闘争は何の関心も示していない。

これを要するに、主役の一般学生の内実に踏み込めば、河内の東大闘争の党派性が直ちにあらわになってしまうのだ。河内東大闘争論の骨組みが瓦解する。この事態を回避しようとする隠蔽と政治的自己欺瞞こそが彼らの党派性にほかならなかった。一般学生とは要は全共闘を駆逐するために利用すべき存在であり、とやかく詮索してはならない。これもまた東大闘争が析出した政治が河内たちに強要したことであり、私は今になってそれ自体をとやかく言おうとは思わない。党派性のために利用できるものを利用し、邪魔な存在は駆逐して何が悪い。リアルポリティクスとしての政治である。

同じことは今度は一般学生と全共闘の反対側、河内の東大闘争にとっての民青と共産党についても指摘できる。本人は全学連を支持する民主化行動委員会・東大闘争勝利全学行動委員会系、略して行動委員会系の幹部だったとまわりくどい自己規定をしているが、世間ではこれを民青系と言っていた。民青でなく行動委員会系だと言ってみてもカムフラージュできないことは本人が重々承知している。六〇年安保闘争以来なじみの党派性である。だとすればぶしつけに言って、河内にとって東大民青、さらに日本共産党とは何だったのか。これもまた河内が意図して口を閉ざす言葉である。秋口までの東大民青の急進化にたいする批判、全国動員された民青の外人部隊の投入、そして一一月からの共産党の本格的な介入など、河内の東大闘争論が政治党派の介入を論じるチャンスはいくらでもあったのに、事実を記述するだけである。労働争議でも学園闘争でも党派の介入は避けることができない。介入の党派性が現場と党の双方に等しく問われる事態である。ことに、全共闘へのトロツキスト諸セクトの介入が喧しく非難されているのだから、では共産党民青の介入はどうなのか。その党派性を問うこともなしにあっさりと「行動委員会系」を名乗る。この見え見えの党派性が共産党由来の日本の党派の伝統だというべきであろう。もしかしたら、この規範に批判的であることによって、河内の東大闘争論は得難い証言の一つになっていたかもしれない。同じことはまた、全共闘におけるセクトのメンバーについても指摘すべきことである。

それにしても、本当のところ、本書の著者河内謙策は当時民青同盟員だったのか党員だったのか。河内は最後まで口をつぐんでいる。ありていに白状せよ、などと今さら言う気はない。優秀で熱心な活動家の場所がたまたま民青だったのだとしても、特に不思議なことはない。新左翼のセクトだって同じことである。「唯一の前衛党」の神話などとうに霧散していたのだから。

そういうことではない。河内はこの東大闘争論を七〇歳になって書いている。それでいてこの半世紀の痕跡が本書には全く感じ取れないのである。当時は民青系の熱心な活動家に過ぎなかったとしても、運動渦中で党派性という政治について思い当たることの数々があったに違いない。その後の人生で顧みることはなかったかどうか。仮に共産党員だったとしたらどうか。この半世紀は党自身が路線の様々な岐路に立たされてきたはずである。その後の党生活の中で学生時代の闘争を振り返ることもまたあったに違いない。それが党と自分と、そして日本社会の歴史というものであろう。言わずもがなのことながら、かの「確認書」を偉大な宝物としたはずの東京大学は、いや大学という存在の現状はいかに。本書にはその後の歴史の痕跡がまるでない。意図的に学生時代に身を移すことに固執して本書を綴ったのか。あたかも「過去」それ自体が実在したかのように。それとも、本書の版元である花伝社社長の平田勝のように党派性は何も変わらず、その歴史的経験は今に何も残していないということだろうか。

内ゲバの語り　文法と構図

第一部　革共同戦争

内ゲバを語り出す

一九六八年の世界同時多発的叛乱の国内版を「日本の１９６８」と呼ぶとして、あれから半世紀が過ぎて、当時の世代の回想記が出始めている。まだぼちぼちとはいえ、新左翼党派（セクト）からのものも目に付くようになった。特に後者では内ゲバに何らかの形で触れないわけにはいかない。内ゲバが大勢の死者を生み出し、それ以上に膨大な殺人未満の犠牲者を残した。そればかりか、諸セクトは日本の新左翼運動の遺産を蕩尽しつくして潰えた。この歴史に党派間の内ゲバが暗い影を投げかけているのも明らかなことである。内ゲバ論は同時にセクト論でなければならないし、逆もまた然りである。

それでは、半世紀前の過去を今になってどのように語るのか。その語りの文体がいわば当事者任せのままに放置されており、語りが一個の歴史物語の広場をなかなか形成しえない。つまりは、日本の新左翼が歴史になろうとしてなり切れていない。そう感じるのは筆者ばかりではないだろう。ごく最近の企画「激突座談会　〝革マルvs中核〟」から冒頭の部分だけを引いてみる（『一九七〇年　端境期の時代』、鹿砦社、二〇二〇年）。

A　元革マル派活動家　「運動論の違いなんて簡単に片づけられる問題じゃない。こっちの運動の弊害になるだけじゃなくて、間違った方向に大衆を引っ張っていこうとする姿勢が許せなかったんだ」。

B　元中核派活動家　「よく言うよな。おまえらいつだって国家権力とは闘いもしないで他党派攻撃ばっかりやってたじゃないか。「間違った方向」だって？　おまえら、そもそも方向性なんてありゃしなかっただろう」。

A　「判ったようなこと言うんじゃねえよ。何にも判ってないくせによ。おまえらみたいなこけおどしの単ゲバで世の中が変わると思ったのか。何にも変わりゃしなかったじゃねえか？……」。

B　「闘いもしなかったおまえらが、闘ったわれわれに言うのか？……」。

これでは文字通り話にならない。この二人は元活動家とあるから党派をとうに抜けているのだろうが、なおこんな調子である。なかんずく、内ゲバの語りともなれば語ること自体が憚られている。当時の出来事を洗いざらい白状せよ、謝罪せよ。関係者からはこうした暗黙の脅迫があり、当事者としては過去を墓場にまで持っていく気持ちを一層固くするほかない。暗く不透明なこの記憶を今に語るとはどういうことなのか。そもそもあの法外な出来事を語り出すなどということができるのか。内ゲバの語りは歴史を構成するにはなお圧倒的に乏しいままに止まっている。

内ゲバは主として当時の新左翼の党派がしでかしたことである。内ゲバの語りはだから当然にも当事者たちの党派経験を語ることと切り離せない。「日本の１９６８」には全共闘運動と党派主導の「七〇年安保闘争」と二筋の流れがあり、最盛期には両者は競合しながら大衆運動を展開した。それでいて、日本の１９６８を回想して党派を論じることが、これまた不釣り合いに乏しいままなのである。セクトの存在と運動とが歴史になり切れていない。内ゲバの語りが容易でないのも、日本の１９６８とセクトというテーマが熟していないことと不可分のことなのである。当時のノンセクトの回想記や、今日の歴史的研究でも、セクト論はいたずらにカリカチュアで済まされている。あの当時、そんなはずはなかったのだ。

例えば先には第二次ブントの内情に関するあけすけな語りが公刊された。石井暎禧・市田良彦『聞き書き〈ブント〉一代』（二〇一〇年）である。本書にたいしては当事者たちから「これじゃあんまりだ」といった呟きが聞こえてきたが、反対尋問として公にされたかどうか寡聞にして知らない。また、聞き役の市田良彦が今度は自分の党派経験を「俺が党だ」と題してこれもまた私語りに語っている（『情況』、二〇一八年秋号）。時代は十年を過ぎた七〇年代末の京都大学でのことだ。京都盆地の猥雑な党派闘争がそのどん詰まりを迎えて、俺が党だと思うほかないほどに党派性が散乱してしまっている。そしてそれでも、そのために一層先鋭に、党なるものの観念の尖端が意識されていたということだろう。この語りにはイニシャルのままの人物が大勢登場するが、京都人士には直ちに誰のことかが分かるのだろう。それでいて、市田にたいする対抗言説が私語を越えて聞こえてはこない。語り難いのは内ゲバ経験ばかりではないのだ。また、一九七〇年のブント内部の党派闘争、いわゆる七・六事件とその後の赤軍派望月上史の転落死に関しては、鹿砦社の松岡利康が精力的に当事者たちの証言を集めている（『一九六九年　混沌と狂騒の時代』、『一九七〇年　端境期の時代』）。ことの経緯はほぼ出そろっているだろう。後は当時の党派闘争の性格付けからこの出来事を歴史的に俯瞰し批判することだ。

こうして、内ゲバの語りを促しこの経験を歴史として制作するには、その外部から党とは何かという問いを発して、語りの背景となるべき構図と枠組みが提起されなければならない。日本の新左翼諸セクトは六〇年代を通じての党派の歴史を背負っていた。その歴史の呪縛こそが内ゲバをただの党派闘争でなくことさらに「内」ゲバたらしめたのである。さらに言えば、新左翼党派はかのマルクス・レーニン主義の歴史的産物であった。

だが、思い違いをしてはいけない。「真のマルクス・レーニン主義」とは何か、ということではないのだ。いやそれ以前に、マルクスであれレーニンであれ、日本の新左翼の歴史的経験に埋め込んだうえで、そこから内ゲバの問いも発する。革命党派の歴史的経験から、気に入ろうがそうでなかろうが、内ゲバの構図を一つの語りの枠組みとして提出する。これが逆に挑発することによって、内ゲバ論が、したがってそれぞれのセクト論が語り出されて、部外者にも共有されうる語りの場を作り出すようにすることだ。これが本稿第二部の目論見である。

過去を制作する

繰り返すが、新左翼党派もその内ゲバも今や遠い過去の出来事である。かつての当事者にとっては、語り難い記憶として胸のうちにわだかまっている過去である。そして、当事者と共に過去は消去されていくだろう。消去を防ぐとすれば、過去を今歴史にしなければならない。それにはまずは過去の出来事を想起しなければならないが、想起とはひとが取り立てて決意して実行すべき行いなどではない。かつての当事者が今に行動していること、そのことの意味を想起が構成している。人は過去を逃れられない。

だがそれにしても、過去を想起するとはどういうことか。想起とは過去をありありと蘇らせる知覚経験ではない。想起は今日の時点で過去を言語的に（公共的に）制作することだ、——大森荘蔵がこう述べている（『時は流れず』、一九九六年）。例えばここに死体が発見されたとする。果たして殺人があったのだろうか、捜査が開始される。だが捜査とは、殺人という過去が実在していてその過去を掘り起こすことだろうか。過去の出来事という現実が存在し、現実はそのままに出来事の真偽を示している。つまり捜査とは実在の真理の探索発見だとする常識は、しかし大いに疑わしい。それが証拠に、刑事たちは足を使って証言と物証を集めて、公判に耐えるだけの犯罪の物語を構成していく。犯罪という過去が公共的（言語的）に制作される。被告と検察（被害者）と裁判官と、言論戦を戦わせて過去を確定しようとする。過去とは共同の過去制作であり、過去についての物語なのだ。

では、過去が想起による物語であり過去それ自体など存在しないとしたら、物語という言葉の通りに何でもありの作り話までが過去として許容されるのか。おのずと過去の想起を認定する社会的に公認された手続きがなければならない。この点でも、殺人の捜査と公開裁判という事例は役に立つ。大森によれば、犯罪の証拠調べを観察すれば、過去の実在性と真理性の確認手続きが見て取れる。つまり、

（a）証言の一致。すなわち複数の人の想起命題の一致、少なくともその整合性。

（b）想起命題の自然法則、心理法則、経験法則等の法則との合致。つまり、命題内容が法則外れでない。

（c）物証、物理世界の現在に円滑に接続する。

しかしこうして確定された過去といえども、新たな物証や証言が現れてその不備が指摘されれば「再審」に付さねばならない。過去は未来に開かれている。それと同時に体験された過去は絶え間なく歴史的過去、過去の出来事へと送り返されていく。そして大森が指摘するには、以上のような真理の実用的な構成は、実は自然科学の真理確定の現場で日々行われていることと同じだという。この場合の自然科学における真理確定が、パラダイム論以降の科学論の文脈にあることはことわるまでもない。

過去の出来事とは過去制作であり、過去物語である。かねては素朴に、出来事が実在しておりその反映として真理が語られると信じられていた。あるいは、出来事には裏の事情がある、出来事の下部構造にまで真の原因を求めることができるし、そうしなければならない。ちょうどこの

信憑の反対側で、過去の物語とは本来的に恣意的で主観的な創作（お話）に過ぎないと決めつけられてきた。一九八〇年代のポストモダンの思潮が物語論の流行をもたらし、過去をめぐる以上の常識的二元論を広範に揺さぶったことは目覚ましいことだった。これが真理の相対主義を解禁したのだが、それだけでなく相対主義にも条件があるべきことを課題として今に残しているのである。自然科学や犯罪捜査の現場が事実確定の手続きを問われているように。

それだけではない。裁判の判決は時の社会の法と良俗を乱さぬものであるべきであり、こうして往々にして時の権力に奉仕するものとなる。同様に、歴史的過去の公共的な制作は歴史を絶え間なく国史という「正史」に形作っていくだろう。正史を崩すためには新たに独自の証言と物証を集めて、過去を制作し直すことが必要とされる。歴史物語はまた物語批判でなければならない。それはしばしば孤立無援の作業を強いられるものとなるであろう。

革共同戦争

過去物語の一般論は以上で止めるとして、ここでは「過去」を限定する。戦争があり、アウシュビッツがあり、またある時に大衆叛乱があり党派闘争があった。仲間集団どうしのテロと殺し合いという犯罪も経験された。総じて、これらの歴史の核心にある「暗くて不透明なもの」、それがどう語られて来たか、どう語るべきか。マルクスは「（一八四八年の）二月革命はうるわしい革命」と呼んだが、世上うるわしい革命運動などは存在しない。革命は革命の息子たちを喰らって進む。

以下では党派による数少ない語りを当面の資料として、内ゲバという過去の言語的制作を一つの物語批判として綴ってみよう。そして以上をケーススタディとして、その後第二部で、私が考えるセクトと内ゲバをめぐる公判廷の在り方を、短く挑発的に提案することにしたい。

日本の新左翼党派間の内ゲバの歴史といえば、何といっても一九七、八〇年代の中核派と革マル派のいわゆる革共同戦争を上げねばなるまい。戦争の実態は何であったのか。両派それぞれがこの戦争の意図と戦果につき広報合戦を繰り広げていた。当時もプロレス新聞まがいと評された報道の応酬である。あれから半世紀、これをも「物証」として使いながら、革共同戦争の歴史といえるものが語り継がれて来たのか。ゼロ、と評すほかはないであろう。それればかりか、双方に冷静に目配りした革共同戦争の物証といえるものが、今に残されているのか。遡って唯一、立花隆の著作『中核vs革マル』にたどり着くほかはないであろう。

立花隆の『中核vs革マル』は一九七五年の刊行であり、この年は中核派の本多延嘉書記長が殺され、両派の内ゲバはその後もまだまだ続いていく。当時、立花はこの本の元になったルポを月刊「現代」で連載しており、六〇年代の新左翼の運動現場はもれなく取材してきたという。そのうえで両派の機関紙を丹念に読み比べてこの本を書いた。本書はだから「戦争」の真っ最中の報告であり歴史ではない。それに立花自身、この一九七五年の判断として過激派の活動が「退潮から反転へ」、そして「反転から高揚へ」と盛り返していく「可能性が極めて強い」と見ていた(文庫版上、五頁)。その後の動向から見て立花のこの見通しはむろんピントを外したものであり、むしろ革共同戦争という内ゲバが新左翼運動の退潮に一役かったのだというべきであろう。しかしともあれ、本書は戦争のまさに渦中の書と受け取るべきものだ。その後一九八三年に講談社文庫になり、現在に至るまで版を重ねている（二〇一六年に三一刷）。誰が、どんな読み方をしてきたものだろうか。

そもそも革共同両派とはいかなる性格のセクトだったのだろうか。両派の戦争においてはしなくも露呈するのも、党なるものの二つのタイプ、それも近縁かつ逆縁の相互関係というほかない。内ゲバの初期にあらわになるこの関係に焦点を当てることから始めよう。

さて、革共同両派の内ゲバによる初めての殺人といえば、法政大学における中核派による海老原俊夫殺害事件になるだろう。早くも一九七〇年八月のことだ。中核派指導部はしかし、これにだんまりを決め込んだ。次いで、今度は横国大の学生寮を襲い水山君を虐殺、他の二名に重傷を負わせるが、中核派はこれにも沈黙を守った（七一年一〇月）。海老原殺害については、当時法政大生であり翌年に中核派全学連の副委員長になる尾形史人が最近になって証言している。「中核派に殺害の意図はなかったが、「リンチ殺害事件」とされ大きな衝撃を与えた」（『革共同五〇年私史』、二〇一六年、五一頁）。「ついにここまで来てしまったのかと思えたが、中核派の大半は革マル派への怒りに燃えており、やむをえないものと自己咀嚼していた。中核派政治局が、この事態をどう考えたかは不明であるが、「沈黙」で答えた」（一四五頁）。中核派政治局からの総括も自己批判もなく、「やむをえないもの」と自分たちが現場で納得するほかはなかったと言う。

恐らくは自らがはしなくもしでかしてしまった殺人に、当然ながら中核派内部に動揺が見られたのであろう。しかし他方で、この党派の特技として当時は七〇年安保闘争という「内乱的死闘」路線の最中である。日比谷や渋谷での暴動の達成で内ゲバ殺人のダメージを乗り切ることができると踏んでいたのかもしれない。実際、一九七一年は三里塚・沖縄・爆弾闘争と、学園を離れて暴力的闘争が再度のピークを迎えている。中核派は身内から膨大の逮捕者を出しながら、これらを党派軍団による機動隊殲滅の暴動として先導しようとした。「内乱的死闘」である。七一年八月の政治集会は秋季決戦を鼓舞して言う。

問題の一切は前衛党にかかっている。この内乱的死闘の中にまさに革命の現実性を見ぬき、ためらうことなく革命の旗をかかげ、革命に勝利するまで連続的な内乱的死闘を貫き通す前衛こそが、いま最も求められている。
われわれはわれわれ自身の決意と再武装を迫られている。われわれはどんな困難をも、死を恐れず突破していく軍団へ自己をつくりかえていかねばならない。
（立花隆『中核vs革マル』、文庫版上一八七頁。以下同書からの引用は文庫版上下のページ数を示す。）

この主張には以前から同派が唱えてきた「七〇年安保闘争」の路線の特徴が要約されている。「一切は前衛党にかかっている」と唱えるが、革マル派のように労働組合内部での組織戦を「本来の戦線」などとはしない。「軍団へ自己をつくりかえて」、前衛党の組織する軍団を街頭に走らせるのだ。そもそも、「労働者階級の直接的利害関係から相対的に自立し、全階級的利害に立脚した党」が、中核派の目指す前衛党である。

これに類型的に対比すれば、革マル派の前衛党の路線はこうなる。他党派を理論的に乗り越えこれを革命的に解体して組織的に乗り越え、その上で運動において乗り越える。大衆運動はそっちのけ、何よりもまず他党派を「乗り越える」党派闘争の党、これが革マルの「組織戦術」である（上二一五頁）。結成十周年集会（一九七三年二月）での次の自己規定に短く要約されている。「われわれは十年にわたる血の苦闘の成果を大胆に確認する。日本労働運動の左翼化と日本労働者階級の革命化を確実に創り出してきたのは、わが同盟である」（上二七五頁）。つまり、社会民主主義と共産党の指導の下に体制内在化した労働者階級の内部で、圧倒的に少数派であるほかない革命派はこれを「左翼化・革命化」することを通じて多数派を目指さねばならない。妨害する党派は切り崩して解体に追い込むのである。あけすけに、革マル派はそう公言している。

左翼反対派というカテゴリー

それでは両派は、一方が単ゲバの街頭闘争路線そして他方が理論と組織の党として、初めから水と油のごとく敵対する歴史をたどって来たかといえば、無論そうではない。両派は革共同という出自を同じくし、今も自称革共同中核派であり革共同革マル派なのであった。両派は日本の新左翼の歴史を共有している。その歴史と両派の分裂（一九六三年）についてはここでは周知のこととしていいだろう。ただ改めて指摘すべきは、日本の新左翼の歴史のうちでも、両派は「左翼反対派」という前衛党のひとつのカテゴリーを共有してきたことである。左翼反対派どうしの類縁かつ逆縁ともいうべきこの関係が両派の内ゲバ戦争にまで尾を引いていくのである。この点にはいささかの説明を必要とするだろう。

世の中のどんな集団にも左翼反対派というべき異論が生じるものだが、ここで言うのは歴史的なカテゴリーとしての左翼反対派である。その起源は前世紀の初め、マルクス・エンゲルスゆかりの革命路線の分裂にある。一方では労働者階級の階級形成を母体とした社会民主主義、いわゆる修正主義が西欧先進国に根付いていく。そして他方で、これに反対する革命主義者は少数の左翼反対派の位置に立たされるのである。ロシア革命以降はスターリン国家と共産党主流もまた左翼反対派の二重の標的になった。標的は国際的そして（あるいは）自らの国内で設定される。

こうして、社会民主主義と共産党の指導の下に体制内在化した労働者階級の内部で、圧倒的に少数派であるほかない革命派は、これを「左翼化・革命化」することを通じて多数派を目指さねばならない。妨害する主流派は切り崩して解体に追い込む。これが彼らの党派闘争であり、党派闘争は左翼反対派の定義に属する組織戦略になる。マルクス主義の教えに沿って革命の本隊を労働者階級に据える以上、左翼反対派はいつどこでも発生する。これはマルクス主義革命の歴史的必然であり、不可避のカテゴリーであるほかない。

したがって左翼反対派とは、ここではマルクス主義的革命そして労働者階級の内部に形成される少数派革命主義者の特異な集団のことである。左翼反対派はその後の歴史に独自の潮流を保持しつつ、一九五〇年代に日本の地にも着地したのである。これがトロツキズム、反スターリン主義、新しい前衛などと呼ばれた革共同とブントであった。一九六〇年安保闘争までのことである。

左翼反対派にとっては、マルクス・レーニン主義主流は革命を「裏切って」いる。実際例えば、第一次大戦後のドイツ革命では、社会民主党権力が各地の労働者評議会（レーテ）を鎮圧したではないか。そこに怒りと憎悪の関係が生れないはずがない。日本の新左翼もまたこのようにして革命史を学んだ。「裏切り史観」である。

以上のマルクス主義の革命の歴史では、左翼反対派を含めて、「前衛党は一国に唯一」であるべきだと信じられていた。左翼反対派はだから「新しい前衛党を目指す」のであって、諸派が勝手に前衛党を名乗って独自歩きすることは許されない。日本でも六〇年安保闘争までは「新左翼」という呼び名は自他ともになく、修正主義の既成前衛党と、対するに左翼反対派の目指す新しい前衛の一対が存在すべきものであった。旧左翼の存在などとはもう無関係に、いわば勝手に振舞うその後の新左翼諸派とは別の存在であった。マルクス主義の左翼反対派として、いつの日にか修正主義者の下にある日本労働者階級の「左翼化と革命化」を作り出して、真の革命に向かうのだ。これが革共同だったとすれば、同じくブントのスローガンも「労働運動の左翼的再編」であった。ブントの学生同盟員の盟約もこの点にあったのであり、安保闘争での全学連の過激な行動もその手段だった。

概略、以上が六〇年安保闘争までの日本の左翼反対派の在り方であった。その限りでは当面、真の革命はおのれの集団の内部にしか存在しない。革命の独占とそれゆえの孤独とが左翼反対派セクトの場所であるほかない。この場所が前衛党の倫理になる。他党派に対する蔑視と憎悪を育む場所になる。ところが、六〇年安保闘争はその最終局面に至ってスケジュール闘争をはみ出して、広範な階層の大衆蜂起の様相を呈することになる。同じ左翼反対派セクトでもブントは、この蜂起を作り出し蜂起の渦中に翻弄されることによって解体した。左翼反対派の理念と、勝手に自立した行動主義とが自らの内で齟齬をきたしたのだった。

他方、革共同は蜂起の圏外に左翼反対派として身を持したのだが、ところが、安保後にブント残党をトレードしたことを直接の契機として、分裂する。革共同の革マル派と中核派の誕生であり、革マル派が左翼反対派の共同体として純化したのにたいして、中核派の方はブント主義と革共同との独特のアマルガムとして姿を現すことになる。こうして同じ「革共同」という左翼反対派の内で両派の内ゲバ、そして戦争へのレールが敷かれるのである。

革マル派の革命的暴力論

さて、七〇から七一年にかけて二件の内ゲバ殺人を犯して、なお逡巡し沈黙する中核派を尻目に、革マル派は直ちに報復を開始する。テロ・リンチだけでなく中核派の党事務所や集会などを大っぴらに襲撃する。ただし、革マル派は根っからの左翼反対派である。そして中核派も同じ出自の鬼子であるとしている。だから当初、革マル派は中核派への報復の暴力も「ひとしく革命を目指している陣営内部の党派闘争」と性格づけていた。同じ革共同ではないか。だから文字通り内ゲバである。内ゲバならそのやり方は双方が属する大衆闘争に従属すべきであり、暴力も武器も一定の制約の下で自覚的に行使されねばならない。つまりは相手の悪行に反省の機会を与える「教育的措置」だと言うのである。ふざけた話だが「赤子の尻たたき」と称していた（上二三三頁）。戦争でなく懲罰的お仕置きである。

ところが、内ゲバの報復合戦はじきにその性格を変えていく。革マル派の報復にたいする中核派の反撃はさらなる報復を招いた。そればかりか、両派はじきに相手の絶滅戦に入ると宣言するようになった。生粋の左翼反対派である革マル派にとっては、労働組合そして学生自治会での陣取り合戦がその「本来の戦線」のはずであるが、しかしその上で、特殊部隊（ＪＡＣ）により中核派解体の革命的暴力を組織していくことになる。中核派による水山殺害を受けて革マル派はこう宣言した。

〝本来の線戦〟において「革マル派の時代」をめざして着実に闘っているわが同盟にとって、すでに生命のつきたブクロ派などは、もはやとるに足らぬ対象でしかない。とはいえ、かれらが左翼としての最低の一線を踏みはずし、反革マル殺人狂乱患者に落魄れたかぎり、われわれは革命的左翼としての責任にかけてかれらを絶滅する以外にはない。むしろここに至っては、一切の怯懦は犯罪ですらあるのだ。特定指導部の責任と統制のもとに、組織的に特殊な暴力をあえて行使し、ブクロ派に対する鉄槌を加えるという特殊な闘いを独自に断固として組織化してゆく。（上二〇六頁）

革マル派は海老原事件の後に「革命的暴力」論を発表し、さらに同派による辻・正田殺人事件に際してこの論点を敷衍した（一九七二年正月）。先に引用した法政大学の尾形史人の述懐ではないが、中核派には海老原殺害の「意図はなかった」。だが、革マルの革命的暴力論に言わせればこの無自覚こそが暴力の退廃である。政治的暴力には常に明確な意図と、意図によって規制される限界がなければならない。政治目的を欠如した暴力、それゆえに政治的目的からの規制を欠いた無限界的暴力の激発によって、海老原君は殺された。なら、意図的な殺人なら許されるのか、「しかりと答えよう」と革マル派は断言するのである。こうして、「大衆闘争の組織化に従属した党派的闘いではなく、あくまでわが同盟がブクロ派そのものに直接的に対決し、それを解体するという、いわば党派闘争の向自的形態」、つまりは中核派絶滅を意識的目的にして革マル派は襲撃を繰り広げていく。「瀕死のブクロ派を最後的に絶滅せよ」と（上二三一頁）。

この段階で指摘しておくべきは、意図的な暴力による他党派の解体を正当化する革マル派の論理である。いみじくも言われているように、この「革命的暴力」は「真のマルクス・レーニン主義でつらぬかれているかぎりにおいて」正当化される（上一七二頁）。立花隆も指摘していることだが、ここで革命的暴力が許されるのは「真のマルクス・レーニン主義」の集団、すなわち革マル派でしかない。こんな暴力の正当化は文字通りに手前味噌なのであるが、それだけではない。革マル派はむろん「これこそが真のマルクス・レーニン主義だ」といくらでも議論を展開するだろう。だが、もう唯一の前衛党が信じられた時代ではあるまいし、この議論には直ちに他党派から「真に正しいのはこっちだ」との異議を呼び起こす。「真のマルクス・レーニン主義」が絶対的に主張されればそれだけに、つまり左翼反対派の革命の独占は、ただちに相対化を免れがたい。諸党派それぞれの主張は科学的・論理的に正当化あるいは論駁が可能とは限らない。そこにまた「真の」「正しい」党派の主張が提起されては、話は悪無限に陥っていく。洋の東西を問わず、マルクス・レーニン主義の革命論あるいは左翼反対派諸党派たちは、そんなことをやり続けてきたのである。要するに、我のみが真だとするのはその集団に限られる信心にすぎない。他党派の信仰の自由を抑圧禁止することはできない。だからいつのころからか、いつも複数の独立の党派が存在する。理論的抗争だけではない。同じく左翼反対派として諸党派の間で近親憎悪にも似た敵対が生じ、これが時に暴力沙汰にまで高じる。内ゲバである。

中核派の路線主義

以上は内ゲバの本格化に伴う革マル派の立ち位置であり、左翼反対派の党派闘争として分かりやすい。ところが、同じ局面における中核派の場合は、事態がもう少し込み入っている。なぜなら、同じ革共同という左翼反対派の出でありながら、今や中核派は無自覚にもこの党派性を逸脱してしまっていたからだ。このことの端的な現れが、中核派が従来からの「七〇年武装闘争」「内乱的死闘」の路線に、革マルとの「内戦」をも組み込んで路線化したことである。すなわち、この時期の初期には中核派はなお内ゲバには受け身の体であったが、じきに革マルとの二重対峙・戦略的防御と暴動路線とを結合して、「内乱・内戦‐蜂起」なる政治路線に革マル派殲滅を組み込んでいくことになる。こうなれば革マル派との抗争は「ある種の傾向の違いでも、新左翼内の左右の対立でもなく、革命と日和見主義との違いですらない」とされる（上二一三頁）。「もはや内ゲバではない」のである。この宣言が七二年に入ってのこと、この年の後半から中核派は連続した反撃に打って出ることになる。

ここで「内乱・内戦‐蜂起」と称する政治路線は分かりにくいが、おおよそ次のように説明されている。先にも触れた尾形史人の『革共同五〇年私史』によれば、中核派は革マルとの革共同戦争をも武装闘争貫徹のための不可避の通過点と位置付けた。「内乱・内戦‐蜂起」とは、だから、内乱的武装闘争が同時に革マルとの内戦に勝利することを通じて、革命の蜂起に向かうという路線である。なぜ内ゲバが革命路線の不可避な一環なのか。時代は「先制的内戦」、「内乱的死闘の時代」に入ったのであり、民間反革命革マル派との戦争を革命派から積極的に仕掛けて内戦として激化発展させねばならない。ちょうど事態は三〇年代ヨーロッパに似て、内乱蜂起の革命はスターリニストとともにナチスとの内戦を潜り抜けねばならない。同様に、内ゲバは現代ファシズムである革マル派との内戦だ。対革マル戦争は「大衆的熱気を切り開く」、と同時に、軍事が牽引する対権力闘争の「予備的訓練」にもなりうる。内ゲバが党内整風の手段にもなるというのであった。

もっとも尾形の今日の判断では、八〇年代いっぱい維持されたこの路線に中核派は「敗北した」。省みれば、それはそうでしょうとしか評しようもない路線であった。同じ判断は中核派の別の幹部も証言している。「「先制的内戦戦略」という形で、対カクマル「戦争」の延長上に革命があるかのような過大な位置づけを与えたことは間違っていた。対権力の闘いと対カクマル闘争を分離していずれも段階的に防御→対峙→反攻と発展するという考え方は間違いであり、しかも政治的包囲や全人民的反撃をほとんど考慮しない闘い方は最悪であった。階級闘争全体に責任を持つ立場から言うと、対カクマル闘争の戦略化、戦争化は、一種の「内ゲバ革命」論というべきものに行きつく」（橋本利昭「革共同私史」、関西派機関誌『展望』、二〇一六年）。

中核派の政治路線は間違っていた、八〇年代を通じて敗北した。こうした自己総括のことには後に再度立ち戻るとして、今ここで取り上げたいのは中核派の「内乱・内戦—蜂起」路線の正否のことではない。一体に、中核派という党派にとってかくも重きを置かれた政治路線とは何のことだったのだろうか。これを見通すには中核派成立の時点にまで時間を巻き戻す必要がある。それというのも、中核派の路線主義は明らかに六〇年ブントの壊れ方に、敢えて言えばその残した禍根にその起源があるからだ。私は別稿で尾形史人の『革共同五〇年私史』のやや詳しい書評を書いたが、ほかでもない。尾形はこの私史を部外者とも共有できる語りにしたいという構えを取っている。言ってみれば革共同中核派の歴史を公共的に制作する、これに部外者の私も応答するつもりで尾形の著書を論じたのである。そこで私は中核派の路線主義を理解するために、安保ブント解体期の一分派の下記の文章を引用した。再録する。

（六〇年）六・一八において（共産主義者）同盟が強固に思想的に武装されていれば、われわれの力によっても、労働者の武装とそれを準備する峻厳な革命党の必要性、不可避性の信念をプロレタリアートの間に拡大することは、全く可能であったのだ。そうすればこそ、同盟は、国民会議や共産党の戦術により左翼的なる戦術を対置することによって自らを登場させた段階からすすんで、更にブルジョア権力の赤裸々な対決にたえる革命党への道に一歩すすむことができたのだ。（「プロレタリア通信」、四号）

じきに中核派の指導者になる清水丈夫の文章である。「労働者の武装と革命党の必要性、不可避性」、これをたんなる左翼反対派の組織戦術としてでなく「峻厳な革命党」の独自路線として貫徹する。既成左翼に「より左翼的な戦術を対置する」段階を越えていかねばならない。この延長上に中核派の「七〇年安保闘争」の路線設定があるのは明らかなことである。先に引用した中核派七一年八月の政治集会の宣言と比べてほしい。

清水丈夫を通じて六〇年ブントから中核派へと引き継がれたのは、七〇年安保闘争を一斉武装蜂起として闘うという行動方針だけのことではなかった。右の引用にもあるように、既成左翼内部の左翼反対派でなく、自立した革命党として独自の綱領の下に盟約して、戦略から情勢分析そして独自の行動方針を提起しては自らの部隊を街頭蜂起へと走りださせる。「唯一の前衛党」神話など無意識にも捨てられていないるのである。実はこれもまたいつのころからか、マルクス・レーニン主義の前衛党の陥りがちな観念であった。六〇年安保闘争の頂点で惑乱に陥ったブントの経験から、その一部が引き出した信念でもあった。これを仮に前衛党の路線主義と呼ぶのである。元中核派の小野田襄二に言わせれば、清水によって革共同に持ち込まれたブント主義であり、「妄想の政治路線」だ。革共同中核派という組織は新左翼セクトのうちでどこよりも路線の党だった。

だが振り返れば、中核派だけのことではない。当時の新左翼諸セクトに共通するそれぞれの党派性、つまり言説構造がこの路線主義にあった。路線主義に固執して、中核派を始めとして諸セクトは無自覚にも左翼反対派の前衛党というその出自を抜け出していくのである。そしてここであらかじめ注意しおくが、セクトとその党派闘争のこの路線主義は同時代の「日本の１９６８」こそが促したものであり、かつ１９６８の叛乱と著しいコントラストをなすのだった。私自身は六〇年ブントの解体の後に「真のマルクス・レーニン主義」「綱領―路線の前衛党」なる党の観念を捨てた。それだけに一層、１９６８における中核派の路線主義そのものの功罪に注意を向けたいのである。だが、この点はなお後回しにしよう。

さてこうして、中核派にとっては「日本の１９６８」は全共闘運動などではなく端的に「七〇年武装闘争」になる。虎の子の（はずの）労働者同盟員までも根こそぎ街頭闘争に投入した。時代が時代である。街頭で白ヘル部隊の登場に拍手する群衆がいた。群衆蜂起による「大衆的暴力の爆発」を背景にして中核派の武装部隊が突出する。中核派にとってこれが大きな成功体験となった。その結果、武装闘争路線は「七〇年安保・沖縄闘争」の後にも受け継がれ、それどころか戦略戦術としては一層強化された。「軍事拡大路線への追い風が吹いてきた」と認識して、「人民革命軍、武装遊撃隊を建設せよ」が方針となる（七二年正月）。尾形に言わせれば「安保の季節」はこの時期には明らかに終わっていたのに、中核派は「連年決戦論」の情勢分析をもとにしてこの路線の強化に固執し続けた。

路線主義による内ゲバの総括

革共同中核派にとって内ゲバも、以上のような路線主義の延長上に路線として組み込まれたのだった。それが「内乱・内戦 - 蜂起」路線の文法であった。もはや内ゲバではない。革マルとはそもそも路線が違う。内ゲバは革共同戦争という戦争に転化して、ここからそれぞれの労働者同盟員までも巻き込んで連続的に本格的な殺し合いが始まる。「絶対戦争」だ(中核派本多書記長、下四二頁)。およそ一九七三年からのことである。立花隆の『中核vs革マル』巻末の付表では、七三年九月から本多書記長の殺害(七五年三月)まで、中核派によるテロと襲撃だけで合わせて二六五件を数える。その一々で両派の機関紙がそろって戦果報道を繰り返す。立花が延々と記載している通りだが、例えば革マル派による自称ミドウェイ作戦(七三年九月二〇日。下一九頁)では中核派のアジトや事務所十三ヵ所が一斉に襲撃された。その報道、革マル派によれば「四時二十分ごろ、〝成沢荘〟に近づいてわが部隊は、マサカリの一撃でドアを真っ二つに叩きわる。そのまま入口につみ重ねられたバリケードを次々と破壊し、つき破る。台所の窓からはバルサンを投げこみ、正面から顔を出すウジ虫にはアンモニア」。これにたいして中核派、「見せかけだけは大ゲサだが、中身はなにもないこの襲撃は、いうまでもなくわが同盟の鉄壁防御、逆襲態勢の前にあらゆる所で完ぷなきまでに撃退された」。

あれから半世紀近くがたち、今こうした革共同戦争の報道合戦を目にするとき、一体何をどう語り出すことができるだろうか。戦争の加害者と被害者からの語りは、繰り返すが未だになきに等しい。公共の語りのネットワークを形成することはさらにない。両派の内ゲバは歴史物語たることを拒まれている。

先にも指摘したことだが、今日では中核派の元幹部たちが内ゲバをも路線化した「内乱・内戦

－蜂起」路線は敗北した、誤りだったと総括を公表している。七〇年安保闘争の後なお三十年も維持された万年決戦主義が、情勢の推移から見て、かつ労働運動の破壊という点で、ほぼすべて誤りだった（尾形史人）。そして、あれは一種の内ゲバ革命論で間違いだった（橋本利昭）と。彼らが今さらながらこう言うのを聞けば、内ゲバへの今日の関心からして誰しもがはぐらかされたとの思いを禁じえないだろう。「洗いざらい告白せよ」と迫りたくもなるだろう。だが、そういうことではない。大森荘藏の言葉ではないが、内ゲバ殺人という過去を言語的に、つまり公共的に制作したいのである。内ゲバ問題を「日本の１９６８」の共通の問題として部外者との対話に持ち込むには、それ相応の文体が必要とされる。お前は何をやったのかという容疑者への尋問以外にも、証拠固めの手立てが残されているはずだ。元中核派の同盟員が今に過去を語るとき、関係者そして歴史家としては、そこに共有できる語りを見出したい。

そう思って気付くのだが、尾形たち中核派にとって、今もって、内ゲバという経験も党派の路線問題なのだ。路線がかつては殺人を正当化し今や路線がこれを否定する。内ゲバという自他の膨大な犠牲も、つまりは路線が間違っていたのである。内ゲバの語りを政治路線の言葉にずらして今に「総括」「自己批判」しているのだ。これまでに私は中核派の路線にこだわってきたのだが、この路線主義の言葉こそ、中核派が部外の者とも共有したい「語り」ということになる。いや一般に、その後の中核派の内部党派闘争のテーマも終始この路線問題に据えられていたようだ。『中核派民主派宣言』（白井朗、二〇〇〇年）、『革共同政治局の敗北　１９７５～２０１４』（水谷保孝・岸宏一、二〇一五年）がいずれも党内の路線論争に終始している通りである。

だが、問題は内ゲバの経験を歴史にすること、過去をそれこそ公共的に制作することである。政治路線による殺人の正当化あるいは否認はその弁護に耐えうるものか。革共同戦争は路線の誤り、だから内ゲバ殺人も路線の誤りの結果だ、こう聞いて納得する者は内外ともにいまい。そもそも今になって、あの時の党派の路線は誤っていたと語る。この語りはすでにいかなる意味でも公共性を失っている。政治路線の総括は検証に耐えうる語りに思われているが、当事者たちの私語であるほかない。当事者にとってはいざ知らず、路線問題などはかつては党内事情、今や私事に過ぎない。ましてあの頃の新左翼セクトが事実上消滅している現在、私事に等しい路線問題を歴史の語りとして押し出す手口はむしろ禁じ手としなければならない。今でも、「自分も含めて革共同を客観視する」などと言われるが、かつての自分も革共同ももはや「客観的存在」ではありえない、だから「客観視する」語りなど自己欺瞞に過ぎない。自分が「証言」し、その語りを他の証言と突き合わせて、革共同なるものを今に制作するほかないのである。路線の成否という呪縛から自由になっていいのだ。

路線の誤りという総括は路線主義の根絶には繫がらない。今度こそ「より正しい路線」をと唱える党派や分派が再登場しては、またしてもその誤りとして歴史の禍根がなぞられていくだろう。総括も自己批判もいつまでも党内の出来事であり、外部に開かれていく文法を持たない。歴史の語りは無名の一人の当事者の存在にまで届くものでなければならない。これに応じて一人の当事者が歴史を語り出す。不透明で語り難い過去はこうでもしないと歴史として成仏することができない。

党とは何か

そんななかで部外者の私の感想はいきおい俯瞰的になるが、やはり革共同戦記から「日本の1968」がすっぽりと抜け落ちていることに留意せざるをえない。路線問題として内ゲバを総括する尾形などの今日の言明にもまさに同じことが指摘できる。今日、「1968　若者たちの叛乱」（小熊英二）とか「一九六八年の世界革命」（ウォーラースティン）などと評価されている1968とは、中核派にとって、いや当時の新左翼諸セクトにとって何であったのか。そして現在かつての内ゲバを振り返るとき、同時代の「日本の1968」を何とするのか。セクトといわゆるノンセクトとでその語りが今なお分断し棲み分けられていること、これはやはり異常なことと言わねばなるまい。

私の政治的関心からすれば「日本の1968」は何といっても全共闘運動が代表するが、それだけではなかった。1968とは日本でも世界的にも政治運動を広範にはみ出す精神の高揚を生み出していた。国により多少の前後があるが、多岐にわたる対抗文化運動が展開された。1968はこの意味で世界同時的な若者たちの叛乱だった。今でも繰り返して同時代の人士からの感慨が吐露されている通りである。昔語りがあたかも歴史の禍根をなしにできるかのように。

今視点を政治に限定するとして、中核派軍団の暴動路線の展開も1968の叛乱を背景にしてこれに対抗してこそ可能だった。むしろ逆に言うべきだ。党とは何かという問いを何よりも大衆叛乱の内に据えること、前衛党からのこの党論の転倒こそが必要とされていた。党は叛乱の指導部でもないし、そもそも党というもののうちに革命はない。左翼反対派の革命の独占と孤独とを党論として解消し、かつそれでもなお党とは何かと問うべきなのだ。逆に、革命は大衆自身の事業だという誰もが認める命題を、固有の党の在り方から再確認することが必要とされていた。

ところが、革マル派は言わずもがな、中核派の路線にそもそも全共闘運動は位置を持たない。中核派だけのことでもない。全共闘運動を個別学園闘争としてこれを七〇年安保闘争その他の全国政治闘争と対比し区別する性癖は、日本の新左翼セクトに共通する顕著な特徴であった。つまりは、１９６８も路線問題なのだった。こうなれば全共闘が占拠した大学拠点なども党派のリクルートの場であり、かつて安保ブントにとってそうであったように革命路線貫徹のための利用手段を出ない。当時こうしたセクトのビヘイビアが目立ったために、現に叛乱におけるセクトのカリカチュアが定着してしまっている。党とは何かという観点で見れば、これでは叛乱の中の党という問題が設定されようもない。六〇年安保闘争で当時のブントのうちに懐胎しブントを惑乱のうちに解体させた契機がこれだったが、中核派などセクトは軍団主義の突出という形でこれを一面化したのだった。そのことによってまた、日本の１９６８における新左翼諸セクトの党派闘争をセクト化してしまった。問題の核心はだから、セクトによる全共闘運動の位置づけではない。党とは何かという固有の問い自体が問われていた。

叛乱の中の党という問題は言い換えれば、叛乱が招き寄せ叛乱のうちに立ち現れる政治のことだ。政治路線いかんということではない。だが、革共同戦争の戦記は戦果の報道合戦であり、当然のことながらそこから政治が抜け落ちる。時の政治問題への取り組みということではない。狭山闘争など中核派はこの間の政治課題にも律義に付き合っている。そういうことではなく、叛乱と政治という問題設定から見て、革共同戦争は私戦にすぎなかったのであり、私戦として自滅した。そして内ゲバは日本の1968を蕩尽して終わる。両派は必要に迫られて戦争のノウハウを身に着けたであろうが、それとてもすでに半世紀も昔の話である。反面で、両派の私戦は膨大な犠牲者を生み出し、新左翼というカテゴリーと風土の絶滅を助長した。振り返って、その後の大衆運動の長い空白に責任の一端を負っている。

革共同両派の類縁と逆縁

革共同戦争は戦争といいながら私戦として自滅した。「もはや内ゲバではない」、両派がこう認め合うようになって以降、内ゲバは戦争だとされたのだがここで戦争とは何のことか。戦争なら内ゲバは「外ゲバ」に転換されたはずであった。だが、革共同戦争が文字通りに戦争であるのならば、これはもうマルクス・レーニン主義組織どうしの党派闘争などであるはずがない。戦争なら相手は文字通りに敵なのだから、敵を殺すことが定義上正当化される。相手を憎むことも道徳的に蔑むことも戦争ではなくていい。その反面で重要なことは、戦争なら戦争の論理に従って逆に戦争をしないこと、始めた戦争を中途でやめることが選択できることだ。相手の絶滅まで戦うなどは戦争の論理に反することである。戦争は政治の延長だ。降参も停戦も、講和もありうる。

だが、革共同両派の戦争は政治的に終わらせることができなかった。つまりは内ゲバ「内戦」だったからだ。両派はそれぞれの革命路線の下に戦争を位置づけたが、その意味での政治などは党内事情にすぎない。戦争を手段として統制し取捨選択すべき政治が、双方の間に生まれる余地がない。これが内ゲバである。内ゲバを止めるためには、革共同戦争が「外ゲバ」であることを認識するほかはなかった。

相手の殲滅をうたいながら武器は最後まで鉄パイプの類を出ない。殲滅の効率を高めるため、手っ取り早く銃器を使用するのが戦争の論理である。だが、両派とも殺害目的を否認しており、殺人はミスだったと抗弁する。そしてこれがまた殺人未満の膨大な犠牲者を生み、今日に至るまで内ゲバの語りを底深い沈黙の層に閉じ込めている。革共同戦争を戦争の論理に従わせない何かがあったのであり、それこそが両派に共通する革共同という左翼反対派の前衛党組織論である。「もはや内ゲバではない」という両派共通の認識にもかかわらず、いつまでも革共同戦争は革共同どうしの内ゲバであることを止められない。先に私は指摘した。中核派の路線主義が無意識にも左翼反対派というカテゴリーからこのセクトを逸脱させていたと。だがそれでもなお、革共同由来の組織体質が中核派から抜けることはありえない。尾形史人はその私史を「革共同という呪縛」と呼んでいるが、路線主義と前衛党共同体との同居という一種独特の集団構造が、この呪縛の正体であったのだろう。中核派はすでに左翼反対派にあらず、しかしなおも左翼反対派であった。

マルクス主義革命における左翼反対派は歴史的カテゴリーであったが、革マル派と中核派との間柄は、両派共通に左翼反対派革共同である。と同時に、その革共同内部で革マル派にたいして中核派がまた左翼反対派の位置にあったと見なければならないだろう。二重の左翼反対派としての革共同中核派の存在である。スターリニストに対する怒りと憎悪の革命史が、言わば革マル派へと転化された。だから、「呪縛」もまた二重であった。ただしすでに指摘したように、中核派は独自の路線主義をもとに突っ走っていたのだから、革共同内の左翼反対派の位置を離脱してもいた。二重の左翼反対派であるとは、したがって中核派にとって一個の矛盾であった。革共同両派の関係が類縁でありかつ逆縁であると先に書いたのはこのことである。それでいて、本来戦争の論理には属さない「反スタ」どうしの近親憎悪が暴力を内攻させた。内ゲバは二重に内ゲバであった。内ゲバを自ら外ゲバへと「解放」できなかった「革共同という呪縛」の正体が、この因縁にあったのではあるまいか。

前衛党の倫理

全共闘やブントの組織的な「いい加減さ」と比較して、革共同中核派のきつい組織体質のことはもちろん当時から評判として巷間に流布していた。野次馬大衆は中核派軍団の機動隊突破力に拍手を送るとともに、その宗派的な組織規律がまた、全共闘運動やブントと対比して中核派のシンパを増やしてもいたのである。第二次ブントの一分派の活動家だった久慈純の観察によればこうなる。「個人的にはいいヤツでも『前進』に書いていることしかしゃべれないロボットのような活動家たち、あるいは「中核派魂を発揮して」とか「何々闘争の精神で武装し」などと、およそ本人たちにしか実感できない精神論、非社会科学的な言葉を語る人たち」。「わたしの学生時代の印象では、中核派はものすごく体育会的な組織に映っていた。政治局員が全学連中執を前に、今日の「闘争の精神」を訓示する。学生たちはそれを体育会的な規律で、微動だもせずに拝聴していたものだ」、等々（水谷保孝・岸宏一『革共同政治局の敗北』書評エッセイ）。

また、小野田襄二に言わせれば、「革共同のように、プロレタリア革命への奉仕、自己犠牲の精神が強い政治集団ほど、党への奉仕に転化することは、避けることができない」。その結果として革共同は、「新左翼運動史上、信じることのできないほど典型的な党内支配型の政治集団を形成してしまった」。

中核派にこうした組織体質があるとして、これは先述した路線主義から直ちに帰結するものではなく、革マル派と共通する出自によるものである。前者を仮にブント主義と呼ぶとすれば革共同中核派というセクトはブントと革共同のアマルガムだった。私はそう見てきたが、アマルガムとは化合物であって混合物のことではない。だがそれにしても組織の出自の何が今なお組織を呪縛するのか。

ここに党あるいは政治と倫理の問題が浮上する。史上、宗教集団や民族そして党派集団もそれぞれの教義の絶対性を競うと同時に、自分の組織と行動を政治的でなく同時に倫理的に正当化する誘惑に抗すことが難しい。ところが私の考えでは、そもそも党とは、「徹底的に政治的であることに耐えるところに党の倫理がある」と言うべき存在である。革共同の組織思想はこの対極にあり、党とは「プロレタリア的人間を構成実体とした強固な共同体」（黒田寛一）でなければならない。だから内ゲバも路線的だけでなく、かつ倫理的に正当化されねばならない。すべては「党のために」というのがこれだ。だからまた、路線的または倫理的な党の間違いの指摘も、事後的であるばかりでなく当事者間の私事に過ぎないものとなる。

同じことは正義についても指摘すべきである。別項でも指摘したことだが、内ゲバという負の遺産を思い尾形史人が弁解めいて書いている。後の世代から見れば、内ゲバの当事者たちは人間的にも堕落していたと思われがちだ。だが「決してそういうものではなかった」（九九頁）。「青年期の特徴でもある正義感に燃えた人々であった」と。

だが、立花隆も指摘している通り、「ともかく、人間の発明した概念の中で、正義という概念ほど恐ろしいものはない」（上三五頁）。まして中核派は革共同由来の前衛党の組織論を堅持していた。尾形は中核派同盟員個々人の自己犠牲と正義感を強調しているが、これらも前衛党という共同体の倫理であった。党の倫理が逆に個々人の自己犠牲や正義感を搾取し濫費したのである。「正義の鉄槌を下す」ことが内ゲバを道義的に正当化する語りになる。加えて、尾形も指摘していることだが、中核派の血債思想がある。中国人留学生組織から民族差別を告発され、自己批判を迫られた。七〇年の七・七告発と言われる事件である。次いで組織内の女性差別の告発が続く。これらにたいする過剰な反応が中核派を差別糾弾へ凝り固まらせ、ひいては労働運動から目をそらせる働きをしたと尾形は指摘している。倫理的整風運動として党の統制に利用されたとも書かれている。何しろ、「軍事力と反差別を党派性の紋章としてきた」のが、七〇年闘争以降の中核派の歴史である。

前衛党という共同体の倫理もまた、典型的に左翼反対派の病理をなしてきた問題である。非合法組織であればなおのことだが、そうでなくともこのセクトにおける革命の独占と孤独とが、成員の自己犠牲を倫理的に収奪する。他者に対する憎悪を正当化するマルクス主義とその左翼反対派という枠組みを外さなければ、「独占と孤独」を叛乱大衆とのつばぜり合いの場へと開き、叛乱の力を取り入れその助けを受けることもできない。逆に、叛乱大衆の倫理的放埓沙汰から党組織を防衛することもできないのである。

歴史の倫理を制作する

死の一撃を食らわせた瞬間にぼくを睨んだ最初の人物のことはいまでもよく憶えている。ほんとうにすごかったよ。きみが殺すだれかの眼は、もし最後の瞬間にきみを見つめたなら、もう永遠に死ぬことはないのだ。その眼は恐ろしく真っ黒な色をしている。その眼は血が流れるのを見たときよりもきみを動揺させる。そして死の問題の大騒ぎのなかにあって、死がガタガタと音を立てるのさ。殺される者の眼は、殺す者にとっては、もし殺す者がそれらの眼を覗きこんだなら、災いのもとだ。それらの眼は彼の殺す人物が彼に浴びせる非難にほかならないのだ。
(ダン・ストーン『野蛮のハーモニー』より、上村忠男訳、四五頁)

夜十時ごろになって、ドアから首を恐るおそるつきだして、あたりをうかがい、やがてチャンチャンコに身をつつんでおずおずとあらわれた男のまえに、満を持していたわが部隊がおどり出した。足がすくんで身動きはおろか声ひとつたてられない徒輩をまず大地にひきずり倒し、すかさずバールと鉄パイプの乱打をくわえた。……だが、この程度で満足するほどわが怒りは浅くない。われわれは「傷の深さと血の量」をこそ、せん滅度をこそ目的意識的に追及するのである。まず、両足を高々ともちあげ、両足首と左ひざを完全に打ちくだき、念入りに戦闘能力をうばい去った。つづいて、ぶざまにのびたこれに馬のりになり、やおらとりだした工業用ハンマーを全力ふりしぼって後頭部にうちおろした。ハンマーは反革命分子の頭蓋にドスン、ドスンと音をたててめりこみ、ついに彼は反革命分子としての「生涯」に革命的ピリオドを打たれ、ぴくりとも動かなくなった。わが部隊は、血まみれになった反革命の「屍」にたっぷりツバを吐きかけ、戸塚警察の警戒網を易々とかいくぐり、堂々と撤退を完了したのである。(立花隆『中核vs革マル』より、上一四頁)

ここに並べた二つの証言は前者がルワンダのジェノサイド(一九九四年)、後者が中核派によるテロ(一九七三年十二月三十日、機関紙『前進』)の、それぞれ加害者のものである。内ゲバは今や歴史にしなければならない、歴史にするとは過去を言語的に制作することだ。そうはいっても、もちろん、内ゲバには加害者がおりその犠牲者がいた。彼らはそれぞれの過去をいかにして公共的に制作することができるのか、すべきなのか。内ゲバの語りをプロジェクトとして組織することが必要な所以である。当時プロレス新聞と評されたように、革共同戦争では両派の機関誌が実況放送まがいにいちいちの戦果を報じて止まなかった。これらはしかし、歴史の証言あるいは物証たりうるものか。内ゲバの語りのうちでもとりわけて公共性を欠くのがこの大本営発表まがいの戦果報道であろう。当事者であった彼あるいは彼女の語りと、その公共の突合せがなければ、過去の制作ばかりか語りの倫理性ということが問えない。歴史に倫理性がなければ、党(セクト)が、いや政治が内ゲバを禁じるための命法が定まらない。路線貫徹のためあるいは党のためにと、内ゲバの犠牲をイデオロギー的に正当化する道を遮断する、党の思想がなければならない。

私は自分の文筆スタイルが、今引用したような生死の現場にまで届くには限界があることを承知している。だが、政治の倫理を離れた規範の領域がそこに在るだろうか。ホロコーストやジェノサイドで問われたのと同様に、人間性とその否定という論拠を持ち出せば済むものか。こうしたことを考えるのに、繰り返すが未だあまりに現場からの証言が乏しすぎる。「墓場まで持っていくしかない」記憶があるとしたら、それは何であり、記憶を公共的な場に持ち出しうる歴史の語りとはどのようなことか。「アウシュビッツの語り」とはどのようなことか。ポストモダン思潮の衝撃を受けて「ホロコースト史学」の在り方が改めて論じなおされたと聞くが、内ゲバの語りにそれがどのように寄与するものか。内ゲバと暴力の現場とその歴史に、人間性あるいは倫理性を問うことがどこまでどのようにして可能か。政治的集団の倫理に関わることながら、そちらに解消できないわだかまりがいつまでも消えずに跡を引く。

新左翼集団どうしが殺し合うことなど倫理的に唾棄すべきことだ。そういう感慨はもっともなことだが、内ゲバをやめよという倫理規範だけでことが済むものではない。それが革命運動の風土としてこの国に根付かねばならない。私は風土という言葉を言う。内ゲバはマルクスやレーニンの「真の」「唯一正しい」理論の解釈問題に解消してはならない。そんなことを、私たちはもう長いことやってきたのである。これと同時に、運動内部の倫理規範を共通の振舞い方にまで土着させなければならない。新左翼運動はそれを日本の運動の風土として今に残すことが出来たろうか。

第二部　内ゲバ論の構図

さてお終いに、「日本の1968」における新左翼諸セクトとその内ゲバについて、私の語りの枠組みをできるだけ短く断定的に提示しておきたい。長いこと私が繰り返してきた「叛乱と政治」というテーマの一つの要約であるが、出典をいちいち上げることは省略している。ここからひるがえって、今後ともセクトと内ゲバの語りを促し、同時にこれを歴史批判の場に連れ出すことができるようにしたい。逆に、それぞれの語りを私の枠組みにぶつけることを通じて、私の枠組みへの批判を育ててほしいと思っている。

ただあらかじめ注意しておきたいが、（マルクス主義の）ありうべき理論や倫理思想にもとづいて新左翼の経験を総括するという枠組みを、私は以下で意図的に捨てている。何よりも新左翼の歴史的経験に問題を根付かせたい。それだけのことを日本の新左翼はしてきたのである。

1　日本の新左翼党派とは何だったか

欧州などに比べて日本の新左翼の独特な点は、理論左翼に止まらずに早くから独自の大衆運動を作ったことである。一九五〇年代からの日本の新左翼といえばトロツキスト革共同と共産主義者同盟（ブント）である。前者がいわゆる「喫茶店オルグ」によるシンパの獲得に専念したのに比べて、後者ブントは結成間もなく全学連の指導団体として独自の学生運動を展開して六〇年安保闘争に至り、この闘争を経て解体した。ただし、当時はなお「唯一の前衛党」という観念が信じられており、新左翼という名称は自他ともにない。ブントは日本共産党に代わるべき「新しい前衛を目指す」ことを宣言していた。

政府が「もはや戦後ではない」（一九五六年）と宣言したように、五〇年代の半ば過ぎ、日本は戦後の混乱期を脱して復興から経済高度成長の時代を迎える。対応して五五年から六〇年までこの時期に特異的な戦後政治過程が展開された。六〇年安保闘争がその頂点として闘われた。新しい前衛を目指すブントも、全学連が安保反対国民会議の一員であり、戦後政治過程における運動の最左翼を担うことになる。そして、安保条約改訂反対の大衆運動の中で、前衛として目指すところが「労働運動の左翼的再編」であった。具体的には労働組合の左翼を急進化させ、全学連と共に国会デモに動員するという目標である。ブントは綱領・戦略も組織方針も典型的にマルクス・レーニン主義の復興であり、既成左翼にたいする左翼反対派という配置であった。そこにブント同盟員の盟約があったのであり、全学連の学生運動はそのための手段という位置づけである。

左翼反対派とは二〇世紀初めの第二インターの分裂に際して、レーニン・ローザ・ルカーチなど革命派が追い込まれた分派のカテゴリーである。マルクス・エンゲルス由来の欧州社会民主主義とその労働組合が労働者階級の主流として定着している限り、これを修正主義と非難して真正の革命を呼号する少数分派が成立するのはカテゴリー的必然である。その後共産党スターリニストをもターゲットに加えて、以降のマルクス主義革命運動にはいつどこでも左翼反対派が発生することになる。一口に、これがマルクス・レーニン主義である。ブントはこのカテゴリー（の最後）に属する党派であり、安保闘争へと向かう戦後政治過程の中で、この党派性を大衆運動の一翼として試行する機会に恵まれた。これが「綱領、そして情勢分析と行動方針」にもとづく左翼反対派の路線主義である。他方で、これを大衆運動主義・戦術左翼と非難して、反スタ理論の左翼反対派に止まったのが革共同である。その限りで革命は当面ただ革共同という我が共同体の内部にのみ存在することになり、革命の「独占と孤独」とがこの組織に住み着くことになる。革共同の黒田寛一による組織論がその典型であった。

2　六〇年安保闘争という革命

戦後政治過程の頂点として、六〇年安保闘争はその最盛期に至って統一したスケジュール闘争という定型を踏み外して、大衆蜂起、街頭叛乱の状況を呈することになる。連日あらゆる階層の群衆で国会周辺が埋め尽くされる。労働運動の左翼反対派というブントの位置は戦術的にも無効になり、全学連も「乗り越えられた前衛」の状況を呈することになる。ブントの現場活動家たちは左翼反対派の理念と行動過激派との乖離、つまりは魂と肉体とが分裂状態に追い込まれた。

そんなブントの惑乱をしり目に、安保闘争は岸内閣を倒して改憲と再軍備を断念させ、戦後政治過程を総括したのである。戦前からの保守政治家が総退場し、以降憲法改正はタブーとなる。

戦後の憲法と日本国民、そして戦後の知識人が勝利したのであり、この闘争を通じてそれぞれがそのアイデンティを受肉することになる。戦後憲法体制の受肉である。これをきっかけとして、日本国民は経済高度成長と大衆消費社会の「黄金の六〇年代」の享受に向かう。後に振り返れば、安保闘争は一つの国民革命であり、明治百年の近代化を総括する社会革命であった。

ではブントはどうなるのか。ブントのことなど国民の眼中にない。それは当然としても、ブントは結果としておのれの革命と似て非なる革命の先端を走ったのである。国民の叛乱状態のさなかに、革命とは何か・党とは何かという問いが直に突き付けられていた。日本の革命史上初めての事態であり、本当は何が問題なのかも分明ならず、ブントは混乱して安保闘争の直後に解体した。左翼反対派という党と革命のカテゴリーは、本当はここでお終いになるはずであった。

だが、ブントは解体したまま死にきれずに、その禍根は日本の1968にまで跡を引くことになる。同時に、ブントの混乱をしり目に安保闘争をやり過ごした革共同がブント残党を吸引して、左翼反対派の党を温存する。既成左翼による「革命の裏切り」にたいする怒りと憎悪が、今度は唯一の前衛党を競う新左翼諸セクトどうしての関係に転化する。内ゲバという出来事は以上の党派の歴史を背景にしてしか語りえない、これが私の内ゲバの語りの枠組みになる。

3　1968の政治諸セクト

安保ブントの幹部たちの多くはブント解体とともに革共同にトレードされた。そのことによって革共同という理念の左翼反対派集団に分裂を持ち込むことになる。革マル派と中核派の分裂である。革マル派は分裂を通じてマルクス主義労働者革命の左翼反対派の性格を固めて、ますます労働組合の乗っ取りを党派性とするようになる。そのためにも、左翼反対派出自の他の新左翼セクト、なかんずく中核派を解体に追い込むことが組織戦術になる。両者が競合する拠点では相手の暴力的排除が必要になる。両派の近縁と、それゆえの逆縁の関係が始まる。

他方中核派にはブント幹部を通じてブントの「肉体」が持ち込まれた。左翼反対派由来の革命の独占と孤独、それにブント由来の大衆運動主義とが化合して両者の独特のアマルガム組織を生み出した。同時に、六〇年代のブント系残党との党派抗争を通じて、革共同という前衛党主義とブント由来の運動の覇権主義とが中核派を中核派たらしめていくことになる。これが体制側の政策にいちいち対応して部隊を動かすという中核派の路線主義である。中核派は「七〇年安保闘争」の軍団形成に邁進していく。

他方、ブントはブントとして死にきれずに安保闘争後に社学同、そして第二次ブントに受け継がれていった。安保ブントの惑乱もまた受け継がれ、第二次ブントも度重なる分派と分派闘争を経由して四分五裂する。初めは経済的危機の革命論と反前衛主義の対立、お終いは軍隊路線と共同体主義の分裂などと続く。こうした中でも、安保ブント由来の大衆運動主義と行動主義とが「ブント主義」として継承されたが、その反面で「党とは何か」という問いを四散させてしまうことにもなった。本当は、一九六八年にピークを迎えた大衆叛乱の中で、叛乱の自己権力のうちに党の問いを根付かせるべき位置に、ブントはいたのである。

4　1968の世界革命

「日本の1968」は二筋の大衆運動が合流したものとしてあった。一方には、新左翼の日本独特の歴史を引きずって、安保ブント以降の諸セクトが主導する「七〇年安保闘争」があった。ベトナム反戦闘争から七〇年安保条約自動延長阻止の運動に至る学生・反戦労働者の闘いである。他方では大学を拠点とする全共闘運動があり、このタイプの運動はすでに六〇年代の半ば学費値上げ反対に始まっている。以上の両者は相互に競合し合いながら日本の1968を構成したとはいえ、内実は単純ではない。革共同中核派を始めとする諸セクトにとっては、1968は終始「七〇年安保闘争」であり、全共闘運動はそのリクルートの場であっても独自に位置付ける意義を持たない。叛乱というコンセプトを認めず、党派活動を大衆叛乱に据えることがなかった。叛乱が叛乱であるゆえにかえって析出する党というものの場所が、ここにあることを直視することをしなかった。

他方、全共闘はその組織性格の新奇さと拠点での叛乱・占拠という点で、セクトの大衆機関には解消できない。東大や日大などでは、特にノンセクト・ラジカルが主導するものとされた。拠点から打って出て安保の街頭闘争に参加し、あるいはセクトの部隊行動の野次馬を構成した。以上は従来の言葉で言う個別学園闘争と全国政治闘争の別であるが、全共闘運動と七〇年安保闘争の二筋の流れをむしろ対立的に見たほうが当たっている。

それというのも第一に、新左翼のセクトとはいえそれが置かれた政治状況が六〇年安保とはまるで違っていた。独得の戦後政治過程が、したがって社会党総評主導の統一戦線と国民動員様式が「安保国民革命の勝利」を以てぴたりと終っていた。革命の本隊たるべき労働者階級も大衆消費社会、そして福祉国家の一翼に組み込まれており、労働者階級内部の左翼反対派というカテゴリーが事実上失効していた。革共同革マル派を除いて、新左翼諸セクトはもはやマルクス主義革命論の左翼反対派たりえなくなっていた。だから、それぞれ独自の勝手な「革命路線」を誇示していたのである。武装闘争、軍事路線などが法外な重みをもったのも、もはやこのままでは闘えないという現実の要請からでなく、労働者革命論の欄外に革命路線を立てざるをえない状況の反映であった。

だから、労働者本隊を母体とする諸セクトの統一協議会はできず、逆にセクト間の党派闘争ばかりが残された。だがそれなのに、諸セクトは綱領的に左翼反対派の立ち位置を疑わなかった。左翼反対派の居場所がもうないのに、無意識にもそれらしく振舞う党とは何なのか。ここに「戦争」といいながら革共同戦争が「内ゲバ」であった根拠がある。新左翼セクトどうしの党派闘争だから内ゲバだという根拠が失われているのに、だからといってこれを「外ゲバ」、戦争の論理で政治的に処理することもできない。加えて、六〇年安保と違って、七〇年安保闘争が時の政治過程にほとんど影響することがなかったのも、国民運動とその左翼反対派という構図が消滅していたからである。

第二に、全共闘という(知識の)生産点と地域を拠点とした大衆蜂起を、革命の第一段階でも出撃拠点としてでもなく、独自の大衆叛乱として受け取る視点の転換を必要としていた。「七〇年安保闘争」でなく「日本の1968」が焦点だったのだ。マルクス主義の革命史では、叛乱とは一時的な暴動か、それとも革命過程すなわち国家権力奪取とプロレタリア独裁への一里塚でしかありえない。これに反して、マルクス・レーニン主義の革命から叛乱のコンセプトを解放して、叛乱を独自の地域自己権力（評議会）として形成する政治にこそ党の存在の必然性と不可避性がある。これは大きな視点の転換であり、左翼反対派の流れをくむ新左翼セクトがその綱領と組織論とをまずは放擲することを要求するものだった。実際、全共闘のセクトメンバーも拠点では全共闘の論理で闘い、セクトとノンセクトとの境界はしばしば溶解していた。六〇年安保闘争の最盛期にブントの「社学同化」が発生したのと同じことである。では大衆叛乱における政治、党とは何か。それが問題だ。

第三に、１９６８の広範な大衆蜂起を叛乱と見なすならば、叛乱のアジテーターとしてその強度を高め、叛乱の自己権力を防衛する思想と機能を党は持たねばならない。叛乱の評議会の利益を守り、地域評議会と全国評議会を通じて評議会の統一と秩序を破壊する者たちから、（時には武力を用いて）これを守らねばならない。どんな集団にも左からの反対派は発生するが、これは叛乱の権力を高める方向で再団結するためでなければならない。マルクス・レーニン主義の理念から発する左翼反対派、その路線主義の強制であってはならないのだった。内ゲバの禁止は評議会のルールでなければならず、その積み重ねが叛乱の風土として定着することが必要である。

そして第四に、１９６８は政治の文体を変えたのである。今になっても当時の路線の言葉で過去を振り返るのであれば、当事者以外には会話が成り立たない。政治の文体を変えるとは思考と活動のスタイルが一変することであったのだ。

全共闘運動とセクト主導の七〇年安保闘争の渦中で、政治的な意味で私が終始注目したのは全共闘の方だった。労働者階級と前衛党という思考の枠組みを「アジテーターと大衆」へと転換し、「叛乱と政治の形成」という観点に立つことである。そして期せずして、「日本の１９６８」は同時に「一九六八年の世界革命」の一環であった。１９６８はたんに政治闘争であるだけに止まらずに、広範な対抗文化運動を解禁した。「新しい社会運動」に継承されもした。全共闘運動は本人たちの意向とは独立に、たんなる政治的現象をはみ出す出来事であった。これにたいしてセクトの路線主義は左翼反対派の最後の火花だったのであり、これが継承されるとすればテロルでしかなく、実際、「テロと治安」がその後の世界的な権力配置になった。新左翼諸セクトの内ゲバは日本の新左翼の以上の歴史の脈絡のうちで語られねばならない。新左翼の歴史の枠内、という点でこれはまさしく「内」ゲバを抜け出すことができなかった。内ゲバを止めるためには左翼反対派と日本新左翼の歴史的終わりを確認し合うしかなかったのに、それができなかった。

5　大衆叛乱と党

マルクス主義革命の左翼反対派を棄ててもなお、革命党はありうるのか。何よりも大衆叛乱のリアルに立ち戻ることが必要とされていた。叛乱とはそもそも人びとが既成の社会的規定性を清算して蜂起することである。労働組合とか学生自治会の一員として「参加する」のではない。反戦青年労働者とか全共闘として蜂起する。１９６８以降はなおのこと、そもそもが階級とか階層とかのアイデンティティを持たないデクラセ大衆である。叛乱は雑多な「大衆」の蜂起から始めるほかはないのである。蜂起はしばしば大衆の暴力をともなう。大衆武装が叛乱の強度のメルクマールになることがある。この大衆叛乱が敵との抗争に打ち勝って自己権力を固めていかねばならない。一挙にはいかない。叛乱権力の形成・対立・再団結の革命過程が伴わねばならない。

大衆叛乱の性格からして内部で集団の対立と抗争とが不可避の出来事として到来する。叛乱はアナキズムによるのではないとしても本来的にアナーキーであり、アナーキーが逆に政治を呼び寄せる。味方どうしの集団的抗争から立ち現れてくる争点、それが叛乱における特徴的な政治である。全共闘は自己権力として大学当局と政治的に敵対する。同時に全共闘会議は当局との対立の処理をめぐって激論となり、分派形成の芽が不断に生まれる。政治の観念が内外二重化する。ここに立ち現れる政治的案件の処理は、大衆集団にとってはしばしばこなすのが難しい課題となる。例えば、東大全共闘の初発の七項目要求がほとんど実現しかけた段階で、ここで勝利の一段階を確定して勝利を全共闘運動の全国展望につなげる政治的決断が問われた。だが、全共闘全国評議会の一致した援助がなければこれは不可能な政治であったろう。

同時に、個々の評議会において立ち現れるこの政治が、評議会の一員としてのセクトの介入を呼ぶ根拠になる。実際に諸セクトが介入して、集団の対立は党派闘争の形をとるかもしれない。内ゲバが発生する契機もここに生まれる。そもそも政治党派とは叛乱とともに形成されるものではなく、叛乱以前からすでに存在するカテゴリーである。セクトには歴史上の叛乱でのセクト経験がそれぞれに体現されている。安保ブントの経験が、というよりその潰れ方が残した禍根が、1968の諸セクトに受け継がれていたように。それでいて、諸セクトの介入は叛乱にとって不可避なのだから、マルクス・レーニン主義の革命論が忘れられても、今後ともこれをなしにはできない。「唯一の前衛党」はすでに神話に過ぎない。セクトは諸セクトであるほかないのである。そして、党派はいつどこの大衆叛乱にもすでにそこにいる。このリアルが内ゲバの惨禍に結び付くことをどう防ぐのか。

6　大衆の党、政治の党

以上の記述では、党のコンセプトが二重化していることに気づかねばならない。叛乱とその評議会のメンバーとして活動する党派を「大衆の党」（大衆政治同盟）と呼ぶ。その基本性格は叛乱の中のノンセクト・ラジカルの集団とて異なるものではない。評議会のメンバーには複数のかような大衆の党が含まれる。それは必然であり、かつ当然である。大衆の党は蜂起の拠点・地域あるいは階級構成に由来する叛乱の個別利害から遊離してはならない。だから大衆の党なのだ。全共闘運動の中の党派も実際はこうした存在だったのであり、かつそうでなければならない。

その限り、大衆の党は多かれ少なかれ大衆叛乱の性格を反映して動揺する。そもそも大衆叛乱は雑多な人びとの蜂起として始められる。その統一と団結は繰り返し動揺が避けられない。それが評議会の政治的決定を難しくしている。もう一つ、大衆蜂起はたんに政治的でなく色濃く倫理的な性格を帯びている。善と正義の要求が大衆を立ち上がらせたのである。自己否定とか大学の解体とか。そこには叛乱世界という独自のユートピアの時空が構成される。この叛乱の倫理的性格は叛乱の強度とともに著しいものとなり、そもそも限度を知らない。大衆の党もまたこれを受けて倫理的集団の色を帯びる。逆に、倫理的団結の強さで自分たちを大衆と他党派から区別しようとする。要するに、大衆の党は叛乱大衆の政治的かつ倫理的な放埒沙汰を身に蒙って動揺する。動揺すべき存在である。

だが、叛乱の中の党をかようなものとして措定するものは誰か。そこに党の党たるゆえん、固有の党のコンセプトが生まれる。仮に政治の党と呼ぶ。この党は叛乱の経験史の産物としてすでに存在しており、そのコンセプトは大衆叛乱にも大衆の党にも先立つ。だが、政治の党は大衆の党をその下部組織として指導する「前衛党の政治局」ではない。政治の党の関与はただ叛乱の政治的ゆくえだけにある。倫理的共同体の奥の院であることを拒否する。「政治的経験の一面性に耐えるところに党の固有の倫理がある」、あるいは「徹底的に政治的であることに耐えるところに党の倫理がある」と私が言うのは、この党のことである。革命は大衆自身の事業であり、政治の党はこの事業のうちに根拠を有するものではない。党とは大衆とその革命から遠く離れたところにあり、そのことを自覚した存在である。政治の党はこうして叛乱の、したがって大衆の党の、政治的かつ倫理的な動揺から自らを防衛する。

こんな政治の党が組織としてありうるはずがない、ただの観念だ。それに、政治の党と大衆の党の関係をどう組織したらいいのか。これらは当然の疑問として論じられるだろうが、それでも政治の党のカテゴリーは跳梁することを止めない。反革命の党を含めて史上このカテゴリーが党なるものを生み出し続けてきたのである。そうである以上この党のコンセプトを党の誰かが取り押さえて共有しなければならない。共有しているだろう。そこから評議会権力の防衛、内ゲバの禁止、そのための大衆の党どうしの協商などのイニシアチブも可能になる。その経験の積み重ねが理念と倫理規範を風土として定着させる。

7　歴史物語、再び

叛乱の中で大衆から遠く離れ、政治の一面性に耐えることは党にとって耐えがたい。政治の職能集団としての党は独自の倫理的紐帯にしがみつき、これを誇示したりするようになる。これが「唯一の前衛党」である。そこに本来革命はないのに革命は党の中にしかない。党が独占する革命は歴史を超越した「永遠の今」として党のうちに住む。党は自らが唯一の前衛党にとって代わる日まで、この信念に忠実に革命の孤独に耐えねばならない。まして今、革命的プロレタリアートはどこにいるのか。党が小さな左翼に止まろうが、逆にこの党が国家権力を掌握するとしても、党はここに「前衛党」となる。レーニンのボリシェヴィキ党の末路である。

だが本当は、前衛党が唯一の前衛を呼号するそのことが、直ちにこれに異を唱えるもう一つの唯一の党を呼び覚ます。党の絶対化が不可避に党を相対化する。唯一の党といえども他の宗派の思想の自由まで禁圧することはできない。スターリン主義の終わりとはこのことだった。かくて新左翼セクトは諸セクトであった。

一方、党派間の内ゲバの加害と被害とは、こうした前衛党の革命を以て倫理的に正当化される。革命(路線)と党の倫理とが内ゲバを動機付けかつ正当化する。内ゲバの経験を語る語り口がこのほかにありえようか。そうでなければ沈黙を墓場まで持っていくしかない。内ゲバの語りは今この二者択一を破る語り口、内ゲバの文体を作らねばならない。内ゲバの語りの向かう先に膨大な犠牲者が存在する。加害者も犠牲者も今ではただの私存在でしかありえない。前衛党とこの私とを隔絶する隔たりの大きさに気づかねばならない。たじろがねばならない。

こうした中での内ゲバの語りは、第一に、「日本の１９６８」を革命的危機でなく大衆叛乱として捉えるものでなければならない。しかも、「一九六八年の世界革命」と評されたような同時多発の世界的現象であり、かつ対抗文化運動などの多彩な精神的革命を随伴する出来事であったこと。それなのに、第二に、なぜ当時の政治セクトはこの事実から強いて目をそらして、荒唐無稽の危機論により路線主義に走ったのか、走ることができたのか。まずは路線主義の相違などは今や当事者たちの私事であることを思い知ったうえで、路線主義の根に存在した革命論を俎上にのせるものでなければならない。それは日本の新左翼の歴史であり、遠くはマルクス・レーニン主義の遺産であり、そして何よりもこの半世紀に当事者たちの胸のうちにわだかまり続けてきた当のことのはずである。それを吐き出さねばならない。

こうして、第三に、内ゲバの語りはおのずと叛乱の中の大衆の党というところに差し戻されるはずである。なぜ大衆の党たることからかつて目をそらしたのか。なぜ全共闘運動の意義など無視して、「七〇年安保闘争」などに六〇年安保闘争の再来を求めたのか。なぜ、日本の１９６８の諸セクトが揃いも揃ってアサッテの方向で競合し、その挙句に内ゲバを不可避としたのか。こう問うならばおのずと、大衆の党とは別の党の視点に思い至るはずである。思い至ることがたんなる党の視点を越えて、この国における党の作風と風土の形成に繋がるはずである。

そして最後に一言。世界にもう一度マルクス主義的労働者階級革命、あるいはマルクス・レーニン主義の革命が到来するかどうかは分からない。そのいかんにかかわらず、大衆の叛乱と蜂起は在る。現に世界中で起こっていることだし、今後とて叛乱はただ在る。その限り、今日のわが国での内ゲバの語りはたんに当事者による過去の制作に止まらずに、思いもかけず叛乱の中で実地検証にかけられるだろうし、現にかけられているのである。

あとがきに代えて

本書ではインタビューに答えるなど、六〇‐七〇年代の私事にも触れている。私も年を取ったせいであろう。そこでこの機会に私の評論の脈絡のようなものを短くたどっておきたい。

私の「叛乱論」が世に出たのは一九六八年のことだが、これを以て期せずして（と言うべきだが）、私は従来の革命論の文脈を切断してしまったようだ。近代にたいする叛乱であり、大衆の叛乱だと言う。「近代」というタームにより資本主義とその下部構造の決定という革命の因果を断ってしまった。「大衆」だとして労働者階級（プロレタリアート）という革命の主体を追い出すことになった。その上で、マルクス・レーニン主義の革命論とその歴史から叛乱（論）を自立させることを意図した。そこから出直して「革命の問い」を立てるとして、ではどのような道筋をたどって何処へ行くのか。私が自らを追い込んだ迷路である。

時代は六〇年安保闘争を経て大衆消費社会へと堰を切っていた。同じく、明治維新百年の近代化が大衆的規模で達成されるかに見えた。こうした時代状況のなかで、気が付けば世界のあちこちから、近代の人間の在り方につき破壊的な提言が聞こえてきていた。廣松渉が人間（労働）の自己疎外という若年マルクスの人間主義からの主体の切断を求めた。「人間としての人間はなお重要ではないのです」と、ハイデガーがサルトル批判の書簡で述べていた。高度大衆消費時代の下で人びとはどこへ行くのか、「赤ん坊（を沢山生むこと）か、倦怠か、三日の週末休暇か，月世界旅行か」とはロストウの診断である。後に知るようになったことだが、人間などは最近の発明にすぎず、じきに「波打ち際の砂の絵のように消え去るだろう」。これはもちろんフーコーである。要は、近代的理性が獲得したはずの人間つまり主体性の解体と従属である。ではどこへ行くのか。社会関係の総体としての人間か、「存在」への聴従か、赤ん坊か、それとも主体性の新しい形の育成か。あるいは中世へ。私自身、「叛乱論」の直後に改めて「主体性の死と再生」を掲げて、叛乱を前提にしてそこに集団としての主体形成を展望することになる。

しかしやがて、一九六八年の世界革命があり、次いで社会主義とマルクス・レーニン主義が、別に大した事件でもないかのように退場していく。叛乱を事実上の前提にするのでなく、もう一度、近代の大衆叛乱というときの大衆の存在様式から捉え直さなければならない。叛乱は何故に在るのか。私の著書に関しては、これが『政治の現象学あるいはアジテーターの遍歴史』（一九七七年）からひるがえって、『革命の問いとマルクス主義』（一九八四年）への七〇年代の道筋だったろうか。後者で私は人間（主体性）の在り方を「貧しい主体性」と呼んだ。ルカーチにならって言えば、近代資本主義社会にあってはなべて事象が物象化される。第二の自然である。人間もまた帰るべき大地を捨て去り、かつ理性的主体性の腐食の中にある。この貧しい主体性が叛乱に転化しうる主体の根拠はどこにあるか。第二の自然としての物象化世界とて絶滅させることのできないこと、つまりは人間の身体という最後の自然性に求めるほかはない。自然の叛乱である。身体といってもむろん、健全な理性の宿る健全な身体ではありえない。懐かしい大地でも自然の人工化でもなく、「第ゼロの自然」とでも名付けるほかないような身体の自然性のことである。主体の決起とは、この無内容な自然の零度から発する自然への飢餓の噴出、そうとでも名指すほかない。これが私の暫定的な設定だった。以降、内外の叛乱の共同体への寄り道と探索を続けてきた。

では他方で、大衆の貧しい主体性は現にこの社会でどんな在り方をしているのか。労働者階級は在る、しかしこの社会では第一勢力たるブルジョアと共に福祉国家の第二勢力を構成している、それだけのことだ。だが労働は在る。その労働の傷みかたが激しい。今世紀に入れば、いわゆるロスジェネ世代の主体の傷みが社会問題にもなってくる。本来は調査なくして発言権なしの領域である。それでも、私も昔風に「現状分析」と名づけて、時を置いてはサーベイを重ねるように促されてきた。「いま、私であるということ」とか「日本における労働者階級の状態」などと題して。本書でも第I部にその片鱗をうかがうことが出来るだろう。主体が旧来の社会的アイデンティティーを清算して登場するのは大衆叛乱の定義に属することだが、加えて今ではその主体はもう近代的主体とすらいえない。

こうした中で、フーコーの権力論が私の理論的関心を促していた。生権力論（規律訓練権力プラス生政治）だ。この社会の権力は国家権力の弾圧のように上からの単線的な作用ではない。工場や学校で個別的に（規律と訓練）、かつバイオとしての人間群にたいする統治として全体的に、権力は在る。司牧権力とも呼ばれている。そして断言する。「反封建的な革命はあったが、反司牧的な革命は決してなかった。司牧は、歴史から司牧を決定的に追い出す深い革命のプロセスにいまだ出くわしていない」(『安全・領土・人口』)。だから、革命はその可能性と不可能性を等価のものとして問うべき問いであるほかない。生の統治の下では主体はすなわち従属である。そこに「深い革命」は可能か。司牧権力に対抗して、抵抗もまた個別的かつ全体的でなければならない、フーコーはそう示唆するだけだ。むしろ、このようにして革命の問いを追い詰め、問い自体を撥ねつけてしまうフーコーの権力論の道筋が私の関心を引いた。失われた人間たち(主体)の再設定はどのようにして可能か。「フーコーの壁」と私は呼んでいる。

もはや革命はない。ロシア革命は東アジアにまで波及して奇形の近代国家を生み落とし、革命はその定義を使い果たしてしまった。私はそう言ってきた。しかし叛乱は在る。日本のことを見るだけでは間違う。二〇一一年以降の世界各地の民衆蜂起である。ことに一昨年(二〇一九年)、新型コロナウイルス感染症のパンデミックが始まる前の年には、蜂起はむしろ枚挙にいとまのない有様だった。ここにいう蜂起の主体は多様かつ雑多であり大衆と呼ぶしかないであろうが、その大衆の主体性が先に指摘した如くに傷んでいるとしたら、蜂起は今後とも勃発しては消えていく繰り返しでしかないかもしれない。深い革命には向かわない。蜂起がロカリティー(地域風土)を回復し、そこに独自の主体として集団形成を根付かせるかどうか、疑ってみることが避けられないだろう。蜂起は叛乱だろうか、叛乱として主体の育成の遍歴史を歩み始めるだろうか。私の言うアジテーターの遍歴史である。もともと、私のこの構想は一九六八年の叛乱に促されたものだった。しかしあれから主体性の傷みは深度を深くするばかり、叛乱はない。

このようにして、私はポスト近代社会の主体の在り方を「現状分析」するとともに、叛乱において政治が析出する有様を指摘し、それとして記述することに筆を傾けていったのかもしれない。叛乱の人びとが自ら作り出しながら、それによって自らが追い立てられることになるような政治の観念である。革命の歴史にことさらに政治の跳梁を読み取る。レーニン全集から始めて、日本の歴史に至る。これ自体はもう世の中と関係のない政治の作品化になる。政治の党の経験を今に制作する。それで構わないではないか。

とはいえ、一九六八年の世界革命から半世紀が過ぎて、当事者たちの手記や回想記がぼちぼち目に触れるようになった。半ば義務のようにして、私は目を通している。近年十年間の新たな大衆蜂起の記録とは違う。本人たちの自覚とは別に、それぞれが過去を（各自の１９６８を）、言語的につまり公共的に制作しているのである。そこに浮かび上がるのが「世界史とわたし」というテーマである。１９６８はわたしの革命と呼ばれるように、そこでは貧しい主体性の従属から主体性の再生が求められた。叛乱としての革命である。だからもう一度、主体性はそこで世界史に接触する。なにやら方向性と目的を示しているらしい世界史の動向である。むしろ、見えない世界史に促されて主体は主体になろうとした。世界史とわたしと言うときの「と」をめぐって、両者が反転し合う。その有様を本書では「体験と普遍史」と名づけてみた。古くて新しいテーマである。叛乱の過去を想起するとはこの「と」を言語的に制作するものであってほしい。１９６８の当事者たちにそのように促したい。

日本の１９６８はまた新左翼政治セクトのものであった。こう言ってよければ、セクトとはわたしを世界史に託して、もっぱら普遍史からわたしに迫ろうとする集団である。これが昂じて「妄想の政治路線」主義になる。日本の１９６８はこれまでのところ主として全共闘運動として想起されてきた。この叛乱が広く対抗文化運動を刺激したために、影響はその後に長く尾を引いた。反面で新左翼セクトはセクトの一語を以て戯画化されがちだった。なかったことにされる。私自身もすでに部外者であったから、政治セクトに正面からあからさまに触れることは少なかったと思う。というより、叛乱から政治と党の観念を救出してこれを取り押さえること、これが私にとっての「体験と普遍史」だったのだろう。ことに叛乱が過去のものとなってこのかた、私はセクトに向けて語り続けてきたつもりだった。本書ではしかし、当時の新左翼政治セクトの党派性についていくらか具体的に取り上げることを意図した（第Ⅳ部）。日本の１９６８という過去の想起、その共同制作への参画を促したいと考えたからだ。「日本の新左翼とは何だったのか」、これが共同のテーマである。日本の１９６８が今でも取り立てて世界に提供できるのも、この「体験と普遍史」のはずである。

初出一覧

I　日本の1968

叛乱の時代　丹羽美之・吉見俊哉編『記録映画アーカイブ3　戦後史の切断面』東京大学出版会、二〇一八年
世界史とわたし［初出タイトル＝体験と普遍史］　『一九六九年　混沌と狂騒の時代』鹿砦社、二〇一九年
一九七〇年　岐れ道それぞれ　『一九七〇年　端境期の時代』鹿砦社、二〇二〇年
永遠の序章　六八年と共同体　『情況』二〇一八年秋号
第三勢力の徘徊　『情況』二〇一七年秋号
疎外革命論の時代　『情況』、二〇〇九年六月号

II　追悼

弔辞　小坂修平　本書初出
思想の自立を妨げた思想家　『図書新聞』三〇五八号、二〇一二年
アジテーター西部　『表現者』二〇一八年五月号

III　私事を語る

ブントと島成郎　『飢餓陣営』二〇一七年夏号

叛乱を革命から解放する　カモノハシ協会、二〇二一年　https://platypus1917.org/tokyo/

三里塚闘争、対政府交渉の顚末　［初出タイトル＝三里塚「話し合い路線」の当時の松本礼二］『大衆政治家の軌跡　松本礼二＝高橋良彦遺稿・追悼集』彩流社、一九八八年

IV　党派性のかたち

政治セクトの現在　四つの書評から　本書初出

内ゲバの語り　文法と構図　本書初出

長崎浩（ながさき　ひろし）

一九三七年生まれ。一九六〇年、東京大学理学部卒業。大学院数物系中退。六三年から七〇年まで、東京大学物性研究所助手。以降、東北大学医学部、東京都老人総合研究所、東北文化学園大学に勤務。第一次共産主義者同盟で活動、東大全共闘運動に助手共闘として参加。第二次共産主義者同盟分裂以降、共産主義者同盟再建準備委員会（情況派）、同派分裂後は「遠方から」派で活動。

著書

『叛乱論』合同出版、一九六九年、［新版］、彩流社、一九九一年
『結社と技術――長崎浩政治論集』情況出版、一九七一年
『政治の現象学あるいはアジテーターの遍歴史』田畑書店、一九七七年、［新装版］、世界書院、二〇一九年
『超国家主義の政治倫理』田畑書店、一九七七年
『革命の問いとマルクス主義――階級、自然、国家そしてコミューン』エスエル出版会、一九八四年
『七〇年代を過る――長崎浩対談集』エスエル出版会、一九八八年
『日本の過激派――スタイルの系譜』海燕書房、一九八八年
『1960年代――ひとつの精神史』作品社、一九八八年
『世紀末の社会主義――変革の底流を読む』筑摩書房、一九九〇年
『日本人のニヒリズム』作品社、一九九二年
『からだの自由と不自由』中公新書、一九九七年
『技術は地球を救えるか――環境問題とテクノロジー』作品社、一九九九年
『思想としての地球――地球環境論講義』太田出版、二〇〇一年
『動作の意味論――歩きながら考える』雲母書房、二〇〇四年
『叛乱の六〇年代――安保闘争と全共闘運動』論創社、二〇一〇年
『共同体の救済と病理』作品社、二〇一一年
『革命の哲学――1968叛乱への胎動』作品社、二〇一二年
『リアルの行方』海鳥社、二〇一四年
『乱世の政治論――愚管抄を読む』平凡社、二〇一六年
『摂政九条兼実の乱世――『玉葉』をよむ』平凡社、二〇一八年
『幕末未完の革命――水戸藩の叛乱と内戦』作品社、二〇一九年
ほか多数

叛乱《はんらん》を解放《かいほう》する　体験《たいけん》と普遍史《ふへんし》

著者　長崎浩《ながさきひろし》

二〇二一年一〇月五日　第一刷発行

発行所　有限会社月曜社
発行者　神林豊
〒一八二-〇〇〇六　東京都調布市西つつじヶ丘四-四七-三
電話〇三-三九三五-〇五一五（営業）／〇四二-四八一-二五五七（編集）
ファクス〇四二-四八一-二五六一
http://getsuyosha.jp/

写真　中平卓馬（『映画批評』一九七一年六月号より）© Gen Nakahira
編集　阿部晴政
装幀　中島浩
印刷・製本　モリモト印刷株式会社

ISBN978-4-86503-121-8